dtv

Amin Jaafari ist ein hoch angesehener Arzt – und ein arabischer Israeli. Umso rascher gerät er ins Visier der Ermittlungen, als die Polizei die Identität der Selbstmordattentäterin herausfindet, die ein Restaurant in Tel Aviv in die Luft sprengte. Jaafari kann es selbst nicht fassen, dass er vom tödlichen Plan seiner doch so weltlich denkenden Frau Sihem, mit der er fünfzehn Jahre lang glücklich verheiratet war, nichts gewusst hat. Nachdem die Polizei ihn gehen lässt, will Jaafari herausfinden, was in den letzten Tagen von Sihems Leben passiert ist. Er reist nach Bethlehem und Dschenin, in die Zentren des palästinensischen Widerstands. Dort lösen seine Nachforschungen Unruhe aus: Er wird bedroht, verprügelt und als Verräter beschimpft. Doch unbeirrt versucht Jaafari, die Verantwortlichen zu finden, die seine Frau zu einer ›Schwarzen Witwe‹ gemacht haben.

›Die Attentäterin‹ war ein Bestseller in Frankreich und wurde unter anderem für den Prix Goncourt nominiert.

Yasmina Khadra ist das Pseudonym von Mohammed Moulessehoul. Der 1955 geborene Autor war hoher Offizier in der algerischen Armee. Wegen der strengen Zensurbestimmungen veröffentlichte er seine beliebten Kriminalromane mit Kommissar Llob unter dem Namen einer Frau. Erst nachdem er im Dezember 2000 mit seiner Familie nach Frankreich ins Exil gegangen war, konnte er das Geheimnis um seine Identität lüften. Yasmina Khadra ist eine der wichtigsten Stimmen der arabischen Welt, seine Romane sind in zahlreiche Sprachen übersetzt.

Yasmina Khadra

Die Attentäterin

Roman

Aus dem Französischen von
Regina Keil-Sagawe

Deutscher Taschenbuch Verlag

Von Yasmina Khadra ist im
Deutschen Taschenbuch Verlag erschienen:
Die Sirenen von Bagdad (13865)

Ausführliche Informationen über
unsere Autoren und Bücher
finden Sie auf unserer Website
www.dtv.de

7. Auflage 2012
2008 Deutscher Taschenbuch Verlag GmbH & Co. KG,
München
Lizenzausgabe mit Genehmigung des Carl Hanser Verlags
München Wien
© 2005 Éditions Julliard, Paris
Titel der Originalausgabe: ›L'attentat‹
Für die deutschsprachige Ausgabe:
© 2006 Nagel & Kimche
im Carl Hanser Verlag München
Umschlagkonzept: Balk & Brumshagen
Umschlagbild: AP Photo/Hatem Moussa
Satz: Filmsatz Schröter, München
Druck und Bindung: C. H. Beck, Nördlingen
Gedruckt auf säurefreiem, chlorfrei gebleichtem Papier
Printed in Germany · ISBN 978-3-423-13645-7

Ich erinnere mich nicht, eine Detonation gehört zu haben. Ein Zischen vielleicht, ähnlich dem Reißen eines Stoffes, aber sicher bin ich mir nicht. Meine Aufmerksamkeit ist abgelenkt von diesem Mann, der vom Heer seiner frommen Anhänger getragen wird wie ein Gott, während seine Leibgarde versucht, ihm einen Weg zu seinem Fahrzeug zu bahnen. «Macht Platz da. Bitte geht zur Seite, lasst uns durch.» Die Gläubigen drängeln, stoßen einander in die Rippen, um aus der Nähe einen Blick auf den Scheich zu erhaschen, einen Zipfel seines *kamis* zu berühren, seines langen Gewandes. Der verehrte Greis winkt in die Menge, grüßt hier einen seiner Bekannten, dankt dort einem seiner Schüler. Der Blick seines asketischen Gesichts ist so schneidend scharf wie die Klinge eines Krummschwerts. Ich versuche erfolglos, mich von den Leibern in Trance, zwischen denen ich eingezwängt bin, zu befreien. Der Scheich verschwindet in seinem Wagen, hebt die Hand zum Gruß hinter der Scheibe aus Panzerglas, während seine beiden Leibwächter neben ihm ihre Plätze einnehmen ... Dann sehe ich ihn nicht mehr. Etwas zuckt am Himmel auf und explodiert im nächsten Moment mitten auf der Straße; die Schockwelle trifft mich mit voller Wucht und reißt die frenetische Menge auseinander, in der ich gefangen bin. Im Bruchteil einer Sekunde stürzt der Himmel herab, und die Straße, die eben noch vor religiöser Inbrunst brodelte, versinkt im Chaos. Der Körper eines Mannes, oder vielleicht auch eines Jungen, streift mich in meinem Taumel wie ein seltsamer Blitz. Was ist das …? Eine riesige Welle erfasst mich, aus Feuer und Staub, schleudert mich zwischen tausend Geschossen hindurch. Ich habe das undeutliche Gefühl zu zerfasern, zu zerschmelzen im glühenden Hauch der Explosion … Einige Meter – oder Lichtjahre – entfernt geht das Fahrzeug des Scheichs in Feuer auf. Züngelnde Flammen greifen nach ihm und verbreiten in der Luft den grauenhaften Gestank brennender Leichen. Der Lärm muss entsetzlich sein, doch ich kann ihn nicht hören. Ich bin mit plötzlicher Taubheit geschlagen, fernab von allen Geräuschen der Stadt. Ich höre nichts, spüre nichts. Ich schwebe einfach nur, ich schwebe. Ich schwebe eine Ewigkeit, bevor ich zur Erde zurückfalle, wie zerschlagen, und völlig aufgelöst, dabei seltsam wach, mit Augen geweitet vom Schrecken, der auf der Straße wütet. Im Moment, da ich den Erdboden berühre, erstarrt alles; die Feuerfackeln über dem zerfetzten Fahrzeug, die Geschosse, der Rauch, das Chaos, die Gerüche, die Zeit … Nur eine himmlische Stimme ist da, über dem unergründlichen Schweigen des Todes, und singt: *Eines Tages aber kehren wir heim.* Eigentlich ist es gar keine Stimme, es ähnelt mehr einem feinen Rauschen … Mein Kopf prallt irgendwo auf … *Mama*, ruft ein Kind. Sein Ruf ist schwach, aber klar und deutlich. Er kommt von weit her, aus einer heiteren, wunderbar friedlichen anderen Welt … Die Flammen, die das Fahrzeug verschlingen, hören plötzlich auf sich zu bewegen, die Geschosse fallen nicht mehr herab … Meine Finger tasten im Schutt nach sich selbst. Ich glaube, es hat mich getroffen. Ich versuche, meine Beine zu bewegen, den Hals zu heben. Nicht ein Muskel gehorcht mir mehr … *Mama*, ruft das Kind … *Ich bin da, Amin* … Und da ist sie, die Mama, aufgetaucht aus einem Rauchvorhang. Sie schreitet durch die schwebenden Brocken hindurch, die versteinerten Bewegungen, die aufgerissenen Münder. Im ersten Moment halte ich sie mit ihrem milchigen Schleier und dem gemarterten Blick für die Jungfrau Maria. So war sie immer, meine Mutter, strahlend und traurig zugleich, wie eine Wachskerze. Wenn sie ihre Hand auf meine heiße Stirn legte, waren mein Fieber und all meine Sorgen wie weggeblasen … Und *da ist sie.* Und es geht derselbe ungebrochene Zauber von ihr aus. Ein Schauer durchläuft mich von oben bis unten, er befreit das Universum, löst Zuckungen aus. Da setzt der Totentanz der Flammen wieder ein, die Splitter fliegen umher und die Panik erwacht zu neuem Leben … Ein Mann in zerfetzter Kleidung, mit geschwärzter Haut versucht, sich einen Weg zum brennenden Fahrzeug zu bahnen. Er ist schwer verletzt und setzt doch alles daran, getrieben von einem unbegreiflichen Willen, dem Scheich zu Hilfe zu kommen. Jedes Mal, wenn er die Hand an die Wagentür legt, hält ihn eine lodernde Flamme zurück. In der Falle des Wageninnern brennen die Körper. Zwei blutüberströmte Phantome versuchen von der anderen Seite, die hintere Wagentur aufzureißen. Ich sehe, wie sie brüllen, Kommandos oder Schmerzensschreie, ich weiß es nicht, denn ich höre sie nicht. Neben mir starrt mich ein Alter mit entstelltem Gesicht verblüfft an; er scheint nicht zu merken, dass seine Gedärme frei liegen und sein Blut sich wie ein Sturzbach ins Einschlagloch ergießt. Ein Verwundeter kriecht mit einem riesigen rauchenden Fleck auf dem

Rücken durch den Schutt, ganz nah an mir vorbei, stöhnend und verwirrt, wenige Meter weiter gibt er seinen Geist auf, mit aufgerissenen Augen, als könne er nicht fassen, dass so etwas ihm, ausgerechnet ihm, zustößt. Den beiden Phantomen gelingt es schließlich, die Windschutzscheibe einzuschlagen und ins Innere vorzudringen. Andere Überlebende kommen zu Hilfe. Mit bloßen Händen nehmen sie das brennende Fahrzeug auseinander, zertrümmern die Scheiben, mühen sich an den Türen ab und schaffen es schließlich, den Körper des Scheichs herauszuziehen. Ein Dutzend Arme trägt ihn fort, weit weg vom Brandherd, ehe sie ihn auf den Gehweg legen, während weitere Hände versuchen, seine brennende Kleidung zu löschen. Durch meine Hüfte zuckt ein stechender Schmerz. Von meiner Hose ist kaum etwas übrig, nur ein paar verkohlte Stofffetzen bedecken ein wenig Haut. Mein Bein liegt an meiner Seite, grotesk und grausig hängt es nur noch als ein Fetzen Fleisch an mir herunter. Mit einem Mal lassen mich all meine Kräfte im Stich. Ich habe das Gefühl, dass die Fasern meines Körpers sich lösen, sich zu zersetzen beginnen ... Endlich dringt das Geheul eines Krankenwagens zu mir durch. Nach und nach setzt der Straßenlärm wieder ein, überflutet mich, betäubt mich. Jemand beugt sich über meinen Leib, tastet ihn oberflächlich ab und entfernt sich. Ich sehe, wie er vor einem verkohlten Körper niederkniet, ihm den Puls fühlt und dann den Bahrenträgern ein Zeichen gibt. Ein anderer Mann kommt herbei, fasst nach meinem Handgelenk, lässt es wieder fallen ... «Der ist hinüber. Für den können wir nichts mehr tun ...» Ich möchte ihn aufhalten, ihn dazu bringen, dass er noch mal nachprüft. Doch mein Arm versagt mir den

Dienst, verleugnet mich. *Mama*, sagt da wieder das Kind ... Ich suche meine Mutter inmitten des Chaos ... Sehe nichts als Obstgärten, so weit das Auge reicht ... die Obstgärten meines Großvaters ... des Patriarchen ... ein Land voller Orangenbäume, wo jeden Tag Sommer war ... und einen Jungen, der hoch oben auf einem Bergrücken träumt. Der Himmel ist von transparentem Blau. Die Orangenbäume reichen ins Unendliche. Der Junge ist zwölf und hat ein zerbrechliches Herz. Aus lauter Verliebtheit möchte er, einfach, weil seine Zuversicht so groß ist wie seine Freude, den Mond wie eine Frucht anknabbern, überzeugt, er müsse nur die Hand ausstrecken, um alles Glück der Erde zu fassen ... Und da, vor meinen Augen, und trotz des Dramas, das soeben die Erinnerung an diesen Tag für immer getrübt hat, trotz der Körper, die auf der Straße mit dem Tode ringen, trotz der Flammen, die das Fahrzeug des Scheichs vollends unter sich begraben, springt der Junge auf und läuft mit sperberflügelweit ausgebreiteten Armen durch Felder, auf denen jeder Baum zu einer Märchenwelt gehört ... Tränen strömen über meine Wangen ... «Wer immer dir gesagt hat, ein Mann dürfe nicht weinen, der weiß nicht, was es bedeutet, ein Mann zu sein», verriet mir mein Vater, als er mich in Tränen aufgelöst im Sterbezimmer des Patriarchen fand. «Man muss sich nicht dafür schämen, dass man weint, mein Großer. Tränen sind das Edelste, was wir haben.» Da ich mich weigerte, Großvaters Hand loszulassen, hockte er sich vor mich hin und nahm mich in die Arme. «Es hilft gar nichts, noch länger hier zu bleiben. Die Toten sind tot und kommen nicht wieder, sie haben ihre Strafe gewissermaßen abgebüßt. Die Lebenden aber sind nur Gespenster, die ihrer Stunde voraus sind …» Zwei Männer heben mich hoch und packen mich auf eine Trage. Ein Krankenwagen kommt rückwärts herangefahren, mit weit offenen Türen. Arme ziehen mich ins Innere, befördern mich unsanft zu den Leichen. In einem letzten Aufbäumen höre ich mich schluchzen … «O Gott, wenn das hier ein grauenhafter Alptraum ist, dann mach, dass ich so schnell wie möglich aufwache …»

1.

Nach der Operation kommt Ezra Benhaim, unser Direktor, zu mir ins Büro. Obwohl er keine sechzig mehr ist und neuerdings eine gewisse Leibesfülle zeigt, ist er ein flinker, aufmerksamer Typ. Seine ausgeprägte Neigung zum Herumkommandieren, zu der sich eine spezielle Art von Humor gesellt, der sich in unangebrachten Witzen äußert, hat ihm den Spitznamen «Wachtmeister» eingetragen. Aber wenn es darauf ankommt, dann ist er noch immer der Erste, der die Ärmel hochkrempelt, und der Letzte, der nach Hause geht.

Er war schon da, als ich, damals ein blutjunger Chirurg und noch lange kein israelischer Staatsbürger, Himmel und Erde in Bewegung setzte, um eine Festanstellung zu bekommen. Obwohl er zu der Zeit nur ein einfacher Oberarzt war, nutzte er das bisschen Einfluss, das ihm sein Posten verlieh, um meine Gegner auf Abstand zu halten. Damals war es schwer für einen Beduinensohn, Einlass in den erlesenen Kreis der akademischen Elite zu finden, ohne Anstoß zu erregen. Meine Mitabsolventen waren ausnahmslos junge reiche Juden mit Goldkettchen und Cabrio. Sie sahen auf mich herab und empfanden jeden meiner Erfolge als persönlichen Angriff auf ihren Status. So kam es, dass Ezra, wenn einer von ihnen mich bis zur Weißglut reizte, automatisch für mich Partei ergriff, ohne auch nur zu fragen, wer den Streit begonnen hatte.

Er öffnet die Tür ohne anzuklopfen und blickt mich mit gesenktem Kopf von unten herauf an, den Anflug eines Lächelns im Mundwinkel. Das ist seine Art, Zufriedenheit zum Ausdruck zu bringen. Dann, als ich mich im Sessel herumdrehe, um ihn direkt anzuschauen, nimmt er seine Brille ab, wischt sie an seinem Arztkittel sauber und bemerkt: «Man erzählt sich, dass du schon halb im Jenseits warst, um deinen Patienten zurückzuholen.»

«Nun übertreibe mal nicht.»

Er schiebt die Brille zurück auf eine Nase mit garstigen Nasenlöchern, wiegt den Kopf hin und her, denkt kurz nach, dann wird sein Blick wieder nüchtern.

«Sehen wir uns heute Abend im Club?»

«Nein, das ist unmöglich, meine Frau kommt heute zurück.»

«Und was ist mit meiner Revanche?»

«Welcher Revanche? Du hast bisher nicht ein Spiel gegen mich gewonnen.»

«Das ist nicht fair, Amin. Du nutzt immer meine schwachen Momente aus, um mich zu besiegen. Und gerade heute, wenn ich in Form bin, da kneifst du.»

Ich lehne mich im Sessel zurück, um ihn besser mustern zu können.

«Soll ich dir mal was sagen, mein Lieber? Du bist nicht mehr der Jüngste, ich würde es mir selbst übel nehmen, wenn ich das ausnutzen wollte.»

«Schaufel nur nicht zu schnell mein Grab. Ich werde dir das Maul schon noch stopfen.»

«Dazu brauchst du aber keinen Tennisschläger. Eine einfache Suspendierung vom Dienst tut es auch.»

Er verspricht, darüber nachzudenken, tippt zum Abschied kurz mit dem Finger an die Schläfe und ist schon wieder draußen auf dem Gang, wo er mit den Krankenschwestern schäkert.

Wieder allein, versuche ich mich zu erinnern, womit ich beschäftigt war, bevor Ezra hereinplatzte, und mir fällt ein, dass ich meine Frau anrufen wollte. Ich greife zum Hörer, wähle die Nummer von zu Hause und lege nach siebenmal Klingeln wieder auf. Die Zeiger meiner Uhr stehen auf 13 Uhr 12. Wenn Sihem den 9-Uhr-Bus genommen hätte, wäre sie längst zurück.

«Mach dir deswegen keine Gedanken!» Überraschend kommt Doktor Kim Yehuda in mein Büro geschneit und fügt gleich hinzu: «Ich habe angeklopft, bevor ich eingetreten bin. Aber du warst in Gedanken …»

«Entschuldige, ich habe dich gar nicht kommen hören.»

Sie wischt meine Worte mit einer Handbewegung beiseite, beobachtet das Auf und Ab meiner Augenbrauen und fragt: «Du hast zu Hause angerufen?»

«Man kann aber auch gar nichts vor dir verbergen.»

«Und natürlich ist Sihem noch nicht zurück?»

Ihr Scharfsinn geht mir auf die Nerven, aber ich habe gelernt, damit zu leben. Ich kenne Kim seit der Universität. Wir waren nicht im selben Semester – ich war ihr um drei Nasenlängen voraus –, doch wir haben uns auf Anhieb verstanden. Sie war schön und spontan und fackelte nicht lange, wo die anderen Studentinnen erst stundenlang zögerten, bevor sie einen Araber fragten, ob er Feuer hätte, auch wenn er noch so gescheit und attraktiv war. Kim lachte viel und gerne und trug ihr Herz auf der Zunge. Unsere Flirts waren von verwirrender Naivität. Ich habe schrecklich gelitten, als ein junger russischer Gott, frisch aus seinem Komsomol angereist, sie mir entführte. Aber da ich kein schlechter Verlierer sein wollte, habe ich keine Schwierigkeiten gemacht. Später habe ich dann Sihem geheiratet, und der Russe ist sang- und klanglos Richtung Heimat verschwunden, kurz nach dem Zusammenbruch der Sowjetunion. Kim und ich sind gute Freunde geblieben, und durch unsere enge berufliche Zusammenarbeit ist eine außergewöhnliche Komplizenschaft entstanden.

«Heute gehen die Ferien zu Ende», erklärt sie mir. «Die Straßen sind vollgestopft. Hast du versucht, sie bei ihrer Großmutter zu erreichen?»

«Auf dem Bauernhof gibt es kein Telefon.»

«Ruf sie auf ihrem Handy an.»

«Sie hat es schon wieder zu Hause liegen lassen.»

Sie breitet die Arme schicksalsergeben aus: «Das nenne ich Pech.»

«Für wen?»

Sie zieht ihre prächtigen Brauen in die Höhe und droht mir mit dem Finger: «Das Drama gewisser guter Absichten besteht darin, dass es ihnen an Mut zur Durchsetzung und an Konsequenz im Gedankengang fehlt.»

«Das ist die Stunde der müden Krieger», sage ich schon im Aufstehen. «Die Operation war anstrengend genug, jetzt müssen wir erst einmal wieder zu Kräften kommen …»

Ich fasse sie am Ellenbogen und schiebe sie in den Korridor.

«Nach Ihnen, schöne Frau. Ich möchte mir diesen Anblick nicht entgehen lassen.»

«Würdest du es wagen, das in Gegenwart von Sihem zu wiederholen?»

«Nur ein Idiot ändert nie seine Meinung.»

Kims Lachen verhallt im Flur wie das Echo eines Armesünderglöckleins.

Ilan Ros stößt in der Kantine zu uns, als wir gerade mit Essen fertig sind. Mit seinem vollgepackten Tablett lässt er sich rechts neben mir nieder, gegenüber von Kim. Sein Kittel klafft über einem immensen Bauch, und seine Hängebacken glänzen scharlachrot. Als Erstes schiebt er drei Scheiben kaltes Fleisch in sich hinein, dann wischt er sich mit einer Papierserviette über den Mund.

«Suchst du noch immer eine Zweitwohnung?», fragt er mich kauend.

«Kommt darauf an, wo.»

«Ich glaube, ich hätte da was Nettes für dich. In der Nähe von Ashqelon. Eine hübsche kleine Villa mit allem, was dazugehört, um mal so richtig abzuschalten.»

Meine Frau und ich suchen schon seit über einem Jahr ein Häuschen am Meer. Sihem liebt das Meer. Jedes zweite Wochenende springen wir, wenn ich nicht gerade Dienst habe, in unseren Wagen und fahren zum Strand. Wir machen lange Spaziergänge im Sand, klettern irgendwann auf eine Düne und versinken bis tief in die Nacht in den Anblick des Horizonts. Der Sonnenuntergang hat auf Sihem eine Faszination ausgeübt, die mir bis heute ein wenig rätselhaft blieb.

«Glaubst du denn, dass mein Portemonnaie das hergibt?»

Ilan Ros lacht kurz auf, sein puterroter Hals bebt wie Wackelpudding.

«So lange, wie du schon nicht mehr mit leeren Hosentaschen herumläufst, Amin, hast du, denke ich, mehr als genug, um dir die Hälfte deiner Träume zu erfüllen ...»

Plötzlich bringt eine gewaltige Explosion die Wände zum Erbeben und lässt die Fensterscheiben in der Kantine vibrieren. Alle sehen sich ratlos an, dann stehen die, die in der Nähe der Panoramafenster sitzen, auf und recken die Hälse. Kim und ich stürzen auf das nächstgelegene Fenster zu. Die Leute, die im Hof des Krankenhauses unterwegs waren, stehen wie angewurzelt, die Köpfe nach Norden gedreht. Die Fassade des Baus gegenüber verstellt uns den Blick.

«Bestimmt ein Attentat», bemerkt jemand.

Kim und ich rennen hinaus auf den Korridor. Schon taucht ein Trupp Krankenschwestern aus dem Kellergeschoss auf und läuft in Richtung Eingangshalle. Dem Ausmaß der Schockwelle nach zu urteilen, muss die Explosion ganz in der Nähe stattgefunden haben. Einer vom Wachdienst dreht an seinem Funkgerät, um Erkundigungen einzuholen. Sein Gesprächspartner teilt ihm mit, dass er auch nichts weiß. Wir stürzen uns in den Aufzug. Oben angelangt, rennen wir auf die Dachterrasse des Südflügels. Einige Neugierige sind schon da und starren, die Augen mit den Händen abgeschirmt, zu einer Rauchwolke hinüber, die etwa zehn Häuserblocks weiter in den Himmel steigt.

«Das kommt aus Richtung Haqirya», berichtet ein Wachposten in sein Funkgerät. «Bombe oder Selbstmordattentat. Vielleicht eine Autobombe. Ich hab keinerlei Informationen. Alles, was ich sehe, ist der Rauch, der von dort aufsteigt ...»

«Wir müssen wieder runter», mahnt mich Kim.

«Du hast recht. Wir müssen uns darauf vorbereiten, die ersten Opfer in Empfang zu nehmen.»

Zehn Minuten später dringen vereinzelt Informationen durch, die von einem regelrechten Blutbad reden. Manche berichten von einem Angriff auf einen Bus, andere von einem Restaurant, das in die Luft gesprengt worden sei. Die Telefonzentrale steht kurz vor dem Kollaps. Es herrscht Alarmstufe Rot.

Ezra Benhaim trommelt den Krisenstab zusammen. Krankenschwestern und Chirurgen laufen zur Notaufnahme, wo in hektischem, aber geordnetem Gewimmel Tragen und Transportliegen aufgestellt werden. Es ist nicht das erste Mal, dass ein Attentat Tel Aviv erschüttert, und die Rettungsdienste gehen von Mal zu Mal mit größerer Effizienz vor. Aber Attentat bleibt Attentat. Auf die Dauer bekommt man es zwar technisch in den Griff, aber nicht menschlich. Emotion und Entsetzen passen nicht recht zu einem kühlen Kopf. Wenn das Grauen zuschlägt, zielt es immer als Erstes auf das Herz.

Ich mache mich ebenfalls auf zur Notaufnahme. Ezra ist schon da, mit blassem Gesicht und dem Handy am Ohr. Mit der anderen Hand versucht er, die Vorbereitungen für die Operationen zu dirigieren.

«Ein Selbstmordattentäter hat sich in einem Restaurant in die Luft gesprengt. Es gibt mehrere Tote und eine Menge Verletzte», verkündet er. «Lasst Raum 3 und Raum 4 räumen. Und haltet euch bereit, die ersten Opfer in Empfang zu nehmen. Die Krankenwagen sind schon unterwegs.»

Kim, die in ihr Büro gegangen war, um ihrerseits zu telefonieren, stößt in Raum 5 zu mir. Dort sollen die Schwerverletzten hingebracht werden. Manchmal, wenn die OP-Räume nicht reichen, wird auch an Ort und Stelle amputiert. Zusammen mit vier anderen Chirurgen überprüfen wir das Einsatzmaterial. Krankenschwestern sind rund um die OP-Tische zugange, mit flinken, präzisen Gesten.

«Es gibt mindestens elf Tote», berichtet Kim, während sie die Apparate in Gang setzt.

Draußen heulen die Sirenen. Die ersten Krankenwagen erreichen den Innenhof. Ich lasse Kim mit den Apparaten allein und laufe zu Ezra in die Eingangshalle. Die Schreie der Verwundeten hallen durch den Raum. Eine beleibte Frau, die fast nackt ist und noch größer scheint in ihrem Entsetzen, windet sich auf einer Trage. Die Pfleger, die ihr beistehen, haben Mühe, sie ruhig zu halten. Sie wird an mir vorbeigetragen, mit gesträubtem Haar, hervorquellenden Augen. Gleich dahinter wird ein blutüberströmter kleiner Junge eingeliefert. Gesicht und Arme sind so geschwärzt, als käme er direkt aus einer Kohlenmine. Ich greife nach seiner Liege und schiebe sie zur Seite, um den Weg frei zu machen. Eine Krankenschwester kommt mir zu Hilfe.

«Seine Hand ist abgerissen!», schreit sie.

«Es ist jetzt nicht der Moment, die Nerven zu verlieren», herrsche ich sie an. «Legen Sie ihm einen Knebelverband an und bringen Sie ihn auf der Stelle in den OP-Saal. Jede Minute zählt.»

«Sehr wohl, Herr Doktor.»

«Sind Sie sicher, dass Sie es schaffen?»

«Machen Sie sich keine Sorgen um mich, Herr Doktor. Das bekomme ich schon hin.»

Binnen einer Viertelstunde verwandelt sich das Foyer der Notaufnahme in ein Schlachtfeld. An die hundert Verletzte sind dort zusammengepfercht, die meisten liegen am Boden. Sämtliche Tragen sind mit ausgerenkten

Körpern belegt, die furchtbare Splitterwunden aufweisen und manchmal gleich mehrere Brandwunden. Ein Schluchzen und Schreien durchzieht das ganze Krankenhaus. Von Zeit zu Zeit übertönt ein vereinzelter Schrei den Lärm und kündet vom Tod eines Opfers. Ein Patient stirbt mir unter den Händen weg, ohne dass ich Zeit gehabt hätte, ihn näher anzusehen. Kim informiert mich, dass der OP-Saal überfüllt sei und wir die Schwerverletzten nach Raum 5 verlegen müssen. Ein Verwundeter brüllt, man solle sich auf der Stelle um ihn kümmern. Sein ganzer Rücken ist gehäutet, das Schulterblatt liegt stellenweise bloß. Da er niemanden sieht, der ihm zu Hilfe kommt, packt er eine Schwester bei den Haaren. Es braucht drei kräftige Männer, damit er sie loslässt. Nicht weit davon schreit ein Verletzter, der zwischen zwei Liegen eingeklemmt ist, und strampelt wie ein Wilder. Vom vielen Strampeln fällt er schließlich von seiner Trage. Er hat jede Menge Schnittwunden und beginnt, mit den Fäusten ins Leere zu boxen. Die Schwester, die sich um ihn kümmert, wirkt überfordert. Ihre Augen leuchten auf, als sie mich sieht.

«Schnell, schnell, Herr Doktor Amin …»

Schlagartig versteift sich der Verletzte. Sein Geröchel, seine Zuckungen, sein Gestrampel, sein ganzer Körper erstarrt, und die Arme sacken ihm auf die Brust wie bei einer Marionette, der man die Fäden durchschneidet. Im Bruchteil einer Sekunde weicht der Ausdruck des Schmerzes in seinen hochroten Zügen dem der kalten Wut, vermischt mit Ekel. Als ich mich über ihn beuge, wirft er mir einen drohenden Blick zu und bleckt empört die Zähne.

«Ich dulde nicht, dass ein Araber mich berührt»,

knurrt er und stößt mich erbittert zurück. «Da krepier ich lieber.»

Ich packe ihn am Handgelenk und drücke ihm den Arm energisch nach unten.

«Halten Sie ihn gut fest», sage ich zur Schwester. «Ich werde ihn mir mal ansehen.»

«Fassen Sie mich nicht an!», brüllt der Verletzte. «Ich verbiete Ihnen, mich zu berühren.»

Er spuckt mich an. So kraftlos, dass ihm der Speichel klebrig und zitternd aufs Kinn zurückfällt, während Tränen der Wut in seinen Augen aufsteigen. Ich öffne sein Jackett. Sein Bauch ist nur noch ein schwammiger Brei, den die kleinste Anstrengung zusammendrückt. Er hat bereits viel Blut verloren, und sein Geschrei erhöht noch den Blutverlust.

«Wir müssen sofort operieren.»

Ich gebe einem Pfleger Zeichen, mir zu helfen, den Verletzten wieder auf die Trage zu heben, schiebe die Liegen zur Seite, die uns den Weg versperren, und steuere eiligst auf den OP-Saal zu. Der Verwundete fixiert mich aus hasserfüllten, schon halb verdrehten Pupillen. Er versucht noch immer zu protestieren, doch sein Widerstand hat ihn erschöpft. Entkräftet wendet er den Kopf ab, um mich nicht direkt vor Augen zu haben, und überlässt sich der einsetzenden Betäubung.

2.

Ich verlasse den OP-Raum gegen 22 Uhr.

Ich weiß nicht, wie viele Personen ich auf meinem Operationstisch liegen hatte. Kaum war ich mit einem fertig, gingen die Türflügel auf und ließen die nächste Liege herein. Manche Eingriffe brauchten nicht lange, andere haben mich komplett ausgelaugt. Ich habe Krämpfe und ein Kribbeln rund um die Gelenke. Hin und wieder trübte sich mein Blick, und mir wurde vorübergehend schwindlig. Aber erst, als mir ein Junge unter den Händen fast weggestorben wäre, hielt ich es für ratsam, meinen Platz für den Nachfolger zu räumen. Kim ihrerseits hat drei Patienten verloren, einen direkt nach dem anderen, als würde ein böser Fluch auf ihren Anstrengungen liegen. Hörbar auf sich selbst schimpfend hat sie Raum 5 verlassen. Ich glaube, sie ist in Tränen aufgelöst in ihr Büro geflüchtet.

Laut Ezra Benhaim muss die Zahl der Toten nach oben korrigiert werden; bisher waren es fünfzehn Todesfälle, darunter elf Schüler, die den Geburtstag einer Klassenkameradin in dem Fastfood-Restaurant, das es traf, feierten, vier Amputationen und dreiunddreißig Schwerverletzte, die in kritischem Zustand eingeliefert worden waren. Etwa vierzig Verletzte sind von ihren Angehörigen abgeholt worden, andere selbständig nach Hause zurückgekehrt, nachdem wir sie ärztlich versorgt hatten.

Im Foyer taumeln Eltern wie Schlafwandler umher.

Die meisten scheinen das Ausmaß der Katastrophe, die sie getroffen hat, nicht zu begreifen. Eine aufgewühlte Mutter umklammert mit bohrendem Blick meinen Arm: «Wie geht es meiner Kleinen, Herr Doktor? Wird sie es schaffen?» ... Ein Vater erscheint; sein Sohn ist im Reanimationsraum. Er will wissen, warum die Operation noch immer nicht zu Ende ist. «Er ist doch schon seit Stunden da drin. Was machen Sie denn mit ihm?» Die Schwestern werden ebenso bestürmt. Sie versuchen, so gut es geht, die Gemüter zu besänftigen, und versprechen, die gewünschten Informationen sofort zu besorgen. Eine Familie erspäht mich, als ich gerade einen alten Mann beruhige, und fällt über mich her. Ich muss einen Rückzieher machen und nehme den Weg über den Außenhof, um das Gebäude herum, um in mein Büro zu gelangen.

Kim ist nicht in ihrem. Ich suche sie bei Ilan Ros. Ros hat sie nicht gesehen. Die Schwestern auch nicht.

Ich ziehe mich um und mache mich auf den Heimweg.

Auf dem Parkplatz kommen und gehen die Polizisten in gedämpfter Hast. Die Stille wird vom Surren ihrer Funkgeräte ständig unterbrochen. Ein Offizier erteilt Anweisungen aus seinem Geländewagen, die Maschinenpistole auf dem Armaturenbrett.

Ich steige in mein Auto und bin wie berauscht vom Abendwind. Kims Nissan steht noch immer da, wo ich ihn am Morgen gesehen habe, die Vorderscheiben wegen der Hitze halb heruntergekurbelt. Ich schließe daraus, dass sie noch immer im Krankenhaus ist, aber ich bin zu müde, um nach ihr zu suchen.

Wenn man das Krankenhaus hinter sich hat, wirkt die Stadt völlig harmlos. Das Drama, von dem sie eben erst erschüttert wurde, hat nichts an ihren Gewohnheiten geändert. Endlose Autoschlangen winden sich in die Abzweigung Richtung Petah Tiqwa. Die Menschen drängen sich in Cafés und Restaurants. Scharen von Nachtschwärmern bevölkern die Gehwege. Ich nehme die Ibn Gevirol bis nach Bet Sokolov, wo ein Kontrollposten, der nach dem Attentat dort eingerichtet wurde, die Autofahrer nötigt, einen Bogen um das Viertel Haqirya zu schlagen, das durch einen drakonischen Sicherheitskordon vom Rest der Stadt abgeriegelt ist. Es gelingt mir, mich bis zur Hasmonaim durchzuschlängeln, in der tiefstes Schweigen herrscht. Von weitem kann ich das Fastfood-Restaurant erkennen, das der Selbstmordattentäter in die Luft gesprengt hat. Die Polizei ist dabei, den Tatort zu vermessen und Spuren zu sichern. Der vordere Teil des Restaurants ist völlig zerstört, das Dach über dem Südflügel ist komplett eingestürzt und hat den ganzen Gehweg schwarz gesprenkelt. Eine Laterne wurde aus der Verankerung gerissen und liegt quer über der mit Trümmern übersäten Straße. Die Schockwelle muss unvorstellbar heftig gewesen sein. Die Fensterscheiben der Gebäude ringsum sind geborsten, und von manchen Fassaden bröckelt der Putz.

«Sehen Sie zu, dass Sie weiterkommen!», befiehlt mir ein Polizist, der aus dem Nichts aufgetaucht ist.

Er lässt seinen Scheinwerferkegel über mein Auto gleiten, beleuchtet erst das Nummernschild, dann mich, macht instinktiv einen Satz nach hinten und greift mit der anderen Hand nach seiner Pistole.

«Keine plötzliche Bewegung!», warnt er mich. «Ich möchte Ihre Hände auf dem Lenkrad sehen. Was tun Sie hier? Sehen Sie nicht, dass der Ort abgeriegelt ist?»

«Ich bin auf dem Heimweg.»

Ein zweiter Polizist kommt angelaufen.

«Wo kommt der denn her?»

«Weiß der Kuckuck», erwidert der erste Polizist.

Sein Kollege lässt auch wieder seine Taschenlampe über mich wandern, mustert mich misstrauisch, mit finsterem Blick.

«Ihre Papiere!»

Ich reiche sie ihm. Er überprüft sie und leuchtet mir wieder ins Gesicht. Mein arabischer Name macht ihm zu schaffen. So ist das immer nach einem Attentat. Mit jedem weiteren verdächtigen Gesicht erhöht sich die Nervosität der Bullen.

«Steigen Sie aus», blafft der erste Polizist, «und stellen Sie sich ans Auto.»

Ich gehorche. Er stößt mich brutal gegen das Autodach, spreizt mit dem Fuß meine Beine auseinander und beginnt, mich systematisch zu filzen.

Der Kollege schaut nach, was sich im Kofferraum befindet.

«Woher kommen Sie?»

«Vom Krankenhaus. Ich bin Doktor Amin Jaafari. Ich arbeite als Chirurg in Ichilov. Ich komme direkt aus dem OP-Saal. Ich bin hundemüde und will nach Hause.»

«In Ordnung», bemerkt der andere Polizist, während er den Kofferraumdeckel zuschlägt. «Da ist nichts Auffälliges.»

Dem ersten widerstrebt es, mich einfach so laufen zu lassen. Er geht ein paar Schritte zur Seite und gibt meine Personalien und die Auskünfte, die er meinem Führerschein und meinem Arztausweis entnimmt, an die Zentrale durch. «Da ist ein Araber mit israelischer Staatsbürgerschaft. Er sagt, er kommt gerade aus dem Krankenhaus, wo er als Chirurg arbeitet ... Jaafari, mit zwei a ... Gleiche das mal mit Ichilov ab ...» Nach fünf Minuten ist er wieder da, gibt mir meine Papiere zurück und befiehlt mir in einem Ton, der keine Widerrede duldet, zurückzufahren, und zwar ohne mich auch nur einmal umzudrehen.

Ich komme gegen 23 Uhr zu Hause an, trunken vor Müdigkeit und Verdruss. Vier Patrouillen haben mich auf dem Rückweg noch abgefangen und jedes Mal auseinander genommen. Und auch wenn ich zehnmal meine Papiere vorzeigte und meinen Beruf nannte, die Polizisten waren fixiert auf meine Physiognomie. Einmal hat ein junger Beamter, der meinen Protest nicht ertrug, seine Waffe auf mich gerichtet und gedroht, er würde mir das Gehirn wegpusten, wenn ich nicht die Klappe hielte. Sein Vorgesetzter musste ihn richtig zusammenstauchen, damit er aufhörte.

Ich bin froh, dass ich heil und gesund meine Straße erreicht habe.

Sihem macht mir nicht die Tür auf. Sie ist noch nicht aus Kafr Kanna zurück. Die Putzfrau hat auch vergessen vorbeizukommen, mein Bett ist noch ungemacht, wie ich es am Morgen verlassen habe. Ich schaue zum Telefon; keine einzige Nachricht auf dem Anrufbeantworter. Nach einem derart turbulenten Tag wie dem heutigen beunruhigt mich die Abwesenheit meiner Frau nicht besonders. Sie hat es sich angewöhnt, ihren Aufenthalt bei ihrer Großmutter spontan zu verlängern. Sihem liebt den Bauernhof und die langen Abende auf einem Hügel, den der Mond in sein friedliches Licht taucht.

Ich gehe ins Schlafzimmer, um mich umzuziehen, da bleibt mein Blick am Foto von Sihem hängen, das auf dem Nachttisch steht. Ihr Lächeln ist so strahlend wie der Regenbogen, doch in ihren Augen steht die Angst. Das Leben hat ihr nichts geschenkt. Mit achtzehn hat sie ihre Mutter an Krebs verloren, den Vater nur wenige Jahre später bei einem Verkehrsunfall, und es hat eine Ewigkeit gedauert, bis sie einwilligte, mich als Ehemann zu akzeptieren. Sie hatte Angst, dass das Schicksal, das ihr schon übel genug mitgespielt hatte, sie ein weiteres Mal beuteln würde. Nach mehr als zehn Ehejahren fürchtet sie trotz der Liebe, mit der ich sie überschütte, noch immer um ihr Glück, überzeugt, eine Kleinigkeit könne es zerstören. Dabei werden wir von Fortuna geradezu verwöhnt. Als Sihem mich heiratete, bestand mein ganzes Vermögen aus einer asthmatischen Klapperkiste, die an jeder Straßenecke den Geist aufgab. Unsere erste Wohnung war in einer Arbeitersiedlung und kaum komfortabler als ein Kaninchenstall. Unsere Möbel waren aus Formica, und an unseren Fenstern hingen nicht immer Vorhänge. Heute haben wir eine stattliche Bleibe in einem der schicksten Viertel Tel Avivs und dazu ein gut gepolstertes Bankkonto. Jeden Sommer fliegen wir in ein anderes Schlaraffenland. Wir kennen Paris, Frankfurt, Barcelona, Amsterdam, Miami und die Karibik, und wir haben eine Menge Freunde, die uns mögen und die wir mögen. Wir haben oft Gäste bei uns zu Hause, und wir sind nicht weniger oft zu Gast auf mondänen Partys. Ich habe mehrere Auszeichnungen für meine wissenschaftlichen und ärztlichen Verdienste erhalten und mir in der Region einen respektablen Ruf erworben. Zu unseren Vertrauten und denen, die uns nahestehen, gehören Prominente der Stadt sowie hohe Beamte, hochrangige Militärs und einige Größen aus dem Showgeschäft.

«Du lächelst wie das Glück, Liebling», sage ich zu dem Porträt. «Wenn du nur von Zeit zu Zeit die Augen schließen könntest.»

Ich küsse meinen Finger, drücke ihn auf Sihems Mund und eile ins Bad. Ich bleibe rund zwanzig Minuten unter der siedend heißen Dusche, wickle mich in einen Bademantel und gehe in die Küche, um ein Sandwich zu essen. Nachdem ich mir die Zähne geputzt habe, kehre ich ins Schlafzimmer zurück, schlüpfe ins Bett und schlucke eine Tablette, um den verdienten Schlaf zu finden …

Das Telefon schrillt in mir wie eine Alarmsirene, lässt meinen ganzen Körper erzittern, fast wie ein Elektroschock. Benommen taste ich mit der Hand nach dem Lichtschalter, kann ihn nicht finden, das Telefon schrillt weiter und strapaziert meine Nerven. Der Wecker zeigt 3 Uhr 20. Wieder strecke ich die Hand aus und kann mich nicht entscheiden, ob ich den Hörer abheben oder das Licht anknipsen soll. Ich werfe irgendetwas auf dem Nachttisch um und brauche mehrere Anläufe, bevor ich endlich den Hörer in der Hand habe.

Das Schweigen, das an mein Ohr dringt, weckt mich ein bisschen auf.

«Hallo …?»

«Hier ist Naveed», sagt ein Mann am anderen Ende der Leitung.

Ich brauche eine Weile, bevor ich die rauchige Stimme von Naveed Ronnen erkenne, einem hohen Polizeibeamten. Die Tablette, die ich geschluckt habe, betäubt mich. Es kommt mir vor, als würde ich in Zeitlupe funktionieren, in der Schwebe zwischen Erstarrung und Schläfrigkeit, als ob der Traum, den ich gerade hatte, mich in andere, wirre Traumwelten entführt, in denen Naveed Ronnens Stimme, lächerlich verzerrt, wie aus den Tiefen eines Brunnenschachts zu mir spricht.

Ich schiebe die Laken beiseite und setze mich auf. Mein Blut pocht dumpf in meinen Schläfen. Ich muss ganz tief Luft holen, um meinen Atem zu bändigen.

«Ja, Naveed …?»

«Ich rufe dich vom Krankenhaus aus an. Wir brauchen dich hier.»

Im Halbdunkel meines Zimmers schieben sich die verschwommen schimmernden Zeiger des Weckers übereinander.

Der Hörer liegt schwer wie aus Eisen in meiner Hand.

«Ich hab mich eben erst zu Bett gelegt, Naveed. Ich habe den ganzen Tag über operiert, und ich bin todmüde. Doktor Ilan Ros hat jetzt Nachtdienst. Ein ausgezeichneter Chirurg …»

«Es tut mir wirklich leid, aber du musst selber kommen. Wenn du dich nicht wohl fühlst, schicke ich jemanden, der dich abholt.»

«Ich glaube nicht, dass das nötig sein wird», sage ich und fahre mir mit den Fingern durchs Haar.

Ich höre, wie Naveed sich am anderen Ende der Leitung räuspert, höre seinen keuchenden Atem. Langsam werde ich richtig wach und beginne, um mich herum etwas klarer zu sehen.

Durchs Fenster erkenne ich, wie eine faserige Wolke versucht, den Mond zu umgarnen. Weiter oben Tausende von Sternen, die wie Leuchtkäfer flimmern. Nicht ein

Geräusch dringt von der Straße herauf. Man könnte meinen, die Stadt sei evakuiert worden, während ich schlief.

«Amin ...?»

«Ja, Naveed?»

«Keine überstürzten Aktionen. Wir haben Zeit.»

«Wenn es nicht eilt, warum dann ...?»

«Bitte ...», unterbricht er mich. «Ich warte auf dich.»

«Einverstanden», sage ich, ohne zu verstehen. «Könntest du mir einen kleinen Gefallen tun?»

«Kommt darauf an ...»

«Gib den Checkpoints und Patrouillen Bescheid, an denen ich vorüber muss. Deine Männer sind mir vorhin, auf der Heimfahrt, ganz schön nervös vorgekommen.»

«Du hast noch immer diesen weißen Ford?»

«Ja.»

«Ich werde sie informieren.»

Ich lege auf, starre eine Weile auf den Apparat, beunruhigt durch den merkwürdigen Anruf und den undurchdringlichen Tonfall Naveeds, dann schlüpfe ich in meine Pantoffeln und gehe ins Bad, um mir das Gesicht zu waschen.

Zwei Polizei- und ein Krankenwagen im Innenhof der Notaufnahme beleuchten einander mit ihrem kreisenden Blaulicht. Nach dem Tumult des Tages liegt das Krankenhaus jetzt wieder still wie ein Totenhaus da. Ein paar Uniformierte harren noch aus, die einen ziehen nervös an ihren Glimmstengeln, die anderen drehen Däumchen im Innern ihrer Fahrzeuge. Ich stelle meinen Wagen auf dem Parkplatz ab und gehe Richtung Empfang. Die Nacht hat sich etwas abgekühlt, und vom Meer steigt verstohlen eine süßlich duftende Brise auf. Ich erkenne die schiefe Silhouette von Naveed Ronnen, hoch aufgerichtet auf einer Treppenstufe. Die eine Schulter zeigt deutlich Schlagseite, dem rechten Bein entgegen, das ein Berufsunfall um vier Zentimeter kürzer gemacht hat, zehn Jahre ist das jetzt her. Ich hatte mich seinerzeit gegen eine Amputation ausgesprochen. Zu diesem Zeitpunkt hatte ich mich gerade nach einer Reihe erfolgreicher Eingriffe erstmals als Chirurg empfohlen. Naveed Ronnen war einer meiner bemerkenswertesten Patienten gewesen. Er besaß eine eiserne Disziplin und einen sicher nicht unumstrittenen, aber unbeirrbaren Sinn für Humor. Die ersten gepfefferten Polizeiwitze, die ich hörte, habe ich von ihm. Später einmal habe ich seine Mutter operiert, und das hat uns einander noch näher gebracht. Seitdem vertraut er mir jeden Kollegen oder Verwandten an, der unters Messer muss.

Hinter ihm lehnt Doktor Ilan Ros an einer Wand am Haupteingang. Das Licht, das aus der Halle dringt, betont die Grobheit seines Profils. Die Hände in den Kitteltaschen, die Wampe nicht weit von den Knien, starrt er mit abwesendem Blick zu Boden.

Naveed kommt die Stufe herab auf mich zu. Auch er hat die Hände in den Hosentaschen. Sein Blick weicht mir aus. Sein Benehmen verrät mir, dass die Nacht noch lange dauern wird.

«Gut», sage ich aufs Geratewohl, um die Vorahnung, die mich beschleicht, abzuschütteln, «ich geh gleich nach oben, um mich umzuziehen.»

«Nicht nötig», entgegnet Naveed mit tonloser Stimme.

Ich hatte schon oft Gelegenheit, in sein niedergeschlagenes Gesicht zu blicken, wenn er mir einen Kollegen auf einer Trage brachte, aber die Miene, die er heute Nacht aufgesetzt hat, stellt alles in den Schatten.

Ein Schauer läuft mir über den Rücken und dehnt sich auf meinem ganzen Körper aus.

«Der Patient ist seinen Verletzungen erlegen?», erkundige ich mich.

Naveed richtet endlich seinen Blick auf mich. Selten habe ich einen unglücklicheren Ausdruck gesehen.

«Es gibt keinen Patienten, Amin.»

«Warum hast du mich dann um diese Zeit aus dem Bett geholt, wenn niemand da ist, der operiert werden muss?»

Naveed scheint nicht zu wissen, wo er anfangen soll. Seine Verlegenheit wirkt ansteckend, denn jetzt beginnt auch noch Doktor Ros nervös zu zappeln. Ich mustere beide, während mein Ärger über dieses Geheimnis, das sie mit wachsendem Unbehagen hüten, immer größer wird.

«Will mir bitte mal jemand erklären, was hier gespielt wird?», frage ich.

Doktor Ros stößt sich mit einem Hüftschwung von der Wand ab und geht zum Empfang, an dem zwei sichtlich angespannte Schwestern so tun, als gäbe es nichts Interessanteres auf der Welt als die Mattscheibe ihres Computers.

Naveed fasst sich ein Herz und fragt mich: «Ist Sihem zu Hause?»

Ich spüre, wie mir die Beine wegzusacken drohen, aber ich fange mich wieder.

«Warum?»

«Ist sie zu Hause, Amin?»

Seine Stimme ist eindringlich, doch in seinem Blick blitzt schon die Panik.

Mir ziehen sich die Eingeweide zusammen. Ich möchte schlucken, aber meine Kehle ist zugeschnürt.

«Sie ist noch nicht von ihrer Großmutter zurück», sage ich. «Sie ist vor drei Tagen nach Kafr Kanna gefahren, in der Nähe von Nazareth, um ihre Familie zu besuchen ... Worauf willst du hinaus? Was versuchst du mir beizubringen?»

Naveed macht einen Schritt auf mich zu. Seine Ausdünstung vergrößert noch meine Verwirrung. Mein Freund weiß nicht mehr, ob er mich bei den Schultern fassen oder seine Hände bei sich behalten soll.

«Was ist denn los, verflixt noch mal? Bist du dabei, mich auf das Schlimmste vorzubereiten, oder was? Dieser Bus, den Sihem genommen hat, hat es da unterwegs ein Problem gegeben? Er ist umgestürzt, ja? Das ist es, was du mir sagen willst.»

«Es geht nicht um den Bus, Amin.»

«Was ist es dann?»

«Wir haben eine Leiche am Hals und müssen ihr einen Namen geben», sagt ein stämmiger Kerl, der wie ein Schläger aussieht und plötzlich hinter mir auftaucht.

Ich wende mich hastig Naveed zu.

«Ich glaube, es handelt sich um deine Frau, Amin», sagt er zögerlich, «aber wir brauchen dich, um ganz sicher zu sein.»

Ich fühle mich, als wäre ich dabei, mich aufzulösen ...

Jemand packt mich am Ellenbogen, um zu verhindern, dass ich zusammenbreche. Für den Bruchteil einer Sekunde verflüchtigen sich all meine Gewissheiten. Ich weiß nicht mehr, wo ich bin, erkenne nicht einmal mehr die Mauern, innerhalb derer sich meine lange Chirurgenlaufbahn vollzogen hat ... Die Hand, die mich hält, hilft mir vorwärts durch einen Korridor, der mir vor den Augen verschwimmt. Sein grelles Licht sticht mir ins Gehirn. Mir ist, als würde ich auf einer Wolke oder wie auf Watte gehen. Ich erreiche die Leichenkammer wie ein Deliquent das Schafott. Ein Arzt wacht an einem Altar ... Der Altar ist mit einem blutbefleckten Laken bedeckt ... Unter dem blutbefleckten Laken lassen sich menschliche Überreste erraten ...

Ich habe plötzlich Angst vor all den Blicken, die sich mir zuwenden.

Meine Stoßgebete hallen in meinem Inneren wider wie ein tiefes Raunen.

Der Arzt wartet, bis ich mich ein wenig gefangen habe, dann streckt er die Hand zum Laken aus, auf ein Zeichen des stämmigen Kerls wartend, um es wegzuziehen.

Der Offizier nickt unmerklich.

«Mein Gott!», entfährt es mir.

Ich habe in meinem Leben oft genug verstümmelte Körper gesehen, habe sie zu Dutzenden zusammengeflickt, manche waren derart entstellt, dass man sie unmöglich identifizieren konnte, doch das da vor mir auf dem Tisch, diese zerfetzten Gliedmaßen, das übersteigt jedes Vorstellungsvermögen. Das ist der Horror in seiner absoluten Scheußlichkeit ... Allein Sihems Kopf, seltsam verschont von der verheerenden Verwüstung, die ihren Körper entstellt hat, ragt daraus hervor, mit geschlossenen Augen, leicht geöffneten Lippen, friedlichen Zügen, als wäre sie von all ihren Ängsten befreit ... Man könnte meinen, sie schlafe friedlich, schlage gleich die Augen auf und lächle mich an.

Diesmal knicken mir die Beine weg, und weder der fremden noch Naveeds Hand gelingt es, mich aufzufangen.

3.

Ich habe im Verlauf von Operationen Patienten verloren. Aus solchen Niederlagen geht man nicht völlig unbeschadet hervor. Aber die Prüfung war damit längst nicht ausgestanden; ich musste die furchtbare Nachricht noch den Angehörigen des Verstorbenen überbringen, die mit angehaltenem Atem im Warteraum saßen. Ich werde mich bis ans Ende meiner Tage an ihren angstvollen Blick erinnern, wenn ich aus dem Operationssaal kam. Ein so intensiver und zugleich ferner Blick war das, voll Hoffen und Bangen, stets derselbe Blick, so tief wie das ihn begleitende Schweigen. In genau diesem Moment verlor ich jegliches Zutrauen zu mir. Ich hatte Angst vor meinen Worten, vor dem Schock, den sie auslösen könnten. Ich fragte mich, wie die nächsten Verwandten die Hiobsbotschaft wohl aufnehmen würden, woran sie als Erstes denken würden, wenn sie begriffen hätten, dass das Wunder nicht stattgefunden hatte.

Heute ist es an mir, die Hiobsbotschaft entgegenzunehmen. Ich glaubte, der Himmel würde einstürzen über mir, als sie das Laken wegzogen von dem, was von Sihem übrig war. Und dennoch habe ich paradoxerweise an überhaupt nichts gedacht.

Ich bin in irgendeinem Sessel zusammengesunken und denke noch immer an nichts. In meinem Kopf ist die totale Leere. Ich weiß nicht, ob ich in meinem Büro oder in dem von jemand anderem bin. Ich sehe Diplome an den Wänden, sehe die zugezogenen Vorhänge am Fenster, sehe Schatten, die im Korridor kommen und gehen, aber es ist, als finde das alles in einer Parallelwelt statt, aus der man mich ohne Vorwarnung und rückhaltlos herauskatapultiert hat.

Ich fühle mich elend, verwirrt und kraftlos.

Ich bin ein einziges blutendes Herz, auf dem ein bleiernes Gewicht lastet, bin unfähig zu sagen, ob ich mir des Unglücks, das mich getroffen hat, überhaupt voll bewusst bin oder ob es mich bereits vernichtet hat.

Eine Schwester hat mir ein Glas Wasser gebracht und sich auf Zehenspitzen zurückgezogen. Naveed ist nicht lange bei mir geblieben. Seine Männer haben ihn abgeholt. Wortlos und mit gesenktem Kopf ist er ihnen gefolgt. Auch Ilan Ros ist auf seine Station zurückgekehrt. Nicht einmal er ist gekommen, um mich zu trösten. Erst sehr viel später ist mir aufgefallen, dass ich allein im Büro war. Ezra Benhaim betrat, zehn Minuten nachdem ich in der Leichenkammer war, den Raum. Er befand sich in einem Zustand fortgeschrittenen Verfalls und taumelte vor Müdigkeit. Er hat mich in die Arme genommen und kräftig gedrückt. Er hatte einen Kloß im Hals und fand keine Worte, die er mir hätte sagen können. Dann kam Ros und nahm ihn beiseite. Ich sah sie im Korridor miteinander reden. Ros flüsterte ihm etwas ins Ohr, und Ezra hatte immer mehr Mühe, dabei noch den Kopf zu schütteln. Er musste sich an die Wand lehnen, um Halt zu finden, danach hab ich ihn aus den Augen verloren.

Ich höre Fahrzeuge in den Hof einfahren, Wagentüren, die zugeschlagen werden. Gleich darauf hallen Schritte durch die Korridore, begleitet von Geraschel und Gebrumm. Zwei Schwestern eilen vorüber und schieben an ausgestreckten Armen eine Liege vor sich her. Schritte ertönen auf der Etage, füllen den Gang, kommen näher; Männer mit strengen Mienen bauen sich vor mir auf. Einer von ihnen, kurzbeinig und mit hoher Stirn, löst sich aus der Gruppe. Es ist der Schläger, der sich darüber beschwert hatte, dass er eine Leiche am Hals habe und wollte, dass ich sie identifiziere.

«Ich bin Hauptmann Moshe.»

Naveed Ronnen steht zwei Schritt hinter ihm. Er sieht mitgenommen aus, mein Freund Naveed. Die Ereignisse scheinen ihn völlig überrollt zu haben. Trotz der Schulterstücke, die ihn als hohen Beamten ausweisen, ist er plötzlich in die Rolle des Statisten geraten.

Der Hauptmann schwenkt ein Dokument.

«Wir haben einen Durchsuchungsbefehl, Herr Doktor Jaafari.»

«Einen Durchsuchungsbefehl …?»

«Sie haben richtig gehört. Ich bitte Sie, uns zu sich nach Hause zu begleiten.»

Ich suche nach dem vertrauten Blick von Naveed, doch mein Freund schaut zu Boden.

Ich wende mich an den Hauptmann. «Warum zu mir?»

Der Hauptmann faltet das Dokument zusammen und schiebt es in die Innentasche seines Jacketts.

«Nach den ersten Untersuchungsergebnissen weist die Art der Verstümmelung Ihrer Frau die typischen Verletzungen fundamentalistischer Selbstmordattentäter auf.»

Ich höre wohl die Worte, die er sagt, der Offizier, doch ich erkenne keinen Sinn darin. Eine Region in meinem Hirn ist blockiert, ähnlich einer Muschel, die sich, wenn Gefahr von außen naht, blitzartig verschließt.

Naveed erklärt es mir. «Es handelt sich nicht um eine Bombe, sondern um einen Selbstmordanschlag. Alles deutet darauf hin, dass die Person, die sich im Restaurant in die Luft gesprengt hat, deine Frau ist, Amin.»

Der Boden tut sich unter mir auf. Trotzdem breche ich nicht ein. Aus Unwillen. Oder aus Selbstverleugnung. Ich will kein Wort von alldem mehr hören. Ich erkenne die Welt, in der ich lebe, nicht mehr wieder.

Die Frühaufsteher hasten den Bahnhöfen und Bushaltestellen entgegen. Tel Aviv erwacht, dickschädeliger denn je. Wie groß das Ausmaß der Zerstörung auch sein mag, die Erde wird nicht aufhören, sich zu drehen.

Ich bin zwischen zwei Kerlen auf dem Rücksitz des Polizeiautos eingezwängt und betrachte die Gebäude, die beidseits an uns vorüberziehen, die erleuchteten Fenster, hinter denen sich hier und da flüchtig chinesische Schatten abzeichnen. Das Dröhnen eines Lastwagens tönt durch die Straße wie der Schrei einer Chimäre, die man im Schlaf gestört hat, dann herrscht wieder die verschlafene morgendliche Stille eines Werktags. Ein Betrunkener schlägt mitten auf einem Platz um sich, wahrscheinlich versucht er, die Läuse abzuschütteln, die dabei sind, ihn roh zu verspeisen. An einer roten Ampel halten zwei Schutzmänner die öffentliche Ordnung aufrecht, ein Auge nach vorn, eins nach hinten gewandt, wie ein Chamäleon.

Im Fahrzeug herrscht Schweigen. Der Chauffeur ist mit seinem Lenkrad verwachsen. Er hat breite Schultern und einen Stiernacken. Ein einziges Mal streift mich sein Blick im Innenspiegel, dabei läuft es mir kalt über den Rücken … «*Nach den ersten Untersuchungsergebnissen*

weist die Art der Verstümmelung Ihrer Frau die typischen
Verletzungen fundamentalistischer Selbstmordattentäter
auf.» Mir ist, als werden diese Enthüllungen mich bis
ans Ende meiner Tage verfolgen. Sie gehen mir immer
wieder durch den Kopf, erst in Zeitlupe, dann, als ob
sie sich nicht genug wiederholen könnten, belagern sie
mich von allen Seiten. Die Stimme des Offiziers fährt in
einem fort auf mich nieder, scharfkantig und autoritär,
geladen vom extremen Ernst der Worte: «*Die Frau, die*
sich in die Luft gesprengt hat ... die Selbstmordatten-
täterin ... das ist Ihre Frau ...» Sie wendet sich gegen
mich, diese Stimme, brandet gegen mich an, erhebt sich
wie eine dunkle Woge, überschwemmt meine Gedanken, zertrümmert meine Zweifel, bevor sie sich jäh zu-
rückzieht, und reißt große Teile von mir mit sich fort.
Nur gerade so lange, bis ich etwas klarer sehe in meinem
Schmerz, dann taucht sie wieder auf, stürmt schäumend
und tosend gegen mich an, als ob sie mich, bis zur Toll-
wut gereizt durch meine Fassungslosigkeit, Faser um
Faser bis zur völligen Auflösung auseinander nehmen
wollte ...

Der Bulle links von mir kurbelt die Scheibe herunter.
Ein Schwall Frischluft peitscht mir ins Gesicht. Vom
Meer steigt ein Gestank auf wie nach faulem Ei.

Die Nacht zieht sich zurück, während die Morgenröte schon vor den Stadttoren wartet. In den Blickschar-
ten zwischen den Hochhäusern ist ein dunkelgelber
Streifen zu sehen, der systematisch den Horizont durch-
setzt. Es ist eine ermattete Nacht, die da den Rückzug
antritt, betäubt und betrogen, mit toten Träumen und
voller Ungewissheit. Am Himmel, an dem sich jede Spur
friedlicher Ruhe verflüchtigt hat, ist nicht eine Wolke

bereit, den leuchtenden Eifer dieses Tages, der sich gerade zeigt, zu verdecken. Und wenn sein Licht auch die Offenbarung wäre, es würde meine Seele doch nicht wärmen.

Bei meiner Rückkehr erwartet mich ein frostiger Empfang. Vor meinem Haus steht ein Gefängniswagen. Auf beiden Seiten des Gartentors sind Polizisten aufgestellt. Ein weiteres Fahrzeug, halb auf dem Gehweg geparkt, lässt sein rotes und blaues Licht kreisen. Da und dort glimmt eine Zigarette in der Dunkelheit.

Man lässt mich aussteigen.

Ich öffne das Tor, betrete meinen Garten, laufe die paar Stufen bis zur Haustür hinauf und schließe auf. Ich bin ganz klar im Kopf und warte doch nur darauf, dass ich endlich aufwache.

Die Polizisten, die genau wissen, was sie zu tun haben, strömen in die Diele und verteilen sich rasch auf die Zimmer, um mit der Durchsuchung zu beginnen.

Hauptmann Moshe zeigt auf ein Sofa im Wohnzimmer.

«Wollen wir ein wenig plaudern, unter vier Augen?»

Er schiebt mich höflich, aber bestimmt Richtung Sofa, sehr bedacht auf seinen Offiziersrang, bestrebt, sich seiner Aufgabe würdig zu erweisen, doch seiner Höflichkeit fehlt die Glaubwürdigkeit. Er ist bloß ein Raubtier, das sich seiner Taktik sicher ist, jetzt, da es die Beute in der Falle weiß. So wie der Kater, der die Maus, nur so zum Vergnügen, noch eine Weile zappeln lässt, bevor er sie verspeist.

«Bitte nehmen Sie doch Platz.»

Er holt eine Zigarette aus dem Etui, schnippt kurz mit dem Fingernagel dagegen, schiebt sie mit einer Drehbewegung in den Mundwinkel und greift zum Feuerzeug. Kaum hat er sie angezündet, bläst er den Rauch in meine Richtung.

«Ich hoffe, es stört Sie nicht, wenn ich rauche?»

Er nimmt noch ein oder zwei Züge, folgt den Rauchkringeln mit dem Blick bis zur Decke, wo sie ineinander gleiten.

«Da hat sie Ihnen ganz schön was eingebrockt.»

«Wie bitte?»

«Oh, Entschuldigung, ich nehme an, Sie stehen noch unter Schock.»

Sein Blick huscht über die Gemälde an den Wänden, mustert die Eckschränke ringsum, gleitet über die imposanten Vorhänge, verweilt hier und da, dann treibt er mich erneut in die Enge.

«Wie kann man freiwillig auf solch einen Luxus verzichten?»

«Wie bitte?»

«Ich denke laut», entgegnet er und wedelt entschuldigend mit der Zigarette … «Ich versuche zu verstehen, aber es gibt Dinge, die werde ich niemals verstehen. Es ist so was von absurd, so was von dumm … Was meinen Sie, hätte der Hauch einer Chance bestanden, sie davon abzubringen …? Sie waren doch sicher eingeweiht in ihre kleinen Machenschaften, nicht?»

«Was wollen Sie damit sagen?»

«Ich drücke mich doch ganz verständlich aus … Sehen Sie mich nicht so an. Sie werden mir doch nicht weismachen wollen, dass Sie keine Ahnung hatten?»

«Wovon sprechen Sie eigentlich?»

«Von Ihrer Gattin, Herr Doktor, von dem, was sie begangen hat.»

«Sie war es nicht. Das kann sie gar nicht gewesen sein.»

«Und warum nicht, wenn ich fragen darf?»

Ich antworte nicht, stütze den Kopf in beide Hände und versuche, einen klaren Gedanken zu fassen. Mit seiner freien Hand hebt er mein Kinn an und sieht mir fest in die Augen.

«Sind Sie praktizierender Muslim, Herr Doktor?»

«Nein.»

«Und Ihre Frau?»

«Auch nicht.»

Er runzelt die Brauen. «Wirklich nicht?»

«Sie verrichtete nie ihre Gebete, wenn es das ist, was Sie unter Praktizieren verstehen.»

«Seltsam ...»

Er lehnt sich mit halbem Hintern auf die Armlehne des Sessels gegenüber, schlägt die Beine übereinander, stützt den Ellenbogen auf den Oberschenkel, nimmt sein Kinn behutsam zwischen Daumen und Zeigefinger und kneift, des Rauchs wegen, die Augen leicht zusammen.

Sein trüber Blick nimmt es mit meinem auf. «Sie verrichtete niemals ihre Gebete?»

«Nie.»

«Hielt auch nicht den Ramadan ein?»

«Doch.»

«Aha ...!»

Er streicht sich über den Nasenrücken, ohne mich aus den Augen zu lassen.

«Alles in allem eine widerspenstige Gläubige ... Um alle Spuren zu verwischen und ihren Extremismus ungestört ausleben zu können. Sie war bestimmt in einem

Wohltätigkeitsverein oder dergleichen aktiv. So etwas ist ein ausgezeichneter Deckmantel, unter den man rasch schlüpft, falls es Schwierigkeiten geben sollte. Aber hinter dem gemeinnützigen Treiben lässt sich immer ein schöner Reibach machen; da fällt Kohle ab für die Gewieften, und ein kleines Stück vom Paradies für die einfachen Gemüter. Davon kann ich ein Lied singen, es ist schließlich mein täglich Brot. Immer, wenn ich glaube, ich wäre endlich am Abgrund der menschlichen Dummheit angelangt, merke ich, dass ich nur an der Oberfläche kratze ...»

Er bläst mir Rauch ins Gesicht.

«Sie sympathisierte mit den Al-Aksa-Brigaden, stimmt's? Nein, nicht mit Al-Aksa. Es heißt ja, die hätten es nicht so mit den Selbstmordattentaten. Ich mache da keine Unterschiede. Ob sie nun vom Islamischen Dschihad oder von der Hamas sind, die sind ja alle bereit, alles zu tun, um von sich reden zu machen.»

«Meine Frau hat mit diesen Leuten nichts zu tun. Es handelt sich um ein fürchterliches Missverständnis.»

«Ist schon eigenartig, Herr Doktor. Genau das sagen sie alle, die Angehörigen dieser Spinner, wenn man nach dem Attentat mit ihnen spricht. Sie tragen alle dieselbe fassungslose Miene zur Schau wie Sie gerade, völlig überrollt von den Ereignissen. Ist das ein Trick, um Zeit zu gewinnen, oder eine besonders dreiste Art, den anderen auf den Arm zu nehmen?»

«Sie sind auf dem Holzweg, Herr Hauptmann.»

Er macht eine beschwichtigende Handbewegung, dann geht er erneut zum Angriff über.

«Wie verhielt sie sich gestern früh, als Sie sich von ihr verabschiedeten, um zur Arbeit zu fahren?»

«Meine Frau ist vor drei Tagen nach Kafr Kanna gereist, zu ihrer Großmutter.»

«Dann haben Sie sie also die drei letzten Tage über gar nicht gesehen?»

«So ist es.»

«Aber Sie haben mit ihr telefoniert.»

«Nein. Sie hatte ihr Handy zu Hause vergessen, und bei ihrer Großmutter gibt es kein Telefon.»

«Und hat sie einen Namen, diese Großmutter?», fragt er, während er ein Notizheft aus der Innentasche seines Jacketts hervorholt.

«Hanan Scheddad.»

Der Hauptmann notiert sich den Namen.

«Haben Sie sie nach Kafr Kanna begleitet?»

«Nein, sie ist allein gefahren. Ich habe sie Mittwochmorgen am Busbahnhof abgesetzt. Sie hat den 8 Uhr 15-Bus nach Nazareth genommen.»

«Haben Sie sie losfahren sehen?»

«Ja. Ich habe den Busbahnhof zur selben Zeit verlassen wie der Bus.»

Zwei Polizisten kommen mit Akten beladen aus meinem Arbeitszimmer zurück. Ein dritter folgt ihnen auf dem Fuß, mit meinem Computer unter dem Arm.

«Sie transportieren gerade meine Unterlagen ab!»

«Sie bekommen sie zurück, wenn wir sie durchgesehen haben.»

«Es handelt sich dabei um vertrauliche Dokumente, die Krankenakten meiner Patienten.»

«Tut mir leid, aber das müssen wir schon selbst nachprüfen.»

Ich höre Zimmertüren auf- und zuschlagen, Schubladen quietschen und Möbel knarren.

«Kommen wir noch einmal zu Ihrer Frau zurück, Herr Doktor Jaafari.»

«Sie sind auf dem Holzweg, Herr Hauptmann. Meine Frau hat mit dem, was Sie ihr vorwerfen, wirklich nichts zu tun. Sie war Gast in diesem Restaurant. Sihem hat nie Lust zu kochen, wenn sie von einer Reise heimkehrt. Sie ist dorthin gegangen, um ungestört einen Happen zu essen ... So einfach ist das. Ich teile ihr Leben und ihre Geheimnisse jetzt schon seit fünfzehn Jahren. Ich kenne sie inzwischen wirklich gut, und wenn sie etwas vor mir verborgen hätte, hätte ich es doch irgendwann gemerkt.»

«Ich war auch mal mit einer tollen Frau verheiratet, Herr Doktor Jaafari. Sie war mein ganzer Stolz. Es dauerte sieben Jahre, bis ich begriff, dass sie mir das Wesentliche dessen vorenthielt, was ein Mann über Treue wissen sollte.»

«Meine Frau hatte keinerlei Grund, mich zu betrügen.»

Der Hauptmann schaut sich suchend um. Ich deute auf einen kleinen Glastisch hinter ihm. Er nimmt einen letzten Zug, länger als die vorhergehenden, und zerdrückt die Kippe gewissenhaft im Aschenbecher.

«Herr Doktor Jaafari, selbst jemand, der durchaus sturmerprobt ist, ist gegen Überraschungen nie ganz gefeit. Das Leben ist von Anfang bis Ende ein übles Spiel, ein langer Tunnel voller Fallen und Hundekacke. Ob man gleich wieder aufspringt oder am Boden liegen bleibt, ändert wenig daran. Es gibt nur eine Möglichkeit, das Ende aller Prüfungen zu erreichen: Tag und Nacht damit zu rechnen, dass jederzeit das Schlimmste über einen hereinbrechen kann ... Ihre Frau ist nicht in dieses

Restaurant gegangen, um in ein Sandwich, sondern um ins Gras zu beißen …»

«Jetzt reicht es!», brülle ich außer mir, während ich aufspringe. «Vor einer Stunde erfahre ich, dass meine Frau in einem Restaurant ums Leben gekommen ist, das ein Selbstmordattentäter in die Luft gejagt hat. Kurz darauf erklärt man mir, dass niemand anderer als sie dieser Selbstmordattentäter war. Das ist zu viel für einen erschöpften Mann. Lassen Sie mich erst mal in Ruhe weinen, fertig machen können Sie mich später, aber bitte zwingen Sie mich nicht gleichzeitig zu Trauer und Angst.»

«Herr Doktor Jaafari, bleiben Sie sitzen, bitte!»

Ich stoße ihn derart aufgebracht zurück, dass er fast eine Rolle rückwärts über den kleinen Glastisch gemacht hätte.

«Rühren Sie mich nicht an! Ich verbiete Ihnen, mich anzufassen!»

Er fängt sich schnell und versucht, mich zu besänftigen.

«Herr Jaafari …»

«Meine Frau hat nichts mit diesem Blutbad zu tun. Es handelt sich um ein Selbstmordattentat, Herrgott noch mal! Nicht um das Gezänk einer Hausfrau. Es handelt sich um *meine* Frau! Die tot ist. In diesem verfluchten Restaurant ums Leben gekommen. Wie alle anderen. Mit allen anderen. Ich verbiete Ihnen, ihr Gedächtnis zu beflecken. Sie war eine anständige Frau. Eine sehr anständige sogar. Das absolute Gegenteil von dem, was Sie da unterstellen.»

«Ein Zeuge …»

«Was für ein Zeuge denn? Und woran will er sich

schon erinnern! An die Bombe, die meine Frau dabei-
hatte, oder an ihr Gesicht? Ich teile mein Leben seit über
fünfzehn Jahren mit Sihem. Ich kenne sie in- und aus-
wendig. Ich weiß, wozu sie in der Lage ist und wozu
nicht. Sie hatte zu weiße Hände, als dass der kleinste
Fleck darauf mir hätte entgehen können. Sie ist doch
nicht schon deshalb verdächtig, weil sie am schlimmsten entstellt ist. Wenn das Ihre Annahme ist, dann müsste es da noch ein paar andere geben. Meine Frau ist am
schlimmsten entstellt, weil sie am exponiertesten war.
Das Ding, das da explodiert ist, war nicht auf ihr, sondern ganz in ihrer Nähe, vermutlich unter ihrem Sitz versteckt, oder unter dem Tisch, an dem sie saß ... Soviel ich
weiß, liegt kein offizieller Bericht vor, der Ihnen erlaubte,
derart schwerwiegende Dinge zu behaupten. Außerdem
sind die ersten Untersuchungsergebnisse ja nicht zwangsläufig der Weisheit letzter Schluss. Warten wir doch erst
einmal die Bekennerschreiben ab. Irgendwer muss das
Attentat doch für sich reklamieren. Vielleicht tauchen
am Ende auch noch Videokassetten auf, die Ihnen und
den Nachrichtenredaktionen zugespielt werden. Wenn es
ein Selbstmordattentat war, wird man das doch zu hören
und zu sehen bekommen.»

«Nicht unbedingt, bei diesen Spinnern. Manchmal be-
gnügen sie sich mit einem Fax oder einem Anruf.»

«Aber doch nicht, wenn es darum geht, einen großen
Coup zu landen. Und eine Frau als Selbstmordattentäter,
das ist doch eine Sensation. Noch dazu, wenn sie natu-
ralisierte israelische Staatsbürgerin und Frau eines pro-
minenten Chirurgen ist, der der ganze Stolz seiner Stadt
ist, das Aushängeschild für erfolgreiche Integration ...
Hören Sie auf, meine Frau länger zu verunglimpfen, Herr

Offizier, ich will das nicht. Sie ist ein Opfer des Attentats, aber doch nicht die Täterin. Da müssen Sie bei Ihren Ermittlungen wohl noch einen Zahn zulegen. Am besten beginnen Sie gleich damit!»

«Setzen Sie sich!», brüllt der Hauptmann.

Sein Gebrüll gibt mir den letzten Rest, meine Knie werden weich, und ich sinke zurück ins Sofa.

Ich bin am Ende meiner Kräfte, schlage beide Hände vors Gesicht und kauere mich zusammen. Ich bin erschöpft und ausgelaugt, angeschlagen und kurz vor dem Zusammenbruch. Der Schlaf, dieser Bandit, setzt mir gewaltig zu, doch ich sperre mich dagegen, einfach so wegzudösen. Ich will jetzt nicht schlafen. Ich habe Angst davor, einzunicken und beim Erwachen ständig von neuem zu hören, dass die Frau, die ich mehr als alles auf der Welt geliebt habe, nicht mehr ist, dass sie tot ist, verstümmelt bei einem Terrorakt, ich habe Angst davor, jedes Mal, wenn ich aufwache, dieselbe Katastrophe durchleben zu müssen, dasselbe Verhängnis … Und dieser Hauptmann, der mich nur angreift, warum zerfällt der nicht einfach zu Staub? Ich möchte, dass er auf der Stelle verschwindet, dass die Poltergeister, die mein Haus heimsuchen, sich in einen Luftzug verwandeln, dass ein Orkan meine Fenster eindrückt und mich weit weg trägt, weit weg von dem Zweifel, der in mir bohrt, der mir die Orientierung raubt und mein Herz mit schrecklicher Ungewissheit erfüllt …

4.

Hauptmann Moshe und seine Assistenten halten mich vierundzwanzig Stunden lang wach. Sie wechseln einander ab in dem schäbigen Raum, in dem das Verhör stattfindet. Eine Art Rattenloch mit niedriger Decke und grauen Wänden. Dicht über meinem Kopf eine vergitterte Glühbirne, deren ständiges Sirren mich noch um den Verstand bringt. Mein Hemd ist schweißnass und kratzt mich im Rücken, so heftig, als wäre es ein ganzer Bund Brennnesseln. Ich bin hungrig, bin durstig, mir tut alles weh, und am Ende des Tunnels sehe ich kein Licht. Sie mussten mir unter die Achseln greifen, um mich zum Pinkeln auf die Toilette zu schleppen. Die Hälfte ging in die Hose, ich konnte nicht warten, bis ich den Reißverschluss endlich aufbekam. Dann wurde mir übel, und ich hätte mir fast die Zähne am Pissoir ausgeschlagen. Sie mussten mich regelrecht zurückschleifen in meinen Käfig. Danach geht es weiter mit dem Dauerfeuer, der Fragerei, den Fausthieben auf die Tischplatte, den Klapsen ins Gesicht, die mich davon abhalten sollen, ohnmächtig zu werden.

Wenn der Schlaf mich zu überwältigen droht, schüttelt man mich vollständig durch und setzt mir einen ausgeruhten diensteifrigen Offizier vor die Nase. Die Fragen bleiben dieselben. Wie dumpfe, vielstimmige Anrufungen dröhnen sie mir im Schädel.

Ich schwanke auf dem Metallstuhl, der mir den Hintern wund scheuert, hin und her, klammere mich am Tisch fest, um nicht umzukippen, dann lasse ich mit einem Mal los und knalle mit voller Wucht gegen die Tischkante. Ich glaube, dabei ist mir die Augenbraue aufgeplatzt.

«Der Busfahrer hat Ihre Frau ganz klar identifiziert, Herr Doktor. Er hat sie auf dem Foto sofort wiedererkannt. Er hat ausgesagt, dass sie tatsächlich an Bord seines Busses war, der am Mittwoch um 8 Uhr 15 nach Nazareth gefahren ist. Gleich hinter Tel Aviv, keine zwanzig Kilometer vom Busbahnhof entfernt, hat sie darum gebeten, auszusteigen, ein dringendes Bedürfnis vorschützend. Der Fahrer war genötigt, an der Böschung anzuhalten. Ehe er weiterfuhr, sah er, wie Ihre Frau in einen Wagen stieg, der ihm dicht gefolgt war. Dieses Detail ließ ihn stutzen. Er hat sich zwar nicht die Autonummer gemerkt, aber er sagt, dass es sich um einen cremefarbenen Mercedes handelte, ein älteres Modell … Sagt Ihnen diese Beschreibung nichts, Herr Doktor?»

«Was soll mir das denn sagen? Ich habe einen Ford jüngeren Datums, außerdem ist er weiß. Meine Frau hatte überhaupt keinen Grund, aus dem Bus zu steigen. Ihr Fahrer erzählt nur Unsinn.»

«Wenn dem so ist, dann ist er nicht der Einzige. Wir haben jemanden nach Kafr Kanna geschickt. Hanan Scheddad sagt aus, dass sie ihre Enkeltochter seit über neun Monaten nicht mehr gesehen hat.»

«Sie ist eine alte Dame …»

«Ihr Neffe, der mit ihr zusammen auf dem Bauernhof lebt, bestätigt die Aussage. Also, Herr Doktor Jaafari, wenn Ihre Frau seit über neun Monaten nicht mehr in Kafr Kanna war, wo war sie dann die letzten drei Tage?»

«*Wo war sie dann die letzten drei Tage* …? *Wo war sie dann* …? *Wo war sie* …? *Wo* …?» Die Fragen des Offiziers gehen in einem dunklen Rauschen unter. Ich höre ihn nicht mehr. Ich sehe nur noch seine Augenbrauen, die sich im Rhythmus der Fallen, die er mir stellt, hochziehen, seinen Mund, in dem er Argumente hin und her bewegt, die nicht mehr durchdringen zu mir, seine Hände, die Ungeduld oder Entschiedenheit zum Ausdruck bringen …

Ein anderer Offizier kommt herein, das Gesicht hinter schwarzen Gläsern versteckt. Während er zu mir spricht, bewegt er herrisch den Zeigefinger. Seine Drohungen kommen durch meine gestörte Wahrnehmung gar nicht zur Wirkung. Er bleibt nicht lange und verlässt fluchend den Raum.

Ich weiß nicht, wie spät es ist, ob es Tag ist oder Nacht. Sie haben mir meine Uhr abgenommen. Meine Befrager haben sich die Mühe gemacht, ihre eigene ebenfalls abzulegen, bevor sie zu mir hereingekommen sind.

Schließlich kehrt Hauptmann Moshe unverrichteter Dinge zu mir zurück. Die Hausdurchsuchung hat keinerlei Anhaltspunkte ergeben. Auch er ist erschöpft. Er stinkt nach Rauch und Tabak. Seine Züge sind angespannt, seine Augen gerötet, er hat sich seit dem Vortag nicht mehr rasiert, und seine Lippen sind leicht angeschwollen.

«Alles deutet darauf hin, dass Ihre Frau Tel Aviv weder am Mittwoch noch an den Tagen danach verlassen hat.»

«Das macht sie noch lange nicht zur Kriminellen.»

«Ihre eheliche Beziehung war …»

«Meine Frau hatte keinen Liebhaber», falle ich ihm ins Wort.

«Sie wäre nicht verpflichtet gewesen, es Sie wissen zu lassen.»

«Wir hatten keine Geheimnisse voreinander.»

«Das wahre Geheimnis behält man doch immer für sich.»

«Es gibt ganz sicher eine Erklärung, Herr Hauptmann. Aber es ist nicht so, wie Sie sich das vorstellen.»

«Denken Sie doch mal eine Sekunde lang nach, Herr Doktor. Wenn Ihre Frau Sie angelogen hat, wenn sie Sie in dem Glauben lässt, dass sie nach Nazareth fährt, um, sobald Sie ihr den Rücken gekehrt haben, nach Tel Aviv zurückzukehren, dann heißt das doch wohl, dass sie kein ehrliches Spiel spielte.»

«Wenn hier einer kein ehrliches Spiel spielt, dann Sie, Herr Hauptmann. Sie erzählen mir Lügengeschichten, um die Wahrheit zu erfahren. Aber darauf falle ich nicht herein. Und wenn Sie mich tage- und nächtelang künstlich wachhalten, Sie werden mich nie dazu bringen, das zu sagen, was Sie hören wollen. Da müssen Sie sich schon einen anderen Dummen suchen, dem Sie die Schuld zuschieben können.»

Entnervt tritt er auf den Korridor. Wenig später kehrt er zurück, die Stirn angespannt, die Kiefer aufeinander gepresst wie ein Schraubstock. Er schnauft mir aufgebracht ins Gesicht. Er ist kurz davor, aufzugeben.

Seine Fingernägel machen ein grässliches Geräusch, als er sich an den Wangen kratzt.

«Sie werden mir doch nicht im Ernst erzählen wollen, dass Ihnen in letzter Zeit im Verhalten Ihrer Frau nicht etwas aufgefallen ist. Es sei denn, Sie lebten nicht mehr unter demselben Dach.»

«Meine Frau ist keine Islamistin. Wie oft soll ich es denn noch sagen? Sie sind auf dem Holzweg. Lassen Sie mich nach Hause gehen. Ich habe seit zwei Tagen nicht mehr geschlafen.»

«Ich auch nicht, und ich habe auch nicht die Absicht, ein Auge zuzutun, bevor ich Licht in diese Sache gebracht habe. Für die Spurensicherung ist der Fall klar: Ihre Frau wurde von dem Sprengstoff getötet, den sie am Leib trug. Ein Augenzeuge, der an einem der Terrassentische vor dem Restaurant saß und nur leicht verletzt wurde, versichert, eine schwangere Frau in der Nähe des Banketts gesehen zu haben, das ein paar Schüler zum Geburtstag ihrer Mitschülerin organisiert hatten. Er hat die Frau ohne Zögern auf dem Foto wiedererkannt. Es war ein Foto von Ihrer Frau. Sie wiederum haben erklärt, dass sie nicht schwanger war. Ihre Nachbarn erinnern sich ebenfalls nicht, sie auch nur einmal schwanger gesehen zu haben, seit Sie in diesem Viertel wohnen. Die Autopsie spricht eine ebenso deutliche Sprache: keine Schwangerschaft. Was aber hat dann den Bauch Ihrer Frau so aufgebläht? Was war unter ihrem Kleid, wenn nicht diese verfluchte Sprengladung, die siebzehn Menschen das Leben gekostet hat, Kinder, die weiter nichts als ihren Spaß haben wollten?»

«Warten Sie doch die Kassette ab …»

«Es gibt keine Kassette. Mir persönlich sind diese Kassetten egal. Ich habe damit kein Problem. Mein Problem ist ein anderes. Und es macht mich ganz krank. Deshalb muss ich unbedingt herausfinden, wie eine Frau, die von ihrem Umfeld geschätzt wird, die schön ist und intelligent, modern und gut integriert, die von ihrem Mann auf Händen getragen wird, von ihren Freundinnen, mehrheitlich Jüdinnen, vergöttert, sich von heute auf morgen mit Sprengstoff voll packen und an einen öffentlichen Ort begeben konnte, um all das in Frage zu stellen, was der Staat Israel den Arabern, die er in seinem Schoß aufgenommen hat, an Vertrauensvorschuss entgegengebracht hat. Sind Sie sich des Ernstes der Lage überhaupt bewusst, Herr Doktor Jaafari? Wir haben schon mit Treuebruch gerechnet, aber doch nicht in dieser Art. Ich habe alles um Sie beide herum überprüft: Ihre Bekanntschaften, Ihre Gewohnheiten, Ihre kleinen Schwächen. Resultat: ich bin auf der ganzen Linie der Dumme. Ich, der ich Jude bin und Offizier des israelischen Geheimdienstes, komme nicht in den Genuss auch nur eines Drittels der Anerkennung, die Ihnen tagtäglich von dieser Stadt gezollt wird. Und das macht mich völlig fertig.»

«Versuchen Sie nicht, meinen körperlichen und seelischen Zustand auszunutzen, Herr Hauptmann. Meine Frau ist unschuldig. Sie hat absolut nichts mit den Fundamentalisten zu tun. Sie ist nie welchen begegnet, hat nie von ihnen geredet, hat nie von ihnen geträumt. Meine Frau ist in dieses Restaurant gegangen, um zu Mittag zu essen. Um zu essen. Nicht mehr und nicht weniger … Und jetzt lassen Sie mich in Ruhe. Ich kann nicht mehr.»

Woraufhin ich die Arme auf dem Tisch verschränke, meinen Kopf darauf lege und endgültig einschlafe.

Hauptmann Moshe kommt und geht … Am dritten Tag öffnet er die Tür des Rattenlochs und zeigt auf den Gang:

«Sie sind frei, Herr Doktor. Sie können nach Hause gehen und Ihren Alltag wiederaufnehmen, sofern das jetzt noch möglich ist …»

Ich greife nach meiner Jacke und stolpere durch einen Gang, auf dem Offiziere mit hochgekrempelten Hemdsärmeln und gelockerter Krawatte mich wortlos mustern. Sie sehen aus wie ein Rudel Wölfe, dem die sicher geglaubte Beute entwischt. Ein sichtlich erregter Schalterbeamter händigt mir meine Uhr, meinen Schlüsselbund und meine Brieftasche aus, lässt mich den Empfang quittieren und knallt die Luke zwischen uns zu. Jemand bringt mich zum Ausgang. Das Tageslicht blendet mich, als ich vor die Tür trete. Es ist schönes Wetter. Eine riesige Sonne leuchtet über der Stadt. Der Verkehrslärm holt mich in die Welt der Lebenden zurück. Ich bleibe eine Weile oben auf dem Absatz stehen und betrachte das übliche Verkehrschaos, aus dem hier und da der Ton einer Hupe erklingt. Es sind nicht viele Menschen unterwegs. Das Viertel wirkt ungepflegt. Die Bäume am Rand der Straße wirken nicht gerade fröhlich, und die Tagediebe ringsum blicken so trist wie ihre Schatten.

Vor der untersten Stufe steht eine dicke Limousine mit laufendem Motor. Am Steuer sitzt Naveed Ronnen. Er steigt aus und wartet, den Ellenbogen auf der Wagentüre, bis ich bei ihm bin. Ich begreife sofort, dass er nicht ganz unbeteiligt an meiner Freilassung ist.

Er runzelt die Stirn, als ich vor ihm stehe, wegen meines geschwollenen Auges.

«Haben sie dich geschlagen?»

«Ich bin gestürzt.»

Das überzeugt ihn nicht.

«So war es wirklich», sage ich ihm.

Er belässt es dabei.

«Soll ich dich nach Hause bringen?»

«Weiß nicht.»

«Du bist in einem jämmerlichen Zustand. Du musst unter die Dusche, dich umziehen, und du brauchst was zu essen.»

«Haben die Fundamentalisten die Kassette geschickt?»

«Welche Kassette?»

«Die vom Attentat. Weiß man inzwischen, wer der Selbstmordattentäter war?»

«Amin ...»

Ich weiche aus, um seiner Hand zu entkommen. Ich ertrage es nicht mehr, wenn mich jemand berührt. Nicht einmal, um mich zu trösten.

Mein Blick hält den seinen fest und lässt ihn nicht mehr los.

«Wenn sie mich haben laufen lassen, dann doch, weil sie sich sicher sind, dass meine Frau nichts damit zu tun hat.»

«Ich bringe dich jetzt erst mal nach Hause, Amin. Du musst wieder zu Kräften kommen. Das ist im Moment alles, was zählt.»

«Wenn sie mich haben laufen lassen, Naveed, nun rede schon ... wenn sie mich haben laufen lassen, dann doch, weil sie ... Was haben sie entdeckt, Naveed?»

«Dass *du*, Amin, nichts damit zu tun hast.»

«Nur ich ...?»

«Nur du.»

«Und Sihem ...?»

«Du musst die *knass* bezahlen, um ihren Körper zurückzubekommen. Ist eine Verordnung.»

«Ein Bußgeld? Seit wann gilt denn diese Verordnung?»

«Seit die fundamentalistischen Selbstmordattentäter ...»

Ich unterbreche ihn mit erhobenem Finger.

«Sihem ist keine Selbstmordattentäterin, Naveed. Versuch, das nicht zu vergessen. Das ist mir wichtiger als alles auf der Welt. Meine Frau ist doch keine Kindermörderin ... Hab ich mich verständlich ausgedrückt?»

Ich lasse ihn stehen und laufe los, ohne zu wissen, wohin. Ich habe keine Lust mehr darauf, dass mich jemand nach Hause bringt. Ich habe das nicht mehr nötig, dass mir jemand die Hand auf die Schulter legt. Ich will keinen Menschen sehen, egal ob er auf meiner Seite oder der Gegenseite steht.

In dieser Nacht finde ich mich auf einer Steinplatte wieder, den Blick aufs Meer gerichtet. Ich habe nicht die leiseste Ahnung, wie ich den Tag verbracht habe. Ich glaube, ich bin irgendwo eingeschlafen. Die drei Tage und drei Nächte in Haft haben mich völlig aus der Bahn geworfen. Ich habe keine Jacke mehr. Ich habe sie wohl auf irgendeiner Parkbank liegen lassen, oder jemand hat sie mir gestohlen. Auf meiner Hose ist oben ein riesiger Fleck, und auf meinem Hemd sind Spuren von Erbrochenem. Ich erinnere mich undeutlich, mich am Fuß eines Bootsstegs übergeben zu haben. Wie ich bis zu dieser Steinplatte gekommen bin, auf dieser Anhöhe über dem Meer? Ich weiß es nicht.

Weit draußen, auf hoher See, funkelt ein Passagierdampfer.

In der Nähe stürmen die Wellen gegen den Felsen an. Ihr Getöse erzeugt ein stetes Rauschen in meinem Kopf.

Die Meeresbrise erfrischt mich. Ich ziehe die Beine

hoch, schlinge die Arme um sie, vergrabe mein Kinn zwischen den Knien und lausche dem Rauschen des Meeres. Langsam füllen sich meine Augen mit Tränen. Die Schluchzer schütteln mich in immer kürzeren Abständen bis mein ganzer Körper pausenlos zittert. Ich nehme mein Gesicht in beide Hände, stöhne laut auf und brülle wie ein Besessener gegen das mächtige Tosen der Wassermassen an.

5.

Jemand hat ein Plakat an mein Gartentor geklebt. Nicht wirklich ein Plakat, sondern die Titelseite einer Boulevardzeitung. Quer über einem großen Foto, welches das blutige Chaos rund um das von den Terroristen ins Visier genommene Restaurant zeigt, steht in fetten Buchstaben: DIE BESTIE IST UNTER UNS. Die Überschrift zieht sich über drei Spalten hin.

Die Straße liegt verlassen da. Eine altersschwache Laterne spendet ein bisschen Licht – ein fahler Schein, der kaum über den Rand des Schirms hinausreicht. Mein Nachbar von gegenüber hat die Vorhänge zugezogen. Es ist noch nicht zehn Uhr abends, und nirgends brennt Licht.

Die Männer von Hauptmann Moshe haben wie die Vandalen gehaust. In meinem Büro ist alles drunter und drüber. In meinem Schlafzimmer dieselbe Unordnung. Matratze umgedreht, Laken am Boden, Nachttische und Kommode rücksichtslos durchwühlt, Schubladen auf dem Teppichboden verstreut. Die Unterwäsche meiner Frau liegt zwischen Pantoffeln und Kosmetikprodukten. Sie haben meine Bilder von den Wänden abgehängt, um nachzusehen, was sich dahinter verbirgt. Selbst auf einem uralten Familienfoto sind sie herumgetrampelt.

Ich habe weder Kraft noch Mut, einen Blick in die anderen Zimmer zu werfen, um den Schaden abzuschätzen, den sie dort angerichtet haben.

Der Schrankspiegel wirft mir mein Bild entgegen. Ich erkenne mich nicht wieder. Mit meinem struppigen Haar, dem verstörten Blick, meinem Dreitagebart und den ausgemergelten Wangen sehe ich aus wie ein Geisteskranker.

Ich ziehe mich aus, lasse mir Badewasser einlaufen; finde im Kühlschrank etwas zu essen, stürze mich darauf wie ein ausgehungertes Tier. Ich esse im Stehen, mit schmutzigen Händen, verschlucke mich fast an den Bissen, die ich mit einer elenden Gier hinunterschlinge. Am Ende habe ich eine Schale Obst, zwei Teller kaltes Fleisch, dazu zwei Flaschen Bier in einem Zug geleert und mir die Sauce von allen zehn Fingern geschleckt.

Erst als ich wieder vor dem Spiegel stehe, merke ich, dass ich vollkommen nackt bin. Ich erinnere mich nicht, seit meiner Heirat je wie Gott mich schuf herumgelaufen zu sein. Sihem hatte so ihre Prinzipien.

Sihem …

Wie lange das schon zurückliegt …!

Ich gleite in die Wanne, lasse mich vom heißen Wasserdampf einlullen, schließe die Augen und versuche, mich in der brennenden Betäubung aufzulösen, die langsam Besitz von mir ergreift …

«Mein Gott!»

Kim Yehuda steht mitten im Badezimmer und traut ihren Augen nicht. Sie sieht nach rechts, sieht nach links, klatscht in die Hände, als könnte sie nicht fassen, was sie da sieht, wendet sich rasch zum kleinen Wandschrank um und kramt auf der Suche nach einem Handtuch darin herum.

«Hast du etwa die ganze Nacht im Wasser verbracht?», ruft sie entsetzt und verärgert zugleich. «Wo hast du nur deinen Kopf gehabt, Herrgott im Himmel? Du hättest ertrinken können.»

Ich habe Mühe, die Augen zu öffnen. Vielleicht wegen des Tageslichts. Ich stelle fest, dass ich die ganze Nacht über in der Badewanne geschlafen habe. In dem Wasser, das inzwischen völlig abgekühlt ist, reagieren meine Gliedmaßen nicht mehr, sie sind steif wie Holz, Schenkel und Unterarme violett verfärbt. Außerdem bemerke ich, wie ich unentwegt schlottere und mit den Zähnen klappere.

«Was tust du dir da bloß an, Amin? Raus mit dir, aber sofort! Mir wird ja schon vom Zusehen elend.»

Sie hilft mir hoch, wickelt mich in einen Morgenmantel und rubbelt mich resolut trocken, von Kopf bis Fuß.

«Das darf doch wohl nicht wahr sein», fängt sie wieder an. «Wie hast du da drin nur schlafen können, mit dem Wasser bis zum Hals? Ist dir überhaupt klar, was du da machst …? Ich hatte so eine Vorahnung, heute Morgen. Irgendetwas sagte mir, ich müsste unbedingt kurz hier vorbeischauen auf dem Weg zum Krankenhaus … Naveed rief mich an, als sie dich freigelassen hatten. Ich war gestern schon dreimal da, aber du warst noch nicht zurück. Ich dachte, du wärst bei einem Verwandten oder einem Freund.»

Sie bringt mich ins Schlafzimmer, legt die Matratze zurück ins Bett und mich darauf. Meine Glieder schlottern immer heftiger, meine Kiefer klappern wie wild.

«Ich mach dir schnell was Heißes zu trinken», sagt sie und breitet eine Decke über mich.

Ich höre, wie sie sich in der Küche zu schaffen macht und mich fragt, wo ich dieses oder jenes verstaut hätte. Meine Lippen bibbern so haltlos, dass ich nicht ein Wort herausbekomme. Ich rolle mich unter der Decke wie ein Embryo zusammen, mache mich ganz klein, damit mir etwas wärmer wird.

Kim bringt mir eine große Schale Früchtetee, stützt meinen Kopf und flößt mir langsam das dampfende, süße Gebräu ein. Die glühende Flüssigkeit strömt mir durch die Brust und erhitzt meinen Bauch.

Kim hat Mühe, mein Zittern unter Kontrolle zu bekommen.

Sie stellt die Schale auf dem Nachttisch ab, rückt mein Kopfkissen zurecht und hilft mir, mich wieder hinzulegen.

«Wann bist du denn nach Hause gekommen? Spät nachts oder früh am Morgen? Als ich das Tor mit offenem Riegel und die Haustür sperrangelweit offen fand, habe ich schon das Schlimmste befürchtet … Es hätte ja jeder bei dir eindringen können.»

Ich weiß nicht, was ich darauf antworten soll.

Sie erklärt mir, dass sie am Vormittag noch einen Patienten operieren muss, und versucht mehrmals die Putzfrau zu erreichen, schließlich hinterlässt sie eine Nachricht auf ihrem Anrufbeantworter. Es beunruhigt sie, mich ohne Aufsicht zurückzulassen, sie sieht aber keine Alternative. Sie beruhigt sich ein wenig, während sie mir Fieber misst, bereitet mir noch schnell eine Mahlzeit zu und verabschiedet sich schließlich, nicht ohne zu versprechen, so schnell wie möglich zurück zu sein.

Ich habe sie nicht einmal fortgehen sehen.

Ich glaube, da war ich schon wieder eingeschlafen …

Das Quietschen eines Tores weckt mich auf. Ich schiebe die Bettdecke beiseite und gehe zum Fenster, um nachzusehen. Zwei Jugendliche mit Papierrollen unterm Arm schnüffeln in meinem Garten herum. Mein Rasen ist übersät mit Dutzenden von Zeitungsausschnitten. Schaulustige haben sich vor meinem Haus aufgebaut. «Verschwindet gefälligst!», brülle ich hinüber. Da ich das Fenster nicht aufbekomme, stürze ich hinaus auf den Hof. Die beiden Jugendlichen machen sich aus dem Staub. Ich verfolge sie bis auf die Straße, barfuß, vor Empörung zitternd … «Dreckiger Terrorist! Mistkerl! Verräter von Araber!» Die Pöbeleien bremsen mich aus. Zu spät, ich bin schon mittendrin in einer aufgebrachten Meute. Zwei Vollbärte mit Zöpfen spucken mir ins Gesicht. Arme stoßen mich hin und her. «Sagt man so vielleicht danke bei euch, du Araberschwein? Beißt man die Hand, die einen aus der Scheiße zieht …?» Schattenhafte Gestalten schneiden mir den Rückweg ab. Spucke klatscht mir ins Gesicht. Eine Hand packt mich am Kragen meines Morgenmantels … «Sieh nur, in was für einem Schloss du wohnst, du Hurensohn. Was braucht ihr denn noch mehr, um danke zu sagen …?» Sie zerren von allen Seiten an mir. «Den müssen wir erst desinfizieren, bevor wir ihn auf den Scheiterhaufen werfen …» Ein Fußtritt trifft mich voll in den Bauch, ein anderer richtet mich wieder auf. Erst blutet meine Nase, dann meine Lippe. Meine Arme können mich nicht schützen. Ein Hagel von Schlägen prasselt auf mich ein, und der Boden unter meinen Füßen gibt nach …

Kim findet mich mitten auf dem Kiesweg liegend. Meine Angreifer haben mich bis in den Garten verfolgt und noch lange, nachdem sie mich zu Boden geworfen hatten, auf mich eingeschlagen. Beim Anblick ihrer geweiteten Pupillen und den schäumenden Mündern hatte ich geglaubt, sie würden mich lynchen.

Kein einziger Nachbar ist mir zu Hilfe gekommen, nicht eine nächstenliebende Seele hatte genügend Geistesgegenwart, die Polizei zu rufen.

«Ich fahre dich ins Krankenhaus», sagt Kim.

«Nein, nicht ins Krankenhaus. Ich will da nicht mehr hin.»

«Ich glaube, du hast dir etwas gebrochen.»

«Lass es gut sein. Bitte!»

«Wie auch immer, du kannst ohnehin nicht hier bleiben. Sie werden dich sonst noch töten.»

Kim gelingt es irgendwie, mich in mein Zimmer zu schleppen, sie zieht mich an, wirft ein paar Klamotten in meine Tasche und setzt mich in ihr Auto.

Die bezopften Bärtigen tauchen von irgendwoher auf, vermutlich alarmiert von einem Späher.

«Lass ihn krepieren!», brüllt einer von ihnen Kim zu. «Das ist ein Mistkerl …»

Kim fährt mit quietschenden Reifen los.

Wir durchqueren das Viertel wie ein Rennwagen ein Minenfeld.

Kim steuert auf direktem Weg eine Ambulanz in der Nähe von Yafo an. Die Röntgenaufnahme zeigt keinerlei Brüche, aber ein starkes Trauma im rechten Handgelenk und ein weiteres im Knie. Eine Schwester desinfiziert die Schürfwunden auf meinen Armen, tupft mir die aufgeplatzten Lippen ab, säubert meine geschundenen Nasenlöcher. Sie glaubt, dass es sich um einen Streit unter Säufern handelt, ihre Gesten sind voller Mitgefühl.

Ich hüpfe auf einem Bein aus dem Behandlungsraum, dazu mit einem unförmigen Verband um die Hand.

Kim bietet mir ihre Schulter an, ich ziehe es vor, mich an der Mauer abzustützen.

Sie nimmt mich mit zu sich nach Hause, nach Sederot Yerushalayim, in ein Loft, das sie damals kaufte, als sie ihr Leben mit Boris teilte. Hier war ich früher häufiger, um ein frohes Ereignis zu feiern oder einen netten Abend unter guten Freunden zu verbringen, zusammen mit Sihem. Die beiden Frauen verstanden sich gut, auch wenn die meine, von Natur aus eher zurückhaltend, stets auf Distanz blieb. Kim machte sich nichts daraus. Sie hat gern Besuch und feiert für ihr Leben gern. Und seit sie die Trennung von Boris überwunden hat, sogar doppelt so gern.

Wir nehmen den Aufzug. Ein altes Mütterchen fährt mit uns bis in den zweiten Stock. Auf dem Treppenabsatz im vierten Stock treffen wir auf einen wimmernden Welpen am Ende einer Leine, die in einer Tür hinten im Flur festklemmt. Das ist der Welpe der Nachbarin – sie wird ihn weggeben, sobald er erwachsen ist, um sich den nächsten Welpen zu suchen; das ist so eine Art Angewohnheit von ihr.

Kim kämpft mit dem Türschloss – wie immer, wenn sie nervös ist. In ihren Wangen bilden sich Grübchen, als sie ärgerlich das Gesicht verzieht. Der kleine Wutanfall steht ihr gut. Endlich findet sie den richtigen Schlüssel und tritt bei Seite, um mich hineinzulassen.

«Fühl dich ganz wie zu Hause», sagt sie.

Sie hilft mir aus der Jacke, hängt sie in der Diele auf,

dirigiert mich mit einer Kinnbewegung Richtung Wohnzimmer, wo sich seit ewigen Zeiten ein Korbstuhl und ein
alter verschlissener Ledersessel gegenüberstehen. Ein
großes surrealistisches Gemälde erstreckt sich über die
halbe Wand. Es sieht aus wie das Gekritzel von psychisch
labilen Kindern, die fasziniert sind von Blutrot und Kohl-
schwarz. Auf dem Beistelltischchen aus Schmiedeeisen,
das Kim auf einem Trödelmarkt entdeckt hat, zu dem es
sie jedes Wochenende hinzieht, liegt zwischen lauter Ke-
ramik-Nippes und einem überquellenden Aschenbecher
eine Boulevardzeitung … aufgeschlagen auf der Seite mit
dem Foto meiner Frau.

Kim stürzt darauf zu.

Ich halte sie zurück.

«Halb so schlimm.»

Verlegen greift sie trotzdem nach der Zeitung und
wirft sie in den Abfalleimer.

Ich nehme im Sessel Platz, in Nähe der Fenstertür, die
auf einen Balkon hinausgeht, der vollgestellt ist mit Blu-
mentöpfen. Von der Wohnung hat man freien Blick auf
die Straße. Es herrscht so dichter Verkehr, dass die Fahr-
bahn überläuft. Der Abend läuft zu Hochform auf, die
Nacht verspricht heiß zu werden.

Wir essen in der Küche zu Abend. Kim isst wie ein
Spatz, ich ohne Überzeugung. Das Foto aus der Zeitung
lässt mich nicht los. Hundertmal schon wollte ich Kim
danach fragen, was sie von dieser Geschichte hält, die
die Journalisten nach Lust und Laune aufbauschen; hundertmal wollte ich sie am Kinn fassen, ihr fest in die Augen sehen und sie auffordern, bei ihrer Ehre und ihrem
Gewissen, mir zu sagen, ob sie Sihem Jaafari, meine Frau,
die Frau, mit der sie so vieles geteilt hat, für imstande

hielt, sich mit Sprengstoff zu bepacken und mitten auf einem Fest in die Luft zu jagen. Ich habe mich nicht getraut, ihr Entgegenkommen zu missbrauchen ... Gleichzeitig bete ich innerlich darum, dass auch sie kein Wort darüber verliert. Dass sie nicht nach meiner Hand greift, zum Zeichen des Mitgefühls. Ich würde diese Geste, eine Geste zu viel, nicht überleben ... Wir fühlen uns so, wie es ist, ganz wohl. Das Schweigen bewahrt uns vor uns selbst.

Sie räumt beinahe geräuschlos den Tisch ab, bietet mir einen Kaffee an. Ich bitte sie um eine Zigarette. Sie zieht die Augenbrauen hoch. Es ist Jahre her, dass ich zuletzt geraucht habe.

«Bist du sicher, dass du das wirklich willst?»

Ich antworte nicht.

Sie reicht mir die Schachtel, dann ihr Feuerzeug. Die ersten Züge schlagen Funken in meinem Gehirn. Bei den nachfolgenden dreht sich alles.

«Könntest du das Licht ein bisschen dämpfen?»

Sie knipst die Deckenleuchte aus und einen Lampenschirm an. Das Halbdunkel lindert meine Ängste. Zwei Stunden später sitzen wir noch immer so da, einander gegenüber, mit gedankenverlorenem Blick.

«Zeit zum Schlafengehen», sagt sie schließlich. «Ich habe morgen einen vollen Tag, ich falle gleich um, so müde bin ich.»

Sie macht mir das Bett im Gästezimmer.

«Ist es recht so? Brauchst du noch mehr Kopfkissen?»

«Gute Nacht, Kim.»

Sie duscht kurz, dann geht in ihrem Zimmer das Licht aus.

Später kommt sie noch mal, um nach mir zu sehen. Ich tue so, als schliefe ich fest.

So geht eine Woche dahin, während der ich keinen Fuß in mein Haus gesetzt habe. Kim beherbergt mich und achtet sorgsam darauf, meine wunden Punkte nicht zu berühren – ein Sprengstoffexperte, der eine Bombe entschärft, hätte nicht achtsamer zu Werke gehen können.

Meine Wunden sind vernarbt, meine Quetschungen abgeschwollen; mein verunstaltetes Knie zwingt mich nicht mehr zu hüpfen, doch mein Handgelenk ist noch immer bandagiert.

Wenn Kim nicht da ist, schließe ich mich in einem Zimmer ein und rühre mich nicht vom Fleck. Wohin auch gehen? Die Straße lockt mich nicht. Was finde ich heute dort schon mehr als gestern? Mit Sicherheit sehr viel weniger. Nutzlos zu versuchen, sich mit den vertrauten Dingen zu versöhnen, wenn man nicht mit dem Herzen dabei ist. Im Zimmer mit den zugezogenen Vorhängen fühle ich mich in Sicherheit. Ich riskiere dort nicht viel. Ich fühle mich zwar nicht rundherum wohl, aber wenigstens widerfahren mir dort keine Verletzungen. Ich muss zusehen, dass ich wieder auf die Beine komme. So am Boden zu liegen, das bekommt nicht gut. Wenn man sich lange Zeit derart vergräbt und nicht sehr bald etwas tut, ist man schnell nicht mehr Herr seiner selbst. Man wird zum Zuschauer seines eigenen Niedergangs, und man merkt gar nicht, in was für einen Abgrund man dabei gerät … Kim hat mir vorgeschlagen, an einem Abend mal ihren Großvater, der am Strand wohnt, zu besuchen. Ich habe entgegnet, ich sei nicht bereit, dort anzuknüpfen, wo es nie wieder sein wird wie früher. Ich brauche

Abstand, muss begreifen, was da mit mir passiert. Dabei sperre ich mich den ganzen Tag lang im Zimmer ein und denke an gar nichts, sofern ich mich nicht vor die Balkontür im Wohnzimmer setze und den größten Teil des Tages damit verbringe, auf die Autos zu starren, die sich über den Boulevard drängen, ohne sie wirklich zu sehen. Einmal nur ist mir der Gedanke gekommen, mich hinters Lenkrad zu klemmen und draufloszufahren, bis der Kühler explodiert. Doch ich hatte nicht den Mut, ins Krankenhaus zurückzukehren, um mein Auto zu holen.

Sobald ich wieder laufen konnte, ohne mich an der Wand abzustützen, verlangte ich Naveed Ronnen zu sehen. Ich wollte meiner Frau ein würdiges Begräbnis verschaffen. Ich ertrug den Gedanken nicht, sie so beengt zu wissen, in diesem Kühlfach in der Leichenkammer, mit einem Etikett am Zeh. Um mir einen sinnlosen Wutanfall zu ersparen, hat Naveed mir die Formulare mitgebracht, ordnungsgemäß ausgefüllt, ich musste nur noch unterschreiben.

Ich habe die Geldbuße bezahlt und die Leiche meiner Frau abgeholt, ohne irgendwem Bescheid zu geben. Es war mir wichtig, Sihem in aller Stille beizusetzen, in Tel Aviv, der Stadt, in der wir uns zum ersten Mal gesehen und wo wir zu leben beschlossen hatten, bis dass der Tod uns scheidet. Ich bin allein auf dem Friedhof, nur mit dem Imam und dem Totengräber.

Als die Grube, in der fortan das Beste an meinem ganzen Leben begraben lag, mit Erde bedeckt war, fühlte ich mich gleich etwas besser. Als hätte ich mich einer für mich völlig unbegreiflichen Aufgabe entledigt. Ich hörte bis zum Ende dem Imam zu, der seine Koranverse rezitierte, drücke ihm ein paar Scheine in seine bereit gehaltene Hand und fuhr in die Stadt zurück.

Ich wandere eine Esplanade entlang, die zum Meer führt. Touristen machen Erinnerungsfotos voneinander und winken fröhlich in die Kameras. Einige junge Pärchen flirten im Schatten der Bäume, andere flanieren Hand in Hand über die Mole. Ich gehe in ein kleines Bistro, bestelle einen Kaffee, setze mich in eine Ecke in Fensternähe und rauche gemächlich eine Zigarette nach der anderen.

Die Sonne wird langsam schwächer. Ich nehme mir ein Taxi und lasse mich in Sederot Yerushalayim absetzen.

Kim hat Besuch. Sie hören mich nicht hereinkommen. Von der Diele aus habe ich keinen Einblick ins Wohnzimmer. Ich erkenne die Stimme von Ezra Benhaim, die sehr viel dunklere von Naveed und die lebhafte Stimme von Benjamin, Kims älterem Bruder.

«Ich sehe nicht, was das eine mit dem anderen zu tun hat», bemerkt Ezra, nachdem er sich geräuspert hat.

«Da, wo man ihn am wenigsten vermutet, findet sich immer ein Bezug zwischen den Dingen», erklärt Benjamin, der lange Philosophie an der Universität von Tel Aviv unterrichtet hatte, bevor er sich in Jerusalem einer höchst umstrittenen Gruppe von Pazifisten anschloss. «Deshalb liegen wir ja auch immer von neuem daneben.»

«Nun lass uns mal nicht übertreiben», widerspricht Ezra höflich.

«Und haben die Trauerzüge von hüben und drüben, deren Wege sich immer wieder kreuzen, uns irgendwie vorangebracht ...?»

«Die Palästinenser weigern sich doch, Vernunft anzunehmen.»

«Vielleicht weigern wir uns ja nur, sie anzuhören.»

«Benjamin hat recht», bemerkt Naveed mit ruhiger, angeregter Stimme. «Die palästinensischen Fundamentalisten schicken Kinder los, die sich an einer Bushaltestelle in die Luft jagen. Während wir noch unsere Toten einsammeln, setzen unsere Generalstäbe schon Helikopter in Marsch, um ihre Bruchbuden in die Luft zu jagen. Und zur Stunde, da unsere Regierenden in Siegesjubel ausbrechen, läutet ein neues Attentat die nächste Runde ein. Wie lange wird das noch so weitergehen?»

In eben dem Moment kommt Kim aus der Küche und überrascht mich im Flur. Ich lege einen Finger an die Lippen, um sie zu bitten, mich nicht zu verraten, mache auf dem Absatz kehrt und gehe ins Treppenhaus zurück. Kim versucht noch, mich einzuholen, aber da bin ich schon auf der Straße.

6.

Ich bin zurückgekehrt in mein Viertel wie ein Phantom, das an den Ort des Verbrechens zurückkehrt. Ich weiß nicht, wie ich hierhergekommen bin. Nach meiner Flucht aus Kims Wohnung bin ich blindlings irgendeine Straße entlang und immer weiter gelaufen, bis ich stechende Krämpfe in beiden Kniekehlen bekam, dann bin ich in einen Bus gestiegen, aus dem ich an der Endstation hinausgeworfen wurde, habe in einem Gartenlokal in Shipara zu Abend gegessen und bin weitergebummelt, von einem Platz zum nächsten, um am Ende meines Parcours schließlich in dem Wohnviertel anzukommen, das Sihem und ich uns vor sieben Jahren auserkoren hatten, in der bestimmten Absicht, hier eine uneinnehmbare Festung um unsere Liebe zu errichten. Es ist ein schönes, stilles Viertel, das eifersüchtig über die Ruhe seiner stattlichen Villen wacht, in dem die Reichen von Tel Aviv es sich wohl sein lassen, sowie eine Kolonie von Emporkömmlingen, darunter eine Hand voll russischer Emigranten, die man an ihrem bäuerischen Akzent erkennt und an ihrem Tick, vor den Nachbarn angeben zu müssen. Gleich bei unserem ersten Streifzug durch die Gegend zog uns das Viertel in seinen Bann. Das Licht hier schien sehr viel mehr Leuchtkraft zu haben. Wir hatten das alles auf Anhieb gemocht, die Natursteinfassaden, die schmiedeeisernen Tore und die ganze Aura der Glückseligkeit, welche die Häuser mit den riesigen Fenstern und den schönen Balkons umfing. Zu der Zeit wohnten wir in einer lauten Gegend am Stadtrand, in einem Apartment im dritten Stock eines anonymen Gebäudes, in dem Ehekräche an der Tagesordnung waren. Wir schnallten den Gürtel enger, um so viel wie möglich auf die hohe Kante zu legen, damit wir umziehen konnten, aber wir waren weit davon entfernt, uns vorzustellen, dass wir unsere Koffer in einer derart noblen Gegend wieder auspacken würden. Nie werde ich Sihems Freude vergessen, als ich ihr die Binde von den Augen nahm, um ihr *unser* Haus zu zeigen. Sie hopste so aufgeregt auf ihrem Sitz hin und her, dass ihr Kopf gegen die Autodecke stieß, die davon einen Riss bekam. Sie so unendlich glücklich zu sehen, wie ein kleines Mädchen, dem man am Geburtstag seinen Lieblingswunsch erfüllt, das war für mich wie ein Wunder. Wie oft ist sie mir um den Hals gefallen, hat mich mitten auf den Mund geküsst, vor all diesen Typen, die da herumstanden und gafften, sie, die normalerweise schon knallrot wurde, wenn ich nur wagte, sie auf der Straße verstohlen zu kneifen …? Sie stieß das Gartentor auf und lief auf die massive Eichentür zu. Sie war so ungeduldig, dass ich Mühe hatte, den passenden Schlüssel zu finden. Ihre Freudenschreie hallen noch immer in meinen Schläfen. Ich sehe sie vor mir, wie sie mit ausgebreiteten Armen durchs Wohnzimmer wirbelt, wie eine Ballerina, berauscht von ihrer Kunst. Ich musste sie bei den Hüften packen, um ihren Überschwang zu zügeln. Ihre Blicke strömten über vor Dankbarkeit, ihr Glück betaubte mich. In diesem riesigen, leeren Raum haben wir meinen Mantel auf dem Boden ausgebreitet und uns geliebt wie zum ersten Mal …

Es dürfte so gegen elf Uhr sein, vielleicht etwas früher, und keine Menschenseele in Sicht. Die Straße, die einst Zeuge meines Aufstiegs war, liegt im Tiefschlaf. Ihre Laternen werfen trübes Licht. Mein Haus, seiner romantischen Liebe beraubt, erinnert an ein Geisterhaus. Eingehüllt in eine schon unheimliche Finsternis liegt es da, als stünde es seit Generationen leer. Weder Kim noch ich hatten daran gedacht, die Fensterläden zu schließen. Jetzt sind einige Scheiben eingeschlagen. Zeitungsfetzen liegen überall im Garten verstreut, die Blumen sind zertrampelt. Während unserer überstürzten Flucht von neulich hat Kim in der Eile das Tor nicht verriegelt, das, von übelgesinnten Besuchern sperrangelweit offen gelassen, jetzt leise in der Stille quietscht wie eine diabolische Klage. Man hat das Schloss mit einer Eisenstange gewaltsam aufgebrochen, eine Angel aus dem Pfeiler gerissen und die Klingel ramponiert. Zeitungsausschnitte, vom Volkszorn zwischen hasserfüllten Graffiti an meine Gartenmauer geheftet, flattern müde im Wind. In meiner Abwesenheit ist so einiges passiert …

Im Briefkasten liegt Post. Lauter Rechnungen und ein kleiner Umschlag, der meine Aufmerksamkeit fesselt. Keine Absenderangabe. Nur eine Briefmarke, abgestempelt. Aufgegeben in Bethlehem. Mein Herz macht einen Sprung, als ich die Schrift von Sihem erkenne. Ich stürze ins Schlafzimmer, knipse Licht an, setze mich neben den Nachttisch, auf dem das Foto meiner Frau steht.

Plötzlich erstarre ich.

Warum Bethlehem …? Was wird mir dieser Brief aus dem Jenseits bringen? Meine Finger zittern, mein Adamsapfel zuckt wie wild in meiner ausgedörrten Kehle. Einen Moment lang frage ich mich, ob es nicht besser wäre, ihn später zu öffnen. Ich fühle mich außerstande, jetzt auch noch die andere Wange hinzuhalten, sämtliche Exzesse des Unglücks auf mich zu nehmen, das mir seit dem Attentat an den Fersen klebt. Der Tornado, der mir den letzten Halt genommen hat, hat mich gewaltig geschwächt. Ich hab wohl kaum die Kraft, einen weiteren Sturm zu überleben ... Gleichzeitig fühle ich mich nicht in der Lage, auch nur eine Sekunde länger zu warten. Jede Faser meines Körpers ist gespannt, meine Nerven liegen bloß, es fehlt nicht viel, und die äußerste Anspannung zerreißt mich. Ich atme tief ein und mache den Umschlag auf – mir ist, als schwebte ich in größerer Gefahr, als wenn ich mir die Pulsadern aufgeschnitten hätte. Ätzender Schweiß läuft mir den Rücken herab. Mein Herz klopft immer heftiger, dröhnt dumpf in meinen Schläfen, füllt das Schlafzimmer mit seinem unbarmherzigen Rhythmus an.

Der Brief ist kurz, ohne Datum, ohne Kopf. Wenige Zeilen, hastig hingeworfen auf ein aus einem Schulheft gerissenen Blatt.

Ich lese:

Was nützt das Glück, wenn man es nicht teilen kann, Amin, mein Geliebter? Meine Freude erstarb immer dann, wenn Deine nicht mithielt. Du wolltest Kinder. Ich wollte ihrer würdig sein. Kein Kind ist je wirklich in Sicherheit, wenn es kein Vaterland hat ... Sei mir nicht böse.

Sihem.

Das Blatt gleitet mir aus den Händen, fällt zu Boden. Auf einen Schlag bricht alles zusammen. Die Frau, die ich einmal geheiratet habe, für die guten und für alle Zeiten, die Gefährtin meiner seligsten Jahre, die meine Zukunftspläne mit glitzernden Girlanden geschmückt, meine Seele mit ihrer süßen Gegenwart beglückt hat, finde ich nirgends wieder. Ich finde nichts von ihr wieder, weder an mir noch in meinen Erinnerungen. Selbst der Rahmen, der sie in einem fernen, endgültig vergangenen Moment gefangen hält, verliert vor mir seine Form, vermag das Bild von dem nicht mehr zu fassen, was ich für das Schönste hielt, das mir im ganzen Leben je begegnet ist. Ich fühle mich, als hätte mich jemand über eine Klippe gestoßen, als zöge es mich in einen bodenlosen Abgrund. Mein Kopf, meine Hände, mein ganzes Ich wehren sich, wehren ab … *Gleich werde ich aufwachen …* Doch ich bin wach. Ich träume nicht. Der Brief liegt zu meinen Füßen, am Boden, durch und durch wirklich, und stellt einfach alles in Frage: meine Überzeugungen, meine elementarsten Gewissheiten lösen sich nacheinander in Staub auf. Meine letzten Anhaltspunkte schwinden … *Das ist einfach nicht gerecht …* Erinnerungsbilder der drei Tage Arrest kommen wieder. Hauptmann Moshe verfolgt mich mit seiner dumpfen Stimme, die in mir einen Strudel verworrener Bilder auslöst. Ab und zu leuchtet ein Bild blitzartig daraus hervor. Ich sehe Naveed, der unten an der Treppe auf mich wartet, Kim, die mich, ein Häufchen Elend, auf dem Kiesweg aufliest, meine Angreifer, die mich in meinem eigenen Garten lynchen wollen … Ich stütze den Kopf in beide Hände und überlasse mich der grenzenlosen Erschöpfung, die mich überkommt.

Was tust du mir da an, Sihem, meine Geliebte?

Man glaubt alles zu wissen. Dadurch wird man immer

nachlässiger und tut so, als stünde alles zum Besten. Und mit der Zeit bringt man den Dingen einfach nicht mehr die Aufmerksamkeit entgegen, die ihnen gebührt. Man hat Vertrauen. Was will man denn noch? Das Leben lächelt einem zu, das Glück ebenso. Man liebt und wird geliebt. Man hat die Mittel, sich seine Träume zu erfüllen. Alles läuft bestens, alles gelingt... Dann, ohne Vorwarnung, stürzt der Himmel über uns ein. Und erst, wenn man wehrlos am Boden liegt, merkt man plötzlich, dass das Leben, das ganze Leben mit all seinen Höhen und Tiefen, seinen Freuden, seinem Leid, seinen Verheißungen und seinen Enttäuschungen an einem einzigen seidenen Faden hängt. Mit einem Mal gerät man beim leisesten Geräusch in Panik, und man mag an überhaupt nichts mehr glauben. Man will nur noch die Augen zumachen und aufhören zu denken.

«Du hast schon wieder vergessen, die Tür zu schließen!», schimpft Kim mit mir.

Sie steht aufrecht auf der Schwelle zum Schlafzimmer, die Arme über der Brust verschränkt. Ich habe sie gar nicht kommen hören.

«Warum bist du vorhin so schnell verschwunden? Naveed und Ezra sind doch nur wegen dir gekommen. Erträgst du jetzt den Anblick deiner Freunde nicht mehr?»

Ihr ratloses Lächeln verblasst.

«Meine Güte, was machst du denn für ein Gesicht?»

Ich sehe offenbar ziemlich erbärmlich aus, denn sie stürzt auf mich zu, packt mich bei den Handgelenken und prüft, ob sie unversehrt sind. «Du hast dir doch nicht etwa die Pulsadern aufgeschnitten? Verflucht! Du bist ja leichenblass. Hast du Gespenster gesehen oder was? Was hast du denn? Sag wenigstens was, verdammt. Du hast irgendwas geschluckt, ja? Sieh mir in die Augen, und sag mir, ob du etwas eingenommen hast! Wahnsinn, was du dir da antust, Amin!», schreit sie und sieht sich suchend um, nach der Giftkapsel oder der Schachtel mit den Schlaftabletten. «Nicht eine Minute kann man dich mehr allein lassen ...»

Ich sehe, wie sie sich hinkniet, einen forschenden Blick unters Bett wirft, mit der Hand hier und dort herumtastet ...

Ich erkenne meine Stimme nicht wieder, als ich ihr gestehe: «Sie war es wirklich, Kim ... Mein Gott! Wie konnte sie nur?»

Kim hält mitten in der Bewegung inne. Erhebt sich halb. Versteht nicht.

«Wovon redest du?»

Sie entdeckt den Brief zu meinen Füßen, hebt ihn auf, überfliegt ihn und zieht ihre Augenbrauen hoch.

«Allmächtiger!», seufzt sie dann und sieht mir ins Gesicht.

Sie weiß nicht, wie sie sich verhalten soll. Stammelt ein bisschen herum, öffnet mir dann weit ihre Arme. Ich schmiege mich an sie, mache mich ganz klein, und zum zweiten Mal in weniger als zehn Tagen beginne ich, der seit Großvaters Tod vor über dreißig Jahren nicht eine Träne vergossen hat, loszuheulen wie ein kleines Kind.

Kim ist bis zum nächsten Morgen bei mir geblieben. Als ich aufwache, finde ich sie im Sessel neben meinem Bett, zusammengesunken, sichtlich am Ende ihrer Kräfte. Der Schlaf hat uns übermannt, als wir am wenigsten mit ihm gerechnet haben. Ich weiß nicht, wer von uns beiden als Erster eingenickt ist. Ich bin mit Schuhen an den Füßen und zugeknöpfter Jacke eingeschlafen. Seltsamerweise habe ich das Gefühl, als sei ein gewaltiges Unwetter vorübergezogen. Sihems Foto auf dem Nachttisch berührt mich nicht. Ihr Lächeln ist verflogen, ihr Blick leer. Mein Kummer hat mir gewaltige Wunden geschlagen, ohne mich niederzustrecken …

Draußen knabbert Vogelgezwitscher an der morgendlichen Stille. Es ist vorbei, sage ich zu mir. Der Morgen bricht an.

Kim nimmt mich mit zu ihrem Großvater, der in einem kleinen Haus an der Küste lebt. Der alte Yehuda hat keine Ahnung, was ich durchgemacht habe, und das ist auch besser so. Was ich jetzt brauche, sind Leute, die mich mit denselben Augen wie früher ansehen, deren Schweigen ich nicht für Verlegenheit halte, und ihr Lächeln nicht für Mitgefühl. Unterwegs vermeiden Kim und ich es, den Brief zu erwähnen. Um erst gar nicht in Gefahr zu geraten, bleiben wir stumm. Kim sitzt am Steuer ihres Nissan, die Sonnenbrille auf der Nase. Ihre Haare flattern im Fahrtwind. Sie blickt angestrengt geradeaus, die Hände ans Lenkrad geklammert. Ich meinerseits betrachte mein bandagiertes Handgelenk und versuche, mich auf das Brummen des Motors zu konzentrieren.

Der alte Yehuda empfängt uns mit der gewohnten Höflichkeit. Seit einer Generation ist er verwitwet, seine Kinder sind längst auf und davon, führen ihr Leben unter fremden Himmeln. Er ist ein hagerer Greis, mit knochigen Wangen und reglosen Augen in einem vom Leben gezeichneten Gesicht. Er erholt sich eben erst von einem Prostatakrebs, der ihn binnen weniger Monate befallen hat. Er freut sich über jeden Besuch. Es ist, als würde man ihn zum Leben erwecken. Er ist zum Einsiedler wider Willen geworden, in seinem Haus, das er mit eigenen Händen erbaut hat, von Gott und der Welt vergessen, inmitten seiner Bücher und Fotos, die bis ins kleinste Detail den ganzen Horror der Schoah schildern. Wenn dann irgendein Freund oder Angehöriger an seine Tür klopft, ist es, als würde man den Deckel heben, unter dem er sich verbirgt, und ein wenig Licht in seine Nacht bringen.

Wir essen zu dritt in einem Strandrestaurant zu Mittag. Der Tag ist schön. Bis auf eine faserige Wolke, die in der Luft zerfließt, hat die Sonne den Himmel für sich allein. Ein paar Familien vergnügen sich im Sand, manche haben ein spontanes Picknick veranstaltet, andere planschen mit nackten Waden durchs Wasser. Kinder spielen Fangen und kreischen dabei wie die Vögel ...

«Warum hast du Sihem denn nicht mitgebracht?», fragt mich der alte Yehuda unvermittelt.

Mir bleibt das Herz stehen.

Kim hätte sich fast an ihrer Olive verschluckt, auch sie völlig überrascht. Sie hatte zwar mit einer Frage dieser Art von ihrem Großvater gerechnet, doch sehr viel früher, und dann, da lange nichts kam, in ihrer Wachsamkeit nachgelassen. Ich sehe, wie sie sich verkrampft und mit hochrotem Kopf so bang auf meine Antwort wartet wie der Angeklagte auf den Schiedsspruch. Ich tupfe mir die Lippen mit einer Serviette ab und antworte nach einem zögerlichen Schweigen, dass Sihem verhindert war. Der alte Yehuda nickt und wendet sich wieder seiner Suppe zu. Ich begreife, dass er das nur so dahingesagt hat, wahrscheinlich, um das Schweigen zu brechen, das jeden von uns in seine Ecke bannt.

Nach dem Essen kehrt der alte Yehuda ins Haus zurück, um seine Siesta zu halten, und Kim und ich laufen über den Sand. Von einem Ende des Strandes zum anderen, die Hände hinter dem Rücken verschränkt, mit den Gedanken weit weg. Manchmal kommt eine Welle zu uns herangerollt, leckt uns um die Knöchel und zieht sich still zurück.

Erschöpft und irgendwie doch frisch gestärkt, erklimmen wir eine Düne und warten dort auf den Sonnenuntergang. Die Nacht entzieht uns der Unordnung der Dinge. Das tut uns beiden gut.

Yehuda kommt uns suchen. Wir essen auf der Veranda zu Abend und lauschen dem Meer, das gegen die Felsen brandet. Jedes Mal, wenn der alte Yehuda uns die Geschichte von der Deportation seiner Familie erzählen will, ermahnt ihn Kim, dass er versprochen hat, den Abend nicht zu verderben. Er gibt zu, eingewilligt zu haben, sein erlittenes Schicksal nicht schon wieder zum Thema zu machen, und rutscht auf seinem Stuhl hin und her, leicht verstimmt, dass er seine Erinnerungen für sich behalten muss.

Kim bietet mir oben im Schlafzimmer ein Feldbett an und wählt für sich die Schaumstoffmatratze am Boden. Kurz darauf löschen wir das Licht.

Die ganze Nacht über versuche ich zu verstehen, wie es mit Sihem so weit kommen konnte. Von welchem Moment an begann sie, sich mir zu entziehen? Wie konnte es sein, dass ich nichts bemerkte …? Sie hat bestimmt versucht, mir irgendein Zeichen zu geben, mir etwas mitzuteilen, was ich nicht verstand. Wo hatte ich nur meinen Kopf? Gewiss, ihr Blick hatte in letzter Zeit viel von seinem Glanz verloren, ihr Lachen war seltener geworden.

Aber war das schon die Botschaft, die ich hätte entschlüsseln müssen, die ausgestreckte Hand, nach der ich auf jeden Fall hätte greifen müssen, um zu verhindern, dass die Flut sie mitriss? Lächerliche Indizien für jemanden, der es an nichts fehlen ließ, um jeden Kuss in ein Fest zu verwandeln, jede Umarmung in einen Rausch. Ich stöbere im hintersten Winkel meiner Erinnerungen herum, auf der Suche nach einem winzigen Detail, das meine Seele hätte beruhigen können. Ich finde nichts wirklich Stichhaltiges. Zwischen Sihem und mir, das war die perfekte Liebe – nicht ein falscher Ton schien sich darin zu verbergen. Wir redeten nicht miteinander, sondern, wie es in den Romanzen heißt, unsere Seelen sprachen zueinander. Selbst wenn sie hin und wieder geklagt hätte, hätte ich doch nur geglaubt, ich würde sie singen hören, es war undenkbar für mich, dass sie nicht glücklich sei, da sie doch der Mittelpunkt meines Glücks war. Ein einziges Mal hat sie vom Sterben gesprochen. Das war am Ufer eines Schweizer Sees, zur Stunde, da der Horizont beim Sonnenuntergang wie auf dem Gemälde eines alten Meisters wirkte: «Ich würde dich keine Minute überleben», gestand sie mir. «Du bist die Welt für mich. Ich komme jedes Mal halb um, wenn ich dich kurz aus den Augen verliere.» Strahlend schön war sie an jenem Abend, meine Sihem, in ihrem weißen Kleid. Die Männer ringsum an den Tischen dieser Restaurantterrasse verschlangen sie förmlich mit ihren Blicken. Sie schien selbst den See zu inspirieren, der langsam die Frische der Nacht in sich aufnahm … Nein, an diesem Ort hatte sie mich nicht vorgewarnt. Sie war so glücklich, so selbstvergessen, so ganz und gar hingegeben an diesen Lufthauch, der die Wasseroberfläche leise kräuselte; sie war das Schönste, was mir das Leben überhaupt schenken konnte.

Der alte Yehuda steht als Erster auf. Ich höre ihn Kaffee kochen. Ich wickle mich aus der Decke, schlüpfe in Hose und Schuhe, steige über Kim hinweg, die mit angezogenen Beinen vor meinem Bett liegt, das Laken um die Waden geschlungen.

Draußen rüstet die Nacht zum Aufbruch.

Ich gehe ins Parterre hinunter und wünsche Yehuda, der am Küchentisch sitzt, mit einer dampfenden Schale in den Händen, einen guten Morgen.

«Guten Morgen, Amin... Der Kaffee steht auf dem Rechaud.»

«Später», antworte ich. «Erst will ich mir den Sonnenaufgang ansehen.»

«Eine gute Idee.»

Ich laufe einen kleinen Pfad zum Strand hinunter, lasse mich auf einem Felsen nieder und konzentriere mich auf die winzige Bresche, die sich da in die Finsternis schlägt. Die Meeresbrise dringt unter mein Hemd, zaust mir die Haare. Ich schlinge die Arme um die Knie, stütze sachte mein Kinn darauf und lasse den opalinen Streifen, der ganz langsam am Horizont aufsteigt, nicht mehr aus den Augen...

«Lass deinen inneren Aufruhr im Rauschen der Wellen aufgehen!» Überraschend lässt sich der alte Yehuda neben mich fallen. «Das ist die beste Methode, sich innerlich von allem frei zu machen...»

Er lauscht einer Welle, die im Hohlraum eines Felsens gurgelt, dann fährt er sich mit dem Handgelenk über die Nase und vertraut mir an: «Man sollte immer aufs Meer hinaussehen. Das ist ein Spiegel, der einen nicht belügen kann. Auf die Weise habe ich auch gelernt, nicht mehr zurückzusehen. Denn sobald ich einen Blick über die Schulter warf, waren der alte Schmerz und die Gespenster der Vergangenheit wieder da. Sie hinderten mich daran, Freude am Leben zu haben, verstehst du? Sie machten all meine wiedergewonnene Lebensfreude zunichte ...»

Er buddelt einen Kieselstein aus, wiegt ihn geistesabwesend in der Hand. Seine Stimme wird brüchig, als er hinzufügt: «Deshalb habe ich auf meine alten Tage auch den Entschluss gefasst, in meinem Haus am Rand des Meeres zu sterben ... Wer aufs Meer hinaussieht, wendet dem Unglück der Welt den Rücken zu. Er findet sich irgendwie damit ab.» In hohem Bogen schleudert er den Kieselstein ins Meer. «Ich habe die meiste Zeit meines Lebens damit verbracht, vergangenem Leid nachzuspüren. Nichts schien mir bedeutsamer zu sein als eine Andacht oder eine Gedächtnisfeier. Ich war überzeugt, die Schoah nur überlebt zu haben, um die Erinnerung daran lebendig zu erhalten. Ich hatte für nichts außer für Mahnmale Augen. Sobald ich hörte, dass irgendwo eins eingeweiht wurde, sprang ich ins Flugzeug, um in der vordersten Reihe dabei zu sein. Ich nahm alle Vorträge auf Tonband auf, die vom Genozid an den Juden handelten, und eilte von einem Ende der Welt ans andere, um zu berichten, was unser Volk in den Vernichtungslagern auszustehen hatte, zwischen Gaskammern und Verbrennungsöfen ... Dabei habe ich vom Holocaust so gut wie nichts mitbekommen. Ich war erst vier. Ich frage mich manchmal, ob gewisse Erinnerungen nicht die Frucht der Traumata sind, die ich erst sehr viel später erlitten habe, lange nach dem Krieg, in den düsteren Kinosälen, in denen man Dokumentarfilme über die Nazigreuel zeigte.»

Nach langem Schweigen, während dessen er gegen die aufsteigende Rührung, die ihn zu überwältigen droht, ankämpfen muss, fährt er fort: «Ich bin auf die Welt gekommen, um glücklich zu sein. Die Vorsehung hatte es gut mit mir gemeint. Ich war gesund an Körper und Geist. Meine Familie war wohlhabend. Mein Vater war Arzt in der angesehensten Praxis von ganz Berlin. Meine Mutter lehrte Kunstgeschichte an der Universität. Wir wohnten in einem wundervollen Haus in einem Nobelviertel mit einem Garten groß wie eine Wiese. Wir hatten Bedienstete, die mich nach Strich und Faden verwöhnten, mich, den Jüngsten von sechs Geschwistern. Natürlich sahen wir, dass in der Stadt nicht alles in bester Ordnung war. Die Rassentrennung wurde jeden Tag deutlicher. Die Leute, denen wir auf der Straße begegneten, machten unschöne Bemerkungen. Doch sobald wir die Haustür geschlossen hatten, waren wir in einem Hafen des Glücks …

Dann, eines Morgens, war alles aus, und wir reihten uns in eine endlose Schlange verstörter Familien ein, die man von zu Hause verjagt hatte und den Dämonen der Kristallnacht überließ. So mancher Morgen erhebt sich über einer neuen Nacht. Doch wohl keiner war je so bodenlos wie dieser Herbstmorgen des Jahres 1938. Ich werde mich noch lange an das Schweigen erinnern, das über dem Unglück dieser Menschen mit dem leeren Blick hing, deren gelber Stern dem Schnitt ihrer Kleidung Hohn sprach.»

«Der Judenstern taucht erstmals im September 1941 auf.»

«Ich weiß. Aber er ist trotzdem da, wie ein Pfropf, der auf jeder Erinnerung sitzt und der mein Gedächtnis bis in den letzten Winkel verseucht. Ich frage mich, ob ich nicht schon damit geboren wurde ... Ich war nur ein Dreikäsehoch, dennoch kommt es mir vor, als hätte ich schon damals weit über die Köpfe der Erwachsenen hinweggeblickt, ohne den kleinsten Streifen Horizont zu erkennen. Das war ein Morgen wie kein anderer. Wir waren eingeschlossen von grauen Schwaden, und der Nebel löschte unsere Spuren aus auf den Wegen ohne Wiederkehr. Ich erinnere mich an jede Regung in den erstarrten Gesichtern, an diese Betäubung, die über der Tragödie lag, an welkes Laub, das nach Tierkadaver roch. Wenn ein Gewehrkolben einen erschöpften Verdammten zu Boden warf, blickte ich hoch zu meinem Vater, um zu verstehen. Er zerwühlte mein Haar und flüsterte: ‹Das ist nichts. Das kommt schon wieder in Ordnung ...› Ich schwöre es dir, ich fühle sogar jetzt, wo ich dir das erzähle, noch seine Finger auf meinem Kopf, ich habe richtig Gänsehaut ...»

«*Sabba!*» Das ist Kim, die sich zu uns gesellt. Der Alte wirft die Arme in die Luft wie ein kleiner Junge, den man mit dem Finger in der Marmelade erwischt.

«Entschuldigt bitte. Es überkommt mich einfach, ich kann nichts dagegen tun. Ich kann mir noch so fest vornehmen, nicht mehr mit dem Messer in der Wunde zu bohren. Sobald ich den Mund aufmache, weil ich meine, ich hätte etwas zu sagen, passiert genau das.»

«Das kommt alles nur davon, dass du nicht genug aufs Meer hinaussiehst, *sabba*, mein Lieber», erwidert Kim und massiert ihm zärtlich den Nacken.

Der alte Yehuda sinnt über die Worte seiner Enkelin

nach, als höre er sie zum ersten Mal. Seine Augen verschwimmen hinter einem Schleier aus Grau, durch den die Schemen ferner Tragödien geistern. Eine Zeit lang scheint er nicht mehr zu wissen, wo er ist, hat Mühe, sich zurechtzufinden, und wird erst allmählich, während die Hände seiner Enkelin ihm den Nacken stützen, ein wenig klarer im Kopf.

«Du hast recht, Kim. Ich rede zu viel ...» Dann sagt er mit brüchiger Stimme: «Ich werde nie begreifen, warum die Überlebenden eines Dramas sich verpflichtet fühlen, alle Welt glauben zu machen, sie seien mehr zu beklagen als jene, die dabei ihre Haut gelassen haben.»

Sein Blick gleitet über den Sandstrand, taucht in die Wellen ein und verliert sich in der Ferne, während sich seine blasse Hand langsam zu der seiner Enkeltochter hinauftastet.

Zu dritt betrachten wir reglos, jeder vor sich hin schweigend, den Horizont, an dem die Morgenröte tausend Feuer entfacht, wohl wissend, dass es dem neuen Tag so wenig wie seinen Vorgängern gelingt, genügend Licht in die Herzen der Menschen zu tragen.

7·

Schließlich hat Kim mein Auto vom Krankenhaus geholt. Wie es scheint, bin ich dort Persona non grata. Ilan Ros hat es geschafft, die Mehrheit des Pflegepersonals gegen mich aufzuhetzen. Von den Unterzeichnern einer Petition gegen meine Rückkehr haben einige sogar vorgeschlagen, mir die israelische Staatsbürgerschaft abzuerkennen.

Die Haltung von Ilan Ros überrascht mich nicht sonderlich. Er hat seinen jüngeren Bruder, Offizier beim Grenzschutz, vor rund zehn Jahren durch einen Anschlag im südlichen Libanon verloren. Davon hat er sich bis heute nicht erholt. Obwohl wir oft zusammen sind, untersagt er sich zu vergessen, woher ich komme und wessen Blut in meinen Adern fließt. Für ihn bin und bleibe ich trotz meines Könnens als Chirurg und meiner zahlreichen beruflichen und privaten Verbindungen doch immer der Araber – was so viel heißt wie der Mohr vom Dienst und bis zu einem gewissen Grad der potentielle Feind. Am Anfang hatte ich ihn im Verdacht, Anhänger einer Separatistengruppe zu sein, doch ich täuschte mich – er war einfach nur neidisch auf meinen Erfolg. Ich nahm es ihm nicht weiter übel. Das hat ihn auch nicht versöhnlicher gestimmt. Als das viele Lob, das ich für meine Arbeit erntete, ihm auf die Nerven ging, erklärte er meinen Lorbeer zum demagogischen Trick, der darin bestehe, einer Integration Vorschub zu leisten, deren

Paradebeispiel ich sei. Der Selbstmordanschlag von Haqirya kam ihm da gerade recht: als Legitimation für das
Wiedererwachen seiner alten Dämonen.

«Jetzt führst du schon Selbstgespräche», überrascht
mich Kim.

Auch ihre Frische überrascht mich. Mit ihrem langen schwarzen Haar, ihren großen, schwarz umrandeten
Augen wirkt sie wie eine Fee, die dem Jungbrunnen ent-
steigt. Sie trägt eine weiße Hose, die perfekt passt, und
ein hauchdünnes Hemd, das sich den reizvollen Rundun-
gen ihres Busens anpasst. Ihr Gesicht wirkt erholt, ihr
Lächeln strahlend. Ich habe den Eindruck, sie nach all
den Tagen und Nächten, die wir gemeinsam in einer Art
anderem Zustand durchlebt haben, zum ersten Mal bewusst zu sehen. Noch gestern war sie nur ein Schatten,
der um meine Sorgen und Probleme kreiste. Ich kann
mich beim besten Willen nicht erinnern, was sie anhatte,
ob sie geschminkt war, ob sie das Haar offen trug oder
zu einem Knoten gerafft.

«Man ist nie wirklich allein, Kim.»

Sie schiebt einen Stuhl zu mir hin und nimmt rittlings
darauf Platz. Ihr Parfum macht mich fast benommen. Ich
sehe ihre durchscheinenden Hände, die die Stuhllehne
umklammern, die bleich werdende Haut um die Finger-
knöchel. Ihr Mund bebt, als sie zögernd fragt:

«Na, dann erzähl doch mal, mit wem du geredet hast?»

«Ich habe nicht geredet, ich habe laut nachgedacht.»

Der gelassene Ton meiner Stimme macht ihr Mut. Sie
beugt sich über die Stuhllehne, um mich aus größerer
Nähe anzusehen, und murmelt mir verschwörerisch zu:

«Jedenfalls sah es so aus, als wärst du in guter Gesellschaft. Deine Traurigkeit hat dich schön gemacht.»

«Ich war wohl in Gedanken bei meinem Vater. In letzter Zeit denke ich viel an ihn.»

Ihre Hände legen sich wie zum Trost auf meine. Unsere Blicke kreuzen sich, wandern aber rasch weiter, aus Furcht, ein Leuchten in den Augen des anderen zu entdecken, das uns peinlich wäre.

«Wie geht es deinem Handgelenk?», fragt sie, um die Verlegenheit zu überspielen, die plötzlich im Raum steht.

«Es stört mich beim Schlafen. Es ist, als hätte ich einen Stein in der Handfläche, und in den Gelenken kribbelt es.»

Kim streicht behutsam über den Verband, der mir die Hand einschnürt, bewegt vorsichtig meine Finger.

«Meiner Meinung nach sollten wir noch mal diese Ambulanz aufsuchen, um das zu klären. Die erste Röntgenaufnahme war nicht besonders gut. Vielleicht hast du dir was gebrochen.»

«Ich hab heute früh versucht, Auto zu fahren. Ich hatte Mühe mit dem Lenkrad.»

«Wo wolltest du denn hin?», fragt sie verblüfft.

«Keine Ahnung.»

Stirnrunzelnd steht sie auf.

«Los, wir lassen noch mal dein Handgelenk durchleuchten, das ist vernünftiger.»

Sie fährt mich in ihrem Wagen zur Ambulanz. Während der Fahrt sagt sie kein Wort, vermutlich denkt sie darüber nach, wo ich hinwollte, als ich mich heute Morgen hinters Steuer geklemmt habe. Sie wird sich fragen, ob sie mit ihrem Bemühen, mich von allem abzuschotten, nicht Gefahr läuft, mich zu erdrücken.

Etwas drängt mich, meine Hand auf ihre zu legen, um ihr klar zu machen, wie glücklich ich mich schätze, dass sie mir beisteht, aber ich habe die Kraft dazu nicht. Ich habe Angst, dass meine Hand sich selbständig macht, dass sich nicht die richtigen Worte einstellen, dass irgendein Patzer das Unverfängliche meiner Absicht zunichte macht – ich glaube, ich bin auf dem besten Wege, jegliches Zutrauen in mich selbst zu verlieren.

Eine dicke Krankenschwester nimmt sich meiner an. Gleich zu Beginn erklärt sie, dass ich jämmerlich ausschaue, und rät mir in einem Ton, der keinen Widerspruch duldet, meine Ernährung umzustellen und mich auf Grillsteak und Rohkost zu verlegen, denn, flüstert sie mir ins Ohr, ich sähe aus wie einer, der sich im Hungerstreik befindet. Der Arzt betrachtet mein erstes Röntgenbild, befindet es für deutlich erkennbar und sträubt sich eine Weile, bevor er sich bereit erklärt, mich ein zweites Mal zu röntgen. Das neue Röntgenbild bestätigt die alte Diagnose – keinerlei Knochenbruch zu erkennen, auch kein Riss, nur eben ein riesengroßes Trauma an der Zeigefingerwurzel und ein anderes, nicht ganz so ausgeprägt, im Handgelenk. Er verschreibt mir eine Salbe, etwas gegen Entzündung, außerdem Schlaftabletten und übergibt mich wieder der Krankenschwester.

Draußen vor der Ambulanz erblicke ich Naveed Ronnen. Er sitzt in seinem Wagen auf dem Klinikparkplatz, einen Fuß gegen die offene Wagentür gestemmt, die Hände im Nacken verschränkt, und wartet auf uns, während er seelenruhig auf den Schirm einer Straßenlaterne starrt.

«Stellt er mir nach oder was?» Ich bin völlig überrascht, ihn dort zu sehen.

«Red keinen Unsinn!», schimpft Kim empört. «Er hat mich vorhin auf meinem Handy angerufen, um zu hören, wie es dir geht, und da hab ich ihm vorgeschlagen, sich hier mit uns zu treffen.»

Mir wird klar, was für ein Depp ich doch bin. Doch über meine Lippen kommt kein Wort der Entschuldigung.

«Pass auf, dass dir der Kummer nicht die Manieren verdirbt, Amin.»

«Wovon redest du?», frage ich aufgebracht.

«Es bringt nichts, wenn man die anderen verscheucht», entgegnet sie und hält meinem Blick stand.

Naveed steigt aus seinem Wagen. Er trägt einen Trainingsanzug in den Farben der Fußballnationalmannschaft, neue Sportschuhe und eine verkehrt herum aufgesetzte schwarze Kappe. Sein Bauch quillt ihm schlaff bis zu den Knien herab, ein fast schon grotesker Anblick. Die endlosen Aerobic- und Fitnessstunden, die er mit religiöser Inbrunst absolviert, scheinen nicht zu helfen, die Leibesfülle, die zunehmend lästiger wird, in den Griff zu kriegen. Naveed ist keineswegs stolz darauf, dass er wie ein ungeschlachter Bär aussieht, leidgeprüft durch die paar Zentimeter, die seinem Fuß fehlen – was seinem Gang etwas Schräges verleiht, das die Seriosität und Autorität, die er ausstrahlen will, ernsthaft beeinträchtigt.

«Ich war hier in der Nähe beim Joggen», erklärt er mir, als müsse er sich rechtfertigen.

«Ist doch nicht verboten», erwidere ich gereizt.

Ich merke sofort, wie aggressiv ich bin und wie fehl am Platz meine Anspielungen sind, aber seltsamerweise verspüre ich keinerlei Bedürfnis, mich zu bremsen. Man könnte fast meinen, es bereite mir ein gewisses obskures Vergnügen. So obskur wie der Schatten, der auf meiner Seele liegt. So kenne ich mich gar nicht, so grundlos gemein. Aber ich weiß auch nicht, wie ich diese Bosheit in Schach halten soll.

Kim zwickt mich in den Arm, was Naveed nicht entgeht.

«Na gut», brummt er, sichtlich enttäuscht, «wenn ich störe …»

«Warum sagst du denn so etwas?», versuche ich einzulenken.

Er wirft mir einen grimmigen Blick zu, derart geladen, dass seine Gesichtsmuskeln beben. Meine Frage kränkt ihn fast mehr als meine Bissigkeit. Er baut sich vor mir auf und sieht mir so direkt ins Gesicht, dass ich meine Augen nicht abwenden kann. Er ist sehr wütend.

«Das fragst du mich, Amin?», zischt er mich an. «Wer geht denn hier wem aus dem Weg? Was stimmt hier eigentlich nicht? Habe ich dich, ohne es zu merken, irgendwie verletzt, oder bist du es, der langsam ausrastet?»

«Aber nicht im Geringsten! Ich freu mich, dich zu sehen …»

Er kneift die Augen zusammen. «Seltsam, in deinen Augen ist davon nichts zu erkennen.»

«Aber es ist die Wahrheit.»

«Wie wäre es denn, wenn wir alle zusammen etwas trinken gingen?», schlägt Kim vor. «Ich lade euch ein. Und du suchst das Lokal aus, Naveed.»

Naveed willigt ein, bereit, meine Taktlosigkeit von vorhin zu vergessen, aber seine Gekränktheit bleibt. Er atmet tief durch, blickt nachdenklich an uns vorbei und schlägt dann das *Zion* vor, eine ruhige kleine Café-Bar, nicht weit weg von der Ambulanz, wo es die besten Häppchen weit und breit gibt.

Während Kim hinter Naveed herfährt, versuche ich zu ergründen, warum ich ausgerechnet zu dem Menschen so aggressiv bin, der als Einziger zu mir gehalten hat, während alle anderen offen über mich hergefallen sind. Ist es wegen der Institution, die er repräsentiert? Seinem Polizeiabzeichen? Dabei ist es alles andere als selbstverständlich für einen Polizisten, weiterhin mit jemandem Umgang zu pflegen, dessen Frau Selbstmordattentäterin ist ... Ich entwickele und verwerfe diese Theorien in der Hoffnung, mich nicht zu Überlegungen hinreißen zu lassen, die meine Flanken gänzlich entblößen könnten und mich noch mehr in meiner Qual isolieren. Seltsamerweise kommt es mir jetzt, wo ich mich bewusst zusammenzureißen versuche, so vor, als sei dieses unbezähmbare Bedürfnis, mich daneben zu benehmen, völlig normal. Ist es die Weigerung, mich von Sihems Vergehen gänzlich loszusagen, die mich dazu treibt, mich als Grobian aufzuführen? Wenn dem so ist, wohin geht dann die Fahrt? Was will ich beweisen oder rechtfertigen? Und was wissen wir schon wirklich von dem, was gerecht ist und was nicht? Manche Dinge kommen uns zupass, andere nicht. Ob wir nun im Recht oder Unrecht sind, immer fehlt uns das rechte Gespür für die Dinge. So leben sie halt, die Menschen: nehmen das Schlimmste in Kauf, um ihr Bestes zu erreichen, und wenn es zum Besten steht, wird es ihnen langweilig ... Meine Gedanken verfolgen mich, ohne nach meinem Zustand zu fragen. Sie nähren sich von meiner Anfälligkeit, nutzen meinen Kummer aus. Ich bin mir bewusst, dass sie mich langsam, aber sicher aushöhlen, und lasse sie gewähren wie der Wächter, der sich allzu vertrauensselig der Schläfrigkeit überlässt. Meine Tränen haben vielleicht einen Teil meines Kummers ertränkt, aber die Wut ist noch immer da, wie ein Tumor, verborgen, tief in mir drin, oder ein Meeresungeheuer, das in seiner dunklen Höhle lauert, den geeigneten Moment abwartend, um wieder aufzutauchen und seine Umwelt in Angst und Schrecken zu versetzen. Das denkt Kim wohl auch. Sie weiß, dass ich versuche, diesen unverdaulichen Horror, der in meinen Eingeweiden tobt, loszuwerden, und dass meine Angriffslust nur das Symptom eines gewaltigen inneren Drucks ist, der sich dehnt und dehnt, bis der Antrieb stark genug für einen Ausbruch ist. Wenn Kim mich keinen Moment aus den Augen lässt, dann um den Schaden zu begrenzen. Doch mein undurchsichtiges Spiel verunsichert sie zunehmend: sie beginnt zu zweifeln.

Wir lassen uns auf der Terrasse des kleinen Cafés nieder, mitten auf einem mit Quadersteinen gepflasterten Platz. Verstreut sitzen ein paar Gäste, die einen in guter Gesellschaft, die anderen in nachdenklicher Betrachtung ihres Glases oder ihrer Tasse. Der Inhaber ist ein großer strohblonder Kerl mit rebellischer Mähne, die sich übergangslos in einen Wikingerbart verlängert. Er hat kräftig behaarte Oberarme und scheint in seinem Matrosenhemd fast zu ersticken. Er kommt, um Naveed zu begrüßen, den er offenbar kennt, er nimmt unsere Bestellungen auf und verschwindet.

«Seit wann rauchst du denn?», wundert sich Naveed, als er sieht, dass ich eine Schachtel aus der Tasche ziehe.

«Seit sich all meine Träume in nichts aufgelöst haben.»

Kim schaut mich betroffen an, doch sie ballt nur die Fäuste. Naveed sinniert gelassen, mit vorgestülpter Unterlippe, über meine Bemerkung nach. Einmal ist er, das merke ich, kurz davor, mir einen Rüffel zu verpassen.

Schließlich lehnt er sich behäbig zurück und faltet die Hände über der prallsten Stelle seines Bauchs.

Der Cafébesitzer taucht mit einem Tablett wieder auf, stellt ein schäumendes Bier vor Naveed auf den Tisch, einen Tomatensaft vor Kim, einen Kaffee vor mich. Er macht eine witzige Bemerkung zum Polizeichef und zieht sich zurück. Kim führt als Erste ihr Glas zum Mund und nimmt rasch einen Schluck. Sie ist sehr enttäuscht und schweigt, um mir ihre Verärgerung nicht um die Ohren zu hauen.

«Wie geht es Margaret?», frage ich Naveed.

Naveed reagiert nicht gleich. Er ist auf der Hut und lässt sich Zeit, trinkt erst ein paar Schlucke, bevor er eine Antwort riskiert. «Es geht ihr gut, danke der Nachfrage.»

«Und den Kindern?»

«Du kennst sie ja, mal verstehen sie sich, mal zanken sie sich.»

«Willst du Edeet noch immer mit diesem Mechaniker verheiraten?»

«Sie will das, nicht ich.»

«Denkst du, er ist eine gute Partie?»

«Bei Angelegenheiten dieser Art denkt man nicht, man betet.»

Ich nicke zustimmend. «Da hast du recht. Heiraten war schon immer Glückssache. Es ist zwecklos, Berechnungen anzustellen oder Vorsichtsmaßnahmen zu treffen. Das folgt seiner eigenen Logik.»

Naveed stellt fest, dass meine Worte keinen doppelten Boden haben. Er entspannt sich ein wenig, nimmt noch einen Schluck Bier, schnalzt genüsslich mit der Zunge und bedenkt mich mit einem undeutbaren Blick. «Und dein Handgelenk?»

«Eine üble Geschichte, aber wenigstens ist nichts gebrochen.»

Kim nimmt sich eine Zigarette aus meiner Schachtel. Ich reiche ihr mein Feuerzeug. Sie saugt gierig an der Flamme, richtet sich auf und bläst eine dicke Rauchwolke aus ihren Nasenlöchern.

«Was machen die Ermittlungen?», frage ich plötzlich.

Kim verschluckt sich an ihrem Rauch und bekommt fast einen Erstickungsanfall.

Naveed mustert mich intensiv, er ist erneut auf der Hut.

«Ich will mit dir nicht streiten, Amin.»

«Das ist auch gar nicht meine Absicht. Es ist doch mein Recht, Bescheid zu wissen.»

«Und was willst du wissen? Etwas, das du dir doch nicht eingestehen willst.»

«Jetzt nicht mehr. Ich weiß, dass sie es war.»

Kim beobachtet mich hochkonzentriert, die Zigarette gegen die Wange gedrückt, ein Auge wegen des Rauchs zusammengekniffen. Sie weiß nicht, worauf ich hinauswill.

Naveed schiebt vorsichtig seinen Humpen Bier zurück, als wolle er Platz ringsum schaffen, um mich für sich allein zu haben.

«Du weißt, dass sie was war?»

«Dass sie sich im Restaurant in die Luft gesprengt hat.»

«Sieh an, und seit wann?»

«Soll das jetzt ein Verhör sein, Naveed?»

«Nicht unbedingt.»

«Dann gib dich damit zufrieden, mir zu sagen, wie weit die Ermittlungen sind.»

Naveed lässt sich gegen die Rückenlehne seines Stuhls fallen.

«Am toten Punkt. Wir drehen uns im Kreis.»

«Und der alte Mercedes?»

«Mein Schwiegervater hat dasselbe Modell.»

«Mit all den Mitteln, über die ihr verfügt, und eurem ganzen Informantennetz habt ihr es nicht fertig gebracht, das zu …»

«Das ist keine Frage der Mittel oder der Informanten, Amin», unterbricht er mich. «Es geht um eine Frau, die himmelhoch über jeden Verdacht erhaben ist und die so diskret zu Werke gegangen ist, dass die feinste unserer Spürnasen, welche Fährte auch immer sie verfolgt, unweigerlich in derselben Sackgasse landet. Beruhigend bei derlei Geschichten ist allerdings, dass ein Indiz, nur ein einziges, dann schon genügt, um die ganze Maschinerie auf Touren zu bringen … Hast du denn eins, oder glaubst du eins zu haben?»

«Ich glaube nicht.»

Naveed rutscht schwerfällig auf seinem Stuhl herum, stützt die Ellenbogen auf den Tisch und zieht das Bier zu sich hin, das er eine Minute zuvor fortgeschoben hat. Sein Finger gleitet über den Glasrand, wischt ein paar Schaumspritzer ab. Auf der Terrasse lastet unbarmherziges Schweigen.

«Wenigstens weißt du jetzt, dass sie die Selbstmordattentäterin war, und das ist schon ein Fortschritt.»

«Und ich?»

«Du?»

«Ja, ich! Ist meine Unschuld bewiesen, oder stehe ich noch unter Verdacht?»

«Du würdest wohl kaum hier sitzen und gemütlich

deinen Kaffee trinken, wenn wir dir etwas vorzuwerfen hätten, Amin.»

«Und warum hat man mich dann in meinem eigenen Haus krankenhausreif geschlagen?»

«Das hat mit der Polizei nichts zu tun. Manchmal gibt es Wutausbrüche, die, ganz wie die Ehe, nur ihrer eigenen Logik folgen. Es ist dein gutes Recht, Klage einzureichen. Du hast bisher keinen Gebrauch davon gemacht.»

Ich drücke meine Zigarette im Aschenbecher aus, zünde eine neue an, finde plötzlich, dass sie ekelhaft schmeckt.

«Sag mal, Naveed, du, der du so viel Kriminelle, reuige Sünder und jede Menge Durchgeknallter gesehen hast, wie kommt jemand dazu, sich einfach so, mir nichts, dir nichts, mit Sprengstoff voll zu packen und mitten auf einem Fest in die Luft zu jagen?»

Naveed zuckt die Achseln, sichtlich ungehalten. «Die Frage stelle ich mir selber Nacht für Nacht, ohne irgendeinen Sinn zu finden, geschweige denn eine Antwort.»

«Du hast solche Leute doch getroffen?»

«O ja. Viele.»

«Und? Wie erklären sie ihren Wahn?»

«Sie erklären ihn gar nicht, sie stehen bloß dafür ein.»

«Du kannst dir nicht vorstellen, wie sehr mir diese Geschichten zusetzen. Verflucht, wie kann es sein, dass ein stinknormaler Mensch, gesund an Körper und Geist, plötzlich zu phantasieren oder halluzinieren beginnt, dass er meint, er müsse eine göttliche Mission erfüllen, und beschließt, seine Träume und Ambitionen zu opfern, um sich einen derart grausamen Tod anzutun inmitten grässlichster Barbarei?»

Ich glaube, es sind Tränen der Wut, die in meinen Augen aufsteigen und meinen Blick immer stärker trüben, je heftiger meine Worte meiner Kehle zusetzen. Kims Schenkel zucken nervös unter dem Tisch. Ihre Zigarette ist nur noch ein Aschefaden, der in der Luft hängt.

Naveed seufzt und sucht nach Worten. Er spürt meinen Schmerz, scheint selbst darunter zu leiden.

«Was soll ich dir sagen, Amin? Ich glaube, dass selbst der routinierteste Terrorist nicht wirklich weiß, was mit ihm passiert. Und es kann jedem passieren. Irgendwo im Unterbewussten macht es klick, und schon geht's los. Die Motive mögen nicht alle gleichermaßen triftig sein, aber im Allgemeinen fliegt es einem einfach so zu», sagt er und schnippt mit den Fingern. «Entweder es fällt dir wie ein Ziegel auf den Kopf, oder es frisst sich in dir fest wie ein Bandwurm. Danach siehst du die Welt mit anderen Augen. Du hast nur noch die eine fixe Idee: diese Sache anzugehen, die dich mit Leib und Seele in Beschlag genommen hat, um zu sehen, was dahintersteckt. Und von da an kannst du nicht mehr zurück. Außerdem hast du schon längst nicht mehr die Zügel in der Hand. Du glaubst, du handelst nach deinem eigenen Willen, aber das ist nicht wahr. Du bist nur noch das Werkzeug deiner Frustrationen. Tot oder lebendig zu sein, das macht keinen Unterschied. Irgendwo hast du schon endgültig auf alles verzichtet, was eine Chance für deine Rückkehr zur Erde sein könnte. Du schwebst. Du bist ein Außerirdischer. Du lebst in einer Grenzwelt, stellst Paradiesjungfrauen und Einhörnern nach. Die hiesige Welt, von der willst du nichts mehr hören. Du wartest nur noch auf den geeigneten Moment, die Schwelle zu übertreten. Es scheint dir der einzige Weg, dir zurückzuholen, was du verloren, oder nachzubessern, was du verpfuscht hast – in zwei Worten, der einzige Weg, dich in eine Legende zu verwandeln, besteht darin, in Schönheit zu verglühen: als Feuerwerk inmitten eines Schulbusses, oder als Torpedo, der in höllischem Tempo in den gegnerischen Panzer rast. Bumm! Und als Zugabe gibt es den Status als Märtyrer. So wird der Tag deiner Bestattung für dich zum einzigen Moment, wo du in der Achtung der anderen steigst. Das Übrige, der Tag davor, der Tag danach, hat für dich nie existiert.»

«Sihem war aber doch so glücklich», wende ich ein.

«Das glaubten wir alle. Offensichtlich haben wir uns getäuscht.»

Bis tief in die Nacht hinein vergaßen wir uns in dem kleinen Café. Das hat mir erlaubt, mich abzureagieren und den Dampf rauszulassen, der mir im Hirn festsaß. Je länger ich redete, umso mehr schwand meine Aggressivität. Mehr als einmal habe ich aus meinen Augenwinkeln Tränen weggewischt, weil ich ihnen nicht erlauben wollte, sich auszubreiten. Immer, wenn meine Stimme zu beben begann, legte Kims Hand sich aufmunternd auf meine. Naveed war sehr geduldig mit mir. Er hat meine Bosartigkeiten einfach geschluckt und versprochen, mich über den Fortgang der Ermittlungen auf dem Laufenden zu halten. Wir sind versöhnt auseinander gegangen, enger verbunden denn je.

Kim nimmt mich mit zu sich nach Hause. Wir essen in der Küche ein paar Sandwiches, rauchen im Wohnzimmer Zigarette um Zigarette, plaudern über dies und das, dann verzieht sich jeder in sein Schlafzimmer. Später kommt Kim noch einmal nachschen, ob es mir auch an nichts fehlt. Bevor sie das Licht löscht, fragt sie unvermittelt, warum ich Naveed nichts von dem Brief erzählt habe.

Ich breite die Arme aus. «Wenn ich das wüsste.»

8.

Kim zufolge hat die Direktion für Gesundheit sehr viele Zuschriften meiner ehemaligen Patienten und ihrer Angehörigen erhalten, die alle betonen, dass ich nicht minder Opfer sei als jene, die im Restaurant durch Verschulden meiner Frau umgekommen sind. Das Krankenhaus selbst ist zweigeteilt. Die erste Aufregung hat sich gelegt, und ein Gutteil meiner Widersacher fragt sich inzwischen, ob es wirklich so angebracht war, diese Petitionen gegen mich zu unterzeichnen. Angesichts der Komplexität der Lage haben meine Vorgesetzten sich außerstande erklärt, eine Entscheidung zu fällen, und warten nun auf den Schiedsspruch von ganz oben.

Mein Entschluss freilich steht fest – ich werde keinen Fuß mehr in mein Büro setzen, nicht einmal, um meine persönlichen Dinge abzuholen. Die Intrige, die Ilan Ros gegen mich anzettelte, hat mich tief getroffen. Dabei trage ich meine Religionszugehörigkeit nirgends offen zur Schau. Seit der Universität bin ich bemüht, meinen staatsbürgerlichen Pflichten gewissenhaft nachzukommen. Ich kenne ja die Klischees, denen ich in der Öffentlichkeit begegne, und tue alles, sie eines nach dem anderen auszuhebeln, indem ich stets mein Bestes gebe und die dummen Sprüche meiner jüdischen Kameraden einfach überhöre. Schon als Junge habe ich sehr schnell begriffen, dass es gar nichts bringt, zwischen zwei Stühlen zu sitzen, und man sich schnell für ein Lager entscheiden muss. Ich hab mich für das der Kompetenz entschieden, und zu Verbündeten hab ich mir meine Überzeugungen gewählt, in der Gewissheit, dass ich damit auf Dauer zwangsläufig Respekt ernten würde. Ich denke nicht, auch nur ein Mal gegen die Regeln verstoßen zu haben, die ich mir selbst gegeben habe. Diese Regeln waren mein roter Faden, straff wie ein Seil über den Abgrund gespannt. Für einen Araber, der aus der Reihe tanzte – und sich dazu den Luxus leistete, Jahrgangsbester zu sein –, konnte der kleinste Fehltritt fatale Folgen haben. Vor allem, wenn er Sohn eines Beduinen ist, überhäuft mit Vorurteilen, und, wie der Sträfling die Kugel am Bein, auf Schritt und Tritt diese Karikatur seiner selbst durch ein kleinkariertes, borniertes Umfeld schleppt, das ihn hier zur Sache abstempelt, dort verteufelt und so gut wie immer ausgrenzt. Schon im ersten Jahr auf der Universität wurde mir klar, welch extrem harter Weg mich erwartete und was für gigantische Anstrengungen ich auf mich nehmen müsste, um mir den Status als vollwertiger Bürger zu verdienen. Das Diplom war längst nicht alles, ich musste charmieren und besänftigen, einstecken, ohne auszuteilen, und geduldig sein, bis mir der Atem ausging, um nur nicht das Gesicht zu verlieren. Ohne es zu wollen, ertappte ich mich dabei, dass ich meine Volksgruppe repräsentierte. Bis zu einem gewissen Grad musste ich vor allem für sie erfolgreich sein. Dafür brauchte ich gar kein spezielles Mandat; der Blick der anderen war es, der mir diese undankbare und unloyale Aufgabe quasi von Amts wegen zuschob.

Ich komme aus einem armen, aber würdevollen Milieu, in dem das Ehrenwort und die aufrechte Gesinnung die beiden Quellen des Heils sind. Mein Großvater herrschte als Patriarch über den Stamm. Er hatte Ländereien, aber keinerlei Ambition und wusste nicht, dass Langlebigkeit nichts mit Durchsetzungsfähigkeit zu tun hat, sondern viel mit der dauernden Infragestellung der eigenen Gewissheiten. Er starb, all seiner Habe beraubt, an gebrochenem Herzen, mit aufgerissenen Augen und zu Tode gekränkt. Mein Vater wollte seine Scheuklappen nicht erben. Das Bauernleben war nichts für ihn. Ein Künstler wollte er sein – was im Wortschatz der Altvordern so viel hieß wie ein Taugenichts, ein Herumtreiber. Ich erinnere mich noch an die denkwürdigen Schimpftiraden, die jedes Mal ausbrachen, wenn Großvater ihn wieder vor der Leinwand erwischte, in einer zum Malatelier umfunktionierten Baracke, während zur selben Stunde die anderen Familienmitglieder, groß und klein, in den Obstplantagen schufteten. Mein Vater entgegnete dann stets in stoischer Gelassenheit, dass das Leben mehr sei als Unkraut rupfen, Bäume beschneiden, Boden wässern und Obst ernten, dass auch das Malen, Singen und Schreiben zum Leben gehöre, ebenso wie das Unterrichten, und dass der allerschönste Beruf der Heilberuf sei. Ich sollte einmal Arzt werden – das war sein innigster Wunsch. Selten habe ich jemanden gesehen, der sich so für seinen Sprössling eingesetzt hat wie er. Ich war sein einziger Sohn. Wenn er keine weiteren Söhne wollte, dann deshalb, um alle Chancen mir zu geben. Er warf alles, was er besaß, in die Waagschale, um dem Stamm seinen ersten Chirurgen zu schenken. Als er mich meine Doktorurkunde schwenken sah, hat er sich in meine Arme gestürzt. An diesem Tag sah ich das erste und einzige Mal Tränen auf seiner Wange glänzen. Noch auf dem Sterbebett im Krankenhaus hat er, als wäre es eine heilige Reliquie, das Stethoskop gestreichelt, das ich mir, eigens um ihm eine Freude zu machen, um den Hals gehängt hatte.

Mein Vater war ein guter Mensch. Er fand sich ab mit den Dingen, wie sie gerade kamen, und beklagte sich nie. Für ihn war ein Missgeschick kein Schicksalsschlag, sondern ein Zwischenfall, da musste man durch, auch wenn es im ersten Moment wehtat. Seine Klugheit, seine Demut waren wohltuend. Ich wollte ihm nacheifern, so werden wie er, wollte seine Genügsamkeit, seine Ausgeglichenheit haben! Ihm allein habe ich es zu verdanken, dass ich, obwohl ich in einer Gegend aufwuchs, wo seit Menschengedenken Aufruhr herrscht, mich weigerte, die Welt als Arena zu betrachten. Ich sah, wie ein Krieg dem anderen folgte, ein Rachefeldzug dem anderen, doch ich verbot es mir, dies mit welcher Begründung auch immer gutzuheißen. Ich glaubte den Propheten der Zwietracht nicht und mochte mich nicht mit dem Gedanken anfreunden, Gott könne seine Geschöpfe ermuntern, sich gegeneinander zu erheben und die Ausübung ihres Glaubens auf die absurde und fürchterliche Frage des Kräfteverhältnisses zu reduzieren. Und so hütete ich mich fortan wie vor der Pest vor allem, was nach meinem Blut verlangte, um meine Seele zu läutern. Ich mochte weder ans Tal der Tränen noch ans Tal der Finsternis glauben – es gab verlockendere und sehr viel weniger abwegige Aufenthaltsorte ringsum. Mein Vater pflegte zu sagen: «Wenn dir einer erzählt, dass es eine erhabenere Symphonie gibt als den Atem, der dich belebt, dann belügt er dich. Er will dir das Schönste nehmen, was du hast: die Chance, jeden Augenblick deines Lebens auszukosten. Wenn du vom Prinzip ausgehst, dass derjenige dein schlimmster Feind ist, der Hass in dein Herz zu säen versucht, dann hast du schon das halbe Glück gewonnen. Nach dem Rest musst du dann nur noch die Hand ausstrecken. Und erinnere dich immer daran: Es gibt nichts, absolut nichts, was über deinem Leben steht ... Und dein Leben steht nicht über dem der anderen.»

Ich habe es nicht vergessen.

Ich habe es sogar zu meinem Lebensmotto gemacht, überzeugt davon, dass die Menschheit, wenn sie sich diese Logik zu eigen machen würde, endlich im Stadium der Reife ankäme.

Meine kleinen Wortgefechte mit Naveed haben mich wieder auf die Beine gebracht. Meine Wahrnehmung ist zwar noch lange nicht die alte, doch es hat mir erlaubt, mich selbst mit ein wenig Distanz zu betrachten. Die Wut ist noch immer da, aber sie tobt nicht mehr in mir wie ein Fremdkörper, der nur auf einen Anreiz wartet, um hervorzukommen. Ich setze mich mittlerweile schon mal auf den Balkon und schaue, nicht uninteressiert, den vorüberfahrenden Autos nach. Kim kontrolliert, wenn sie mit mir redet, ihre Worte nicht mehr so sorgfältig wie noch vor drei Tagen. Sie macht spontan Scherze, um mir ein Lächeln zu entlocken, und wenn sie vormittags zum Krankenhaus fährt, schließe ich mich nicht mehr bis zu ihrer Rückkehr in meinem Zimmer ein. Ich habe gelernt, mich ins Freie zu wagen und durch die Straßen zu schlendern. Ab und zu setze ich mich in ein Café, um eine zu rauchen, oder auf eine freie Bank, und beobachte die Kinder, die auf dem Platz in der Sonne spielen. Ich bin noch nicht so weit, eine Zeitung zur Hand zu nehmen, doch ich wechsle während meiner Spaziergänge wenigstens nicht mehr fluchtartig den Gehweg, wenn von irgendwoher aus einem Radio Nachrichten zu hören sind.

Ezra Benhaim kam mich bei Kim besuchen. Wir haben weder von einer eventuellen Wiederaufnahme meiner Arbeit noch von Ilan Ros gesprochen. Ezra wollte nur wissen, wie es mir geht und ob ich mich allmählich wieder erhole. Er hat mich ins Restaurant eingeladen, um mir zu beweisen, dass es ihn nicht stört, sich öffentlich mit mir zu zeigen. Das war zwar ziemlich pathetisch, aber ehrlich gemeint. Ich habe darauf bestanden, die Rechnung zu bezahlen. Nach dem Essen sind wir, da Kim an diesem Abend Nachtdienst hatte, in eine Kneipe gegangen und haben einen draufgemacht.

«Ich muss nach Bethlehem.»

In der Küche hört jäh das Geschirrklappern auf. Kim braucht ein paar Sekunden, dann erscheint ihr Kopf in der Tür. Mit erhobener Augenbraue mustert sie mich.

Ich drücke meine Zigarette im Aschenbecher aus und zünde mir gleich die nächste an.

Kim trocknet sich die Hände ab an einem Geschirrtuch, das an der Wand hängt, und kommt zu mir ins Wohnzimmer.

«Du machst wohl Witze?»

«Sehe ich so aus, als ob ich Witze machen würde, Kim?»

Sie zuckt zusammen.

«Natürlich machst du Witze. Was willst du denn in Bethlehem?»

«Da hat Sihem doch den Brief aufgegeben.»

«Ja und?»

«Ja, und dort will ich herausfinden, was sie trieb in der Zeit, als ich dachte, sie wäre bei ihrer Großmutter in Kafr Kanna.»

Kim lässt sich auf den Korbsessel mir gegenüber fallen, verärgert über meine unberechenbaren Anwandlungen. Sie atmet tief durch, wie um ihren Unwillen zu unterdrücken, kaut auf der Suche nach Worten auf ihren Lippen herum, findet keine Worte und fasst sich mit zwei spitzen Fingern an die Schläfen.

«Langsam rastest du völlig aus, Amin. Ich weiß nicht, was in deinem Kopf vor sich geht, aber jetzt übertreibst du. Du hast in Bethlehem überhaupt nichts verloren.»

«Ich habe eine Milchschwester dort. Bestimmt hat Sihem sich zu ihr zurückgezogen, um ihre aberwitzige Mission vorzubereiten. Der Poststempel ist von Freitag, dem 27., genau einen Tag vor der Tragödie. Ich will wissen, wer meine Frau indoktriniert hat, wer sie mit Sprengstoff gespickt und in die Arena geschickt hat. Kommt nicht in Frage, dass ich hier die Arme verschränke oder zur Tagesordnung übergehe, solange ich das nicht geklärt habe.»

Kim rauft sich die Haare.

«Bist du dir eigentlich im Klaren, was du da sagst? Darf ich dich daran erinnern, dass diese Leute Terroristen sind? Die gehen nicht mit Samthandschuhen zu Werke. Du bist Chirurg, kein Polizist. Derlei musst du der Polizei überlassen. Die hat die geeigneten Mittel und entsprechend ausgebildete Leute, um solche Nachforschungen anzustellen. Wenn du wissen willst, was mit deiner Frau passiert ist, dann gehe zu Naveed und erzähle ihm von dem Brief.»

«Das ist reine Privatsache …»

«Unsinn! Siebzehn Menschen wurden getötet und Dutzende verletzt. Was soll daran privat sein? Es handelt sich um ein Selbstmordattentat, und die Aufklärung ist einzig und allein Sache der zuständigen Behörden. Mir scheint, du weißt nicht mehr, was du tust, Amin. Wenn du dich wirklich nützlich machen willst, dann gib Naveed den Brief. Das ist vielleicht der Anfang der Spur, auf den die Polizei nur gewartet hat, um ihren Apparat anzuwerfen.»

«Kommt nicht in Frage. Das hat noch gefehlt, dass ein anderer sich in meine Privatangelegenheiten einmischt. Ich fahre nach Bethlehem, und zwar allein. Ich brauche niemanden. Ich kenne dort ein paar Leute. Vielleicht verplappert sich einer. Oder ich helfe ein wenig nach und kitzle ein paar brauchbare Informationen aus ihm heraus.»

«Ja, und weiter?»

«Was weiter?»

«Nehmen wir einmal an, es gelingt dir tatsächlich, Informationen zu erhalten, was steht dann auf dem Programm? Willst du ihnen die Ohren lang ziehen oder Schadenersatz von ihnen fordern? Das ist doch nicht dein Ernst, Amin. Sihem hatte bestimmt ein Netzwerk hinter sich, eine komplette Logistik und einen ganzen Apparat. Man sprengt sich an einem öffentlichen Ort doch nicht aus heiterem Himmel in die Luft. Das ist der Endpunkt einer langen Gehirnwäsche, einer gründlichen psychologischen und technischen Vorbereitung. Enorme Sicherheitsmaßnahmen werden getroffen, bevor es zur Sache geht. Die Auftraggeber müssen ihre Basis schützen und sämtliche Spuren verwischen. Sie wählen die Person, die das Attentat ausführen soll, erst dann aus, wenn sie sich ihrer Entschlossenheit und Zuverlässigkeit absolut sicher sind. Und jetzt stell dir mal vor, du dringst in ihr Gebiet ein und schnüffelst herum. Glaubst du, die warten, bis du bei ihnen vor der Tür stehst? Die werden dir so schnell eins auf die Nase geben, dass du noch nicht mal Zeit hast, dir klar zu machen, was für ein Idiot du warst. Ich schwöre dir, ich hab jetzt schon Bammel, wenn ich mir vorstelle, wie du da um dieses Schlangennest herumschleichst.»

Sie ergreift meine Hände, und jäh zuckt der Schmerz in meinem Handgelenk wieder auf.

«Das ist keine gute Idee, Amin.»

«Mag sein, aber ich kann an nichts anderes mehr denken, seit ich den Brief gelesen habe.»

«Ich verstehe das ja, nur sind solche Dinge wirklich nichts für dich.»

«Streng dich nicht an, Kim. Du weißt doch, wie stur ich sein kann.»

Sie hebt beschwichtigend die Arme. «Gut ... Vertagen wir die Debatte auf heute Abend. Bis dahin wirst du das Ganze hoffentlich ein bisschen nüchterner sehen.»

Am Abend lädt sie mich in ein Strandrestaurant ein. Wir essen auf der Terrasse. Das Meer liegt träge und dickflüssig da. Kim errät, dass sie es nicht schaffen wird, mich umzustimmen. Sie stochert in ihrem Teller herum wie ein erschöpfter Vogel.

Es ist ein Ort zum Wohlfühlen, geführt von einem französischen Emigranten: gemütliches Ambiente, himmelweite Panoramafenster, weinrot gepolsterte Lederstühle und bestickte Überdecken auf den Tischen. Eine enorme Kerze brennt brav in einem Kristallpokal herunter. Es herrscht nur wenig Betrieb, doch die Pärchen, die da sind, scheinen allesamt Stammgäste zu sein. Ihre Bewegungen sind elegant, ihre Stimmen gedämpft. Der Herr des Hauses ist ein schmächtiges und lebhaftes kleines Kerlchen, wie aus dem Ei gepellt und von ausnehmender Liebenswürdigkeit. Die Vorspeise und den Wein hat er uns höchstpersönlich empfohlen. Kim hatte sicher einen Hintergedanken, als sie mich in dieses Restaurant einlud. Jetzt scheint sie ihn völlig aus dem Blick verloren zu haben.

«Man könnte fast meinen, es macht dir Spaß, mit meinem Insulinwert zu spielen», seufzt sie und lässt ihre Serviette fallen.

«Versetz dich mal an meine Stelle, Kim. Da ist nicht nur Sihems Tat. Ich bin auch noch da. Wenn meine Frau in den Tod gegangen ist, dann beweist das doch, dass es mir nicht gelungen ist, ihr Lust am Leben zu vermitteln. Ich trage mit Sicherheit auch einen Teil der Verantwortung.»

Sie versucht zu protestieren; ich hebe die Hand, damit sie mich ausreden lässt.

«Das ist die Wahrheit, Kim. Kein Rauch ohne Feuer. Sie hat gefehlt, gewiss, aber wenn ich ihr allein die Schuld zuschiebe, dann drückt mich mein Gewissen.»

«Du kannst doch überhaupt nichts dafür.»

«Doch. Ich war ihr Mann. Es war meine Pflicht, über sie zu wachen, sie zu beschützen. Sie hat bestimmt versucht, meine Aufmerksamkeit auf diese Strömung zu lenken, die sie mit sich fortzureißen drohte. Ich würde meine Hand dafür ins Feuer legen, dass sie versucht hat, mir ein Zeichen zu geben. Wo hatte ich nur den Kopf, meine Güte, während sie versuchte, da irgendwie rauszukommen?»

«Hat sie wirklich versucht, da wieder rauszukommen?»

«Was denkst du denn? Man läuft doch nicht ins eigene Verderben wie auf irgendeine Tanzveranstaltung. Unweigerlich beginnen Zweifel an dir zu nagen, und zwar in dem Moment, wo du dich darauf vorbereitest, den letzten, den Schritt über die Schwelle zu tun. Und diesen Moment, den hab ich verpasst, ich hab ihn nicht erkannt. Sihem hat sich garantiert gewünscht, dass ich sie wachrüttele. Aber ich hatte den Kopf sonst wo, und das, das verzeih ich mir nie.»

Hastig zünde ich mir eine Zigarette an.

«Es macht mir absolut keine Freude, dir Angst einzujagen», fange ich nach einer langen Pause wieder an. «Ich habe jeden Sinn für solche Scherze verloren. Seit diesem verfluchten Brief denke ich nur noch an dieses Zeichen von ihr, das ich nicht rechtzeitig erkannt habe und das sich mir bis heute nicht offenbaren will. Ich will es wiederfinden, verstehst du? Es muss sein. Ich habe keine Wahl. Seit diesem Brief tue ich weiter nichts, als in meinen Erinnerungen zu kramen, um es zu finden. Ob ich schlafe oder wache, ich denke an nichts anderes. Ich habe mir die intensivsten Augenblicke, die wir durchlebt haben, vergegenwärtigt, die unklarsten Worte, die kleinsten Gesten: nichts. Und dieses Nichts macht mich noch mal verrückt. Du kannst dir nicht vorstellen, wie sehr es mich quält, Kim. Ich kann nicht mehr, ich halte es nicht mehr aus, ihm immer nur nachzulaufen und dabei so darunter zu leiden …»

Kim weiß nicht, wohin mit ihren kleinen Händen. «Vielleicht hatte sie es gar nicht nötig, dir ein Zeichen zu geben.»

«Ausgeschlossen. Sie liebte mich. Sie konnte mich doch nicht so weit ignorieren, dass sie mir gar keine Botschaft mehr zukommen ließ.»

«Das hing nicht von ihr ab. Sie war nicht mehr dieselbe Frau, Amin. Sie durfte keinen Irrtum begehen. Dich einzuweihen hätte die Götter beleidigt und ihr Engagement kompromittiert. Das ist wie in einer Sekte. Nichts darf durchsickern. Das Heil des ganzen Ordens beruht auf diesem Gebot.»

«Ja, aber hier ging es doch um Leben und Tod, Kim. Sihem würde sterben. Sie war sich doch im Klaren darüber, was das für sie und mich bedeutete. Sie besaß zu viel Selbstachtung, um mich einfach so abzuhängen wie jemand, der ein falsches Spiel spielt. Sie hat mir ein Zeichen gegeben, daran gibt es keinen Zweifel.»

«Und hätte das irgendetwas geändert?»

«Wer weiß?»

Ich ziehe mehrmals an meiner Zigarette, wie um sie am Erlöschen zu hindern. Ich habe einen Kloß im Hals, als es mir schließlich herausrutscht: «Ich bin so was von unglücklich, das übersteigt jede Vorstellung.»

Kim schwankt ein wenig, hält sich an ihrem Stuhl fest.

Ich zerdrücke die Kippe im Aschenbecher.

«Mein Vater sagte immer: *Behalte deinen Kummer für dich, er ist alles, was dir bleibt, wenn du alles verloren hast …*»

«Amin, bitte …»

Ich höre ihr nicht zu und fahre fort: «Ein Mann, der noch unter Schock steht – und unter was für einem Schock! –, kann nicht wissen, wo genau die Trauer aufhört und wo das Leben als Witwer beginnt, aber es gibt Grenzen, die er überschreiten muss, wenn er vorankommen will. Wohin? Keine Ahnung; ich weiß nur, dass es falsch ist, untätig herumzusitzen und in Selbstmitleid zu ertrinken.»

Und nun bin ich es, der zu meiner eigenen, nicht geringen Überraschung nach ihren Händen greift, sie in den meinen verschwinden lässt. Es ist, als hielte ich zwei reglose Spatzen umfasst. So behutsam ist mein Griff, dass Kims Schultern zu zucken beginnen. In ihren Augen schimmern verschämte Tränen, die sich hinter einem Lächeln, das ich so noch nie bei einer Frau gesehen habe, zu verbergen suchen.

«Ich werde sehr aufpassen», verspreche ich ihr. «Ich habe ja nicht vor, mich zu rächen oder das ganze Netz auffliegen zu lassen. Ich will einfach nur verstehen, wie es kommt, dass die Frau meines Lebens mich aus ihrem Leben ausgeschlossen hat, wie es sein kann, dass diese Frau, die ich so wahnsinnig liebte, den Predigten anderer zugänglicher war als meinen Gedichten.»

Die Träne meines Schutzengels tropft von der Wimper, an der sie hing, und kullert über die Wange. Überrascht und verwirrt will Kim sie wegwischen; mein Finger kommt ihr zuvor und nimmt die Träne auf, als sie gerade am Mundwinkel ankommt.

«Du bist großartig, Kim.»

«Ich weiß», sagt sie und bricht in ein schluchzendes Lachen aus.

Wieder nehme ich ihre Hände und drücke sie ganz fest.

«Ich muss dir ja nicht sagen, dass ich ohne dich nicht mehr am Leben wäre.»

«Nicht heute Abend, Amin ... Vielleicht ein andermal.»

Sie lächelt traurig, mit zitternden Lippen. Ihre Augen halten sich an meinem Blick fest, um über die Rührung hinwegzukommen, die ihren Glanz verschleiert. Ich sehe sie innig an, ohne zu merken, dass ich ihre Hand ganz fest drücke, und sage nur: «Danke.»

9.

Kim bestand darauf, mich nach Bethlehem zu begleiten. Nur unter dieser Bedingung war sie bereit, mich ein derart offensichtliches Risiko eingehen zu lassen. Sie wolle an meiner Seite sein. Und sei es nur als mein Chauffeur, hat sie hinzugefügt. Mein Handgelenk habe sich noch immer nicht ganz von seinem Trauma erholt, und ich habe immer noch Mühe, eine Tasche zu heben oder ein Lenkrad zu umfassen.

Ich habe versucht, es ihr auszureden, aber sie ist stur geblieben.

Sie hat mir vorgeschlagen, uns fürs Erste in der Zweitwohnung niederzulassen, die ihr Bruder Benjamin sich in Jerusalem gekauft hat, und unser weiteres Vorgehen davon abhängig zu machen, wie sich die Dinge vor Ort entwickeln würden. Ich wollte auf der Stelle aufbrechen. Sie bat mich, sie erst noch einen Patienten operieren zu lassen, bevor sie zu Ezra Benhaim ginge, um ihn zu bitten, ihr eine Woche Urlaub zu bewilligen. Ezra wollte den Grund für diesen überstürzten Aufbruch wissen. Kim antwortete ihm, sie sei ganz einfach erholungsbedürftig. Ezra drang nicht weiter in sie.

Am Morgen nach der Operation verstauen wir unsere beiden Reisetaschen im Kofferraum des Nissan, fahren kurz bei mir vorbei, um ein paar persönliche Dinge und einige Fotos jüngeren Datums von Sihem einzupacken, und brechen dann auf Richtung Jerusalem.

Wir machen unterwegs nur einmal Halt, um in einem Straßenlokal eine Kleinigkeit zu uns zu nehmen. Das Wetter ist schön, und der Verkehr erinnert an den hochsommerlichen Ansturm der Urlaubermassen.

Wir durchqueren Jerusalem wie in einem Wachtraum. Ich habe die Stadt vor ungefähr zwölf Jahren aus dem Blick verloren. Ihre hektische Betriebsamkeit und das Gewimmel in den Läden lassen in mir Erinnerungen hochsteigen, von denen ich glaubte, mein Gedächtnis hätte sie längst aussortiert. Bilder blitzen in mir auf, leuchtend und grell, wirbeln inmitten der Düfte der Altstadt vor mir her. Hier, zwischen diesen historischen Mauern, habe ich meine Mutter zum letzten Mal gesehen. Sie war gekommen, um am Sterbebett ihres Bruders zu beten. Seine Beerdigung hatte den gesamten Stamm zusammengeführt; manche waren aus so fernen Ländern angereist, dass die Alten dachten, sie kämen aus der Zwischenwelt. Meine Mutter hat den Verlust ihres Bruders, in dem sie ihre einzige Existenzberechtigung sah – da mein Vater ein unaufmerksamer Ehemann gewesen war und ich ein an das Internat und die sich anschließenden Jahre der Wanderschaft verlorener Sohn –, nicht lange überlebt.

Benjamins Zweitwohnsitz liegt am Rand des Jüdischen Viertels zwischen anderen geduckten Bauten mit sonnenverbrannten Mauern. Das Haus scheint der mythischen Stadt den Rücken zu kehren, um sich ganz auf die Obstgärten zu konzentrieren, die sich an den felsigen Hügel entlangziehen. Der Ort ist abgeschieden, fern vom Getümmel der Welt, nur selten dringen plärrende Stimmen von Kindern, die irgendwo spielen, bis hierher durch. Kim findet die Schlüssel unter dem dritten Topf am Eingang des Patio, ganz wie ihr Bruder, der in Tel Aviv geblieben ist, es ihr gesagt hat. Das Haus ist klein und niedrig, mit einer Loggia, die auf einen kleinen schattigen Hof hinausgeht, den eine wenig ausladende Weinlaube fürsorglich behütet. Ein bronzener Brunnenlöwenkopf ragt über einer Wasserrinne aus der Wand, die von Dornenranken zugewuchert ist, daneben steht eine schmiedeeiserne, von ungeschickten Händen grün lackierte Bank. Kim quartiert mich im Nebenraum des vor Büchern und Manuskripten überquellenden Büros ein. Darin befinden sich ein Bettgestell mit Metallfederrost nebst einer Matratze, deren Füllung zu wünschen übrig lässt, ein Formica-Tisch und ein Hocker. Ein abgetretener Teppich gibt sein Bestes, die Risse in den vorsintflutlichen Dielen zu kaschieren. Ich werfe meine Tasche aufs Bett und warte, bis Kim aus dem Badezimmer kommt, um ihr meine Pläne mitzuteilen.

«Ruh dich erst ein wenig aus.»

«Ich bin nicht müde. Es ist Mittag, die richtige Zeit, um bei meiner Milchschwester jemanden anzutreffen. Du brauchst dich nicht zu bemühen, ich nehme ein Taxi.»

«Ich muss doch mitkommen!»

«Kim, ich bitte dich. Wenn ich Probleme bekommen sollte, rufe ich dich auf deinem Handy an und sag dir, wo du mich einsammeln kannst. Aber heute wird sicher nichts passieren. Ich will nur meine Verwandten besuchen und das Terrain ein wenig sondieren.»

Kim sträubt sich noch ein bisschen, dann lässt sie mich ziehen.

Bethlehem hat sich seit meinem letzten Aufenthalt, über zehn Jahre ist das inzwischen her, gewaltig verändert.

Aufgebläht durch die Flüchtlingsströme, die ihre zu Schießplätzen mutierten Landstriche in Scharen verlassen, wartet der Ort mit einem neuen Wirrwarr von Behelfsunterkünften in blankem Betonstein auf, kreuz und quer gegeneinander errichtet, fast wie Barrikaden – die meisten noch im Rohbau, blechbedeckt oder mit hochragenden Moniereisen, dazu hohläugige Fenster, bizarre Tore. Es ist, als wäre man in einem riesigen Auffanglager, dem Treffpunkt sämtlicher Verdammten dieser Erde, um eine Absolution zu erzwingen, welche die Regeln ihrer Gewährung nicht preisgeben will.

Auf den Stufen oder einem Schemel vor den Haustürschwellen hocken, auf ihren Gehstock gestützt, um die Stirn die Keffieh geschlungen, die Jacke über ihrer ausgeblichenen Weste geöffnet, abgemagerte Greise mit abwesendem Blick und träumen vor sich hin. Eingemauert in ihr Schweigen, scheinen sie nur ihren Erinnerungen zu lauschen, unberührt vom Radau der kleinen Bengel, die sich kreischend vor ihrer Nase balgen.

Ich muss mehrmals nach dem Weg fragen, bevor mich ein Junge zu einem großen Haus führt, von dessen Mauern der Putz gebröckelt ist. Er wartet gehorsam, bis ich ihm ein paar Münzen in die Hand geschoben habe, dann springt er davon. Ich klopfe gegen eine alte wurmstichige Holztür, spitze die Ohren. Schlappen schlurfen über den Boden, ein Riegel scheppert, und eine Frau mit verwelktem Gesicht macht mir auf. Ich brauche eine Ewigkeit, um sie wiederzuerkennen: Leila, meine Milchschwester. Sie ist knapp über fünfundvierzig, doch sie wirkt wie sechzig. Ihr Haar ist weiß geworden, ihre Züge sind teigig; sie sieht aus, als wäre sie sterbenskrank.

Geistesabwesend starrt sie mich an.

«Ich bin Amin.»

«Mein Gott!» Sie fährt zusammen, ist mit einem Schlag hellwach.

Wir fallen einander in die Arme. Während ich sie an mich drücke, spüre ich, wie Schluchzer um Schluchzer aus ihrer Brust hochsteigt und ihren schmächtigen Körper erbeben lässt. Sie macht einen Schritt zurück, betrachtet mich mit tränenüberströmtem Gesicht, rezitiert einen Koranvers zum Zeichen der Dankbarkeit und legt ihren Kopf erneut an meine Schulter.

«Tritt ein», sagt sie. «Du kommst gerade recht, um meine Mahlzeit zu teilen.»

«Danke, ich habe keinen Hunger. Bist du allein?»

«Ja. Yasser kommt erst am Abend zurück.»

«Und die Kinder?»

«Ach, die sind längst groß! Die Mädchen sind verheiratet, und Adel und Mahmoud stehen auch auf eigenen Füßen.»

Ein kurzes Schweigen tritt ein, dann senkt Leila den Kopf.

«Es muss schwer für dich sein.» Ihre Stimme klingt tonlos.

«Es ist das Schlimmste, was einem Menschen überhaupt zustoßen kann», bekenne ich.

«Kann ich mir vorstellen ... Ich denke oft an dich seit dem Attentat. Ich weiß, wie sensibel und anfällig du bist, und ich hab mich gefragt, wie jemand, der so dünnhäutig ist wie du, wohl fertig wird mit einer solchen ... einer solchen ...»

«Katastrophe», komme ich ihr zu Hilfe. «Aus dem Grund bin ich auch hier. Um mehr darüber in Erfahrung zu bringen. Ich hatte keine Ahnung, was Sihem da plante.

Ehrlich gesagt, ich hatte nicht den leisesten Verdacht. Und ihr tragisches Ende hat mir buchstäblich den Boden unter den Füßen weggezogen.»

«Willst du dich nicht setzen?»

«Nein … Sag mir, in welchem Zustand war sie, so kurz davor?»

«Wie meinst du das …?»

«Wie sie war? Schien sie sich dessen bewusst zu sein, was sie da tun würde? Verhielt sie sich normal oder irgendwie komisch …?»

«Ich hab sie gar nicht gesehen.»

«Sie war am Freitag, dem 27., in Bethlehem, einen Tag vor dem Attentat.»

«Ich weiß, aber sie ist nicht lange geblieben. Ich war bei meiner ältesten Tochter. Zur Beschneidung ihres Sohnes. Von dem Attentat habe ich erst im Auto erfahren, das mich nach Hause gebracht hat …»

Jäh schlägt sie sich mit der Hand auf den Mund, wie um sich daran zu hindern, mehr zu erzählen.

«Mein Gott, was rede ich denn da!» Verschreckt sieht sie mich an. «Warum bist du nach Bethlehem zurückgekommen?»

«Ich hab's dir schon gesagt.»

Sie greift sich mit Daumen und Zeigefinger an die Stirn, taumelt leicht. Ich fasse sie um die Taille, damit sie nicht zu Boden knickt, und helfe ihr zum Sofa, das wenige Schritte hinter ihr steht. Sie setzt sich.

«Amin, mein Bruder, ich glaube, ich bin nicht befugt, über diese Geschichte zu sprechen. Ich schwöre dir, ich habe keine Ahnung, was genau sich da eigentlich zugetragen hat. Wenn Yasser erfährt, dass ich meine Zunge nicht im Zaum gehalten habe, schneidet er sie mir gleich ab. Ich war so überrascht, dich hier auftauchen zu sehen, dass ich mich dazu hinreißen ließ, über Dinge zu reden, die mich nichts angehen. Verstehst du mich, Amin?»

«Ich werde so tun, als wüsste ich nichts. Aber ich muss herausfinden, was meine Frau hier in der Gegend zu suchen hatte und in wessen Auftrag sie tätig war ...»

«Schickt dich die Polizei?»

«Du vergisst, dass Sihem meine Frau war.»

Leila ist völlig verstört. Sie verübelt sich ihre Redseligkeit.

«Ich war nicht da, Amin. Das ist wirklich die Wahrheit. Kannst du nachprüfen. Ich war bei meiner ältesten Tochter, ihr Sohn ist beschnitten worden. Deine Tanten und Cousinen waren da, und viele Angehörige, die du vermutlich auch kennst. Ich war am Freitag gar nicht zu Hause.»

Ich sehe, wie sie immer mehr in Panik gerät, und beeile mich, sie zu beruhigen.

«Ist alles halb so wild, Leila. Ich bin es doch nur, dein Bruder. Ich habe weder eine Waffe dabei noch Handschellen. Das Letzte, was ich will, ist, dir Ärger zu machen, das weißt du doch. Ich bin doch nicht hier, um dich und die Familie in Schwierigkeiten zu bringen ... Wo kann ich Yasser finden? Es ist mir lieber, wenn er es ist, der mir ein Licht aufsteckt.»

Leila fleht mich an, ihrem Mann nur ja nichts von unserem Gespräch zu sagen. Ich verspreche es ihr. Sie nennt mir die Anschrift der Ölmühle, in der Yasser arbeitet, bringt mich hinaus auf die Straße und sieht mir hinterher.

Ich halte auf dem Platz nach einem Taxi Ausschau, sehe weit und breit keins. Nach einer geschlagenen halben Stunde, als ich gerade Kim anrufen will, schlägt mir ein Illegaler vor, mich für ein paar Schekel irgendwohin zu bringen. Es ist ein junger, ziemlich kräftiger Mann mit lachenden Augen und einem witzigen Kinnbart. Mit theatralischer Beflissenheit öffnet er mir den Wagenschlag und schubst mich richtiggehend auf einen der verdreckten Sitze seines klapprigen Gefährts.

Wir umrunden den Platz, biegen in eine Straße mit rissigem Asphalt ein und lassen das aufgedunsene Kaff schon bald hinter uns. Nach einer Slalomtour durch geradezu anarchischen Verkehr entkommen wir mit etwas Glück in die Felder und schlängeln uns zu einer Piste oben auf der Anhöhe durch.

«Du bist wohl nicht aus der Gegend?», fragt der Chauffeur.

«Nein.»

«Verwandtenbesuch oder Geschäfte?»

«Beides.»

«Kommst du von weit her?»

«Weiß nicht.»

Der Fahrer wiegt den Kopf hin und her.

«Bist ja nicht gerade eine Plaudertasche», stellt er fest.

«Nicht heute.»

«Ich verstehe.»

Wir fahren ein paar Kilometer über die staubige Piste, ohne eine Menschenseele zu sehen. Die Sonne knallt mit voller Wucht auf die steinigen Hügelkuppen, die sich hintereinander zu verstecken scheinen, wie um uns aufzulauern.

«Mit einem Heftpflaster auf dem Mund komme ich nicht weit», sagt er schon wieder, der Chauffeur. «Wenn ich nicht plaudern kann, implodier ich.»

Ich schweige vor mich hin.

Er räuspert sich und fährt fort: «Ich habe noch nie so saubere und gepflegte Hände wie deine gesehen. Bist du nicht zufällig Arzt? Nur Ärzte haben derart tadellose Hände.»

Ich drehe mich zu den Obstgärten hin, in deren Weite sich der Blick verliert.

Der Chauffeur, den mein Schweigen ärgert, seufzt tief auf und kramt dann so lange in seinem Handschuhfach herum, bis er eine Kassette gefunden hat, die er in den Rekorder schiebt.

«Das musst du dir anhören, mein Freund!», ruft er. «Wer Scheich Marwan nicht predigen gehört hat, der hat sein Leben nur halb gelebt!»

Er dreht am Regler, auf volle Lautstärke. Das Wageninnere wird von einem Heidenlärm überschwemmt, aus dem sich ab und zu ein ekstatischer Schrei löst oder eine Ovation. Jemand – vermutlich der Redner – tippt mit dem Finger gegen das Mikrophon, um das Gejohle zu dämpfen. Der Radau wird leiser, bricht nur stellenweise noch durch, dann empfängt aufmerksames Schweigen die klare Stimme von Imam Marwan.

«Gibt es eine größere Pracht und Herrlichkeit als das Antlitz des Herrn, meine Brüder? Gibt es hienieden, in dieser haltlosen, unbeständigen Welt, auch nur irgendetwas, das uns vom Antlitz Allahs hinweglocken könnte? Sagt mir, was könnte prächtiger sein? Der glitzernde Tand, nach dem die Einfältigen und Elenden trachten? Der schöne Schein? Die Luftspiegelungen, die den Blick auf die Falltüren ins Reich der Verderbnis verstellen und die Geblendeten zu todbringender Versengung verdammen? Sagt mir, meine Brüder, was könnte prächtiger sein …? Und am Jüngsten Tag, wenn die Erde nur mehr Staub sein wird, wenn von unseren Illusionen nichts als der Ruin unserer Seelen bleibt, was werden wir dann auf die Frage zu antworten wissen, was wir aus unserer Existenz gemacht haben? Was werden wir zu antworten wissen, wenn wir alle, Große und Kleine, gefragt werden: *Was habt ihr aus eurem Leben gemacht, was habt ihr mit meinen Propheten und all meiner Großmut gemacht, was habt ihr aus dem Heil gemacht, das ich euch anvertraut habe …?* Und an diesem Tag, meine Brüder, werden euch eure Besitztümer, eure Beziehungen, eure Verbündeten, eure Anhänger von keinerlei Nutzen sein.» (Lautes Geschrei bricht aus, das gleich wieder von der Stimme des Scheichs übertönt wird.) «In Wahrheit, meine Brüder, besteht der Reichtum eines Mannes nicht in dem, was er besitzt, sondern in dem, was er zurücklässt. Und was besitzen wir schon, meine Brüder? Was werden wir einst zurücklassen …? Ein Vaterland …? Welches? Eine Geschichte …? Welche? Bedeutende Monumente …? Wo sind sie? Bei euren Vorvätern, zeigt sie mir … Tag für Tag werden wir in den Schmutz gezogen, wenn nicht gar vor die Tribunale gezerrt. Tag für Tag rollen Panzer über unsere Füße, werfen unsere Fuhrwerke um, reißen unsere Häuser nieder und schießen ohne Vorwarnung auf unsere Kinder. Tag für Tag sieht die ganze Welt unserem Unglück zu …»

Mein Arm schnellt nach vorn, mein Daumen drückt die Auswerftaste, und schon ist die Kassette ausgespuckt. Der Chauffeur ist entgeistert. Mit hervortretenden Augen und aufgerissenem Mund blökt er mich an: «Was tust du da?»

«Ich mag keine Predigten.»

«Was?» Empört schnappt er nach Luft. «Glaubst du vielleicht nicht an Gott?»

«Ich glaube nicht an seine Heiligen.»

Er steigt mit solch einer Wucht auf die Bremse, dass die Vorderräder blockieren und der Wagen noch zehn Meter weiterrutscht, bevor er quer über der Straße zum Stehen kommt.

«Was bist denn du für einer?», grunzt der Chauffeur, grün vor Wut. «Wie kannst du es wagen, deine Hand gegen Scheich Marwan zu erheben?»

«Ich hab doch wohl noch das Recht …»

«Mann, du hast hier überhaupt kein Recht! Du bist in *meinem* Wagen. Und weder hier noch sonst wo werde ich zulassen, dass so ein Mistkerl wie du seine Dreckspfote gegen Scheich Marwan erhebt …! So, jetzt steig aus und geh mir aus den Augen!»

«Wir sind noch nicht da.»

«Doch, für dich ist hier Endstation! Hau ab, oder ich zieh dir das Fell über die Ohren!»

Und schon beugt er sich fluchend über mich, stößt die Tür auf und macht Anstalten, mich hinauszuschieben.

«Und lass dir ja nicht einfallen, mir noch mal über den Weg zu laufen, du Hurensohn!», ruft er mir drohend nach, knallt polternd den Wagenschlag zu, legt ein wüstes Wendemanöver hin und stiebt unter schrillem Geknatter Richtung Bethlehem davon.

Ich bleibe mitten auf der Piste zurück und starre ihm mit offenem Mund nach. Dann lasse ich mich auf einem Felsbrocken nieder und warte auf das nächste Fahrzeug. Da weit und breit keins in Sicht ist, stehe ich auf und laufe los, bis mich einige Kilometer weiter ein Fuhrmann mit seinem Karren überholt.

Yasser bekommt das Zittern, als er mich auf der Schwelle zur Ölmühle erblickt, in der zwei Jugendliche an der Presse hantieren und das Olivenöl überwachen, das dickstrahlig in den Bottich sprudelt.

«Na so was!», entfährt es ihm zwischen zwei kräftigen Umarmungen, «unser Chirurg, wie er leibt und lebt. Warum hast du uns denn nicht vorher Bescheid gegeben? Ich hätte jemanden losgeschickt, der dich abholt.»

Seine Begeisterung wirkt zu verkrampft, um echt zu sein.

Er blickt auf die Uhr, dreht sich zu den beiden jungen Leuten um, ruft ihnen zu, dass er jetzt wegmuss und darauf vertraut, dass sie die Arbeit auch ohne ihn beenden können. Dann nimmt er mich beim Arm und schiebt mich zu einem alten Lieferwagen hin, der unter einem Baum am Fuß einer Anhöhe steht.

«Fahren wir nach Hause. Leila wird sich freuen, dich wiederzusehen … wenn du nicht schon bei ihr warst?»

«Yasser», sage ich, «reden wir nicht lange um den heißen Brei herum. Ich hab weder Zeit noch Lust dazu. Ich bin in einer ganz bestimmten Absicht hierher gekommen.» Ich setze ihm die Pistole auf die Brust, in der Hoffnung, ihn aus der Reserve zu locken: «Ich weiß, dass Sihem am Tag vor dem Attentat bei dir in Bethlehem war.»

«Wer hat dir denn so was erzählt?», fragt er flattrig und blickt nervös zur Mühle.

Ich schwindle ihn an, während ich den Brief aus meiner Hemdtasche ziehe.

«Sihem selber hat es mir an dem besagten Tag erzählt.»

Seine Wange beginnt krampfhaft zu zucken. Er schluckt heftig, dann stammelt er: «Sie ist nicht lange geblieben. Nur eben ein Blitzbesuch, um uns guten Tag zu sagen. Da Leila bei unserer Tochter war, in En Kerem, wollte sie nicht einmal auf einen Tee bleiben und hat sich keine Viertelstunde später wieder verabschiedet. Sie war nicht unseretwegen in Bethlehem. An diesem Freitag wurde Scheich Marwan in der Großen Moschee erwartet. Deine Frau wollte, dass er sie segnete. Erst als wir ihr Foto in der Zeitung sahen, haben wir begriffen.»

Er packt mich in Kämpfermanier bei den Schultern und vertraut mir an: «Wir sind sehr stolz auf sie.»

Ich weiß, er sagt das, um mich zu schonen, oder vielleicht auch, um mich mild zu stimmen. Yasser ist nicht der Typ, der ruhig Blut bewahrt. Das geringste Ereignis bringt ihn bereits aus der Fassung.

«Stolz, dass ihr sie dazu gebracht habt, sich für euch verheizen zu lassen?»

«Verheizen …?» Er zuckt zusammen, als hätte ihn eine Schlange gebissen.

«Für euch die Kohlen aus dem Feuer zu holen – und nebenbei selbst im Feuer zu verbrennen, wenn dir das lieber ist …»

«Ich mag die Art nicht, wie du redest.»

«Einverstanden. Ich formuliere meine Frage neu: Was kann einen daran mit Stolz erfüllen, dass man Menschen in den Tod schickt, damit andere frei und glücklich leben?»

Er spreizt die Hände vor der Brust, um mir zu bedeuten, leiser zu reden, wegen der beiden Jugendlichen, die ganz in der Nähe sind, und macht mir Zeichen, ihm hinter den Lieferwagen zu folgen. Sein Schritt ist so nervös, dass er regelrecht torkelt.

Ich nehme ihn ins Verhör: «Und warum?»

«Warum was?»

Seine Angst, seine Armut, seine schmuddlige Kleidung, sein schlecht rasiertes Gesicht und seine triefenden Augen erfüllen mich mit einer gewaltigen und ziemlich gemeinen Wut. Ich zittere am ganzen Leib.

«Warum?», grolle ich, wütend über meine eigenen Worte, «warum werden die einen dem Glück der anderen geopfert? Es sind meistens die Besten, die Tapfersten, die sich entschließen, ihr Leben für das Heil derer zu geben, die in ihren Löchern hocken und sich ducken. Warum sollen es immer die Gerechten sein, die sich opfern, damit die weniger Gerechten überleben können? Findest du nicht, dass man damit die Spezies Mensch als Ganzes schädigt? Was bleibt denn in einigen Generationen noch übrig, wenn es immer die Besten sind, die von der Bühne abtreten, damit die Angsthasen und Arschlöcher, die Schwindler und Scharlatane sich weiter munter wie die Ratten vermehren?»

«Da kann ich dir nicht folgen, Amin?! Die Dinge haben sich doch immer so und nicht anders abgespielt, das war schon in grauer Vorzeit so. Die einen sterben für das Heil der anderen. Glaubst du nicht an das Heil der anderen?»

«Nicht, wenn meines dabei ruiniert wird. Denn ihr habt mein Leben zerstört, meine Ehe vernichtet, meine Karriere zerschlagen und alles, was ich Stein für Stein im Schweiße meines Angesichts mühsam aufgebaut habe, zu Staub gemacht. Von heute auf morgen sind meine Träume eingestürzt wie Kartenhäuser. Alles, wonach ich nur zu greifen brauchte, um es zu haben, ist weg, einfach weggepustet. Pfui! … Alles hab ich verloren, und warum? Wegen nichts! Habt ihr an meinen Schmerz gedacht bei euren Freudensprüngen, als ihr hörtet, dass die Frau, die mir der liebste Mensch auf der Welt war, sich in die Luft gesprengt hat in einem Restaurant, das so berstend voll war mit Kindern wie sie mit Dynamit? Und du willst mir einreden, ich solle mich für den glücklichsten unter den Männern halten, weil meine Gattin eine Heldin ist, weil sie ihr Leben gegeben hat, ihren Wohlstand und meine Liebe, ohne mich auch nur zu fragen oder auf das Schlimmste vorzubereiten? Wie hab ich denn dagestanden, als ich mich weigerte zu akzeptieren, was alle Welt schon wusste? Wie einer, dem man Hörner aufgesetzt hat! Wie ein elender Hahnrei stand ich da. Bis auf die Knochen blamiert, so stand ich da. Wie einer, den seine Frau nach Strich und Faden betrog, während er sich abrackerte, um ihr das Leben so angenehm wie möglich zu machen.»

«Ich glaube, du redest mit dem Falschen, Amin. Ich hab mit dieser Geschichte nichts zu tun. Ich hatte keinen blassen Schimmer, was Sihem vorhatte. Ich war meilenweit davon entfernt, sie einer solchen Initiative für fähig zu halten.»

«Du hast aber doch gesagt, dass du stolz auf sie bist?»

«Was soll ich denn sonst sagen? Ich konnte doch nicht wissen, dass du davon nichts wusstest.»

«Glaubst du denn, ich hätte sie auch noch dazu ermutigt, eine derartige Schau abzuziehen, wenn ich auch nur den leisesten Funken einer Ahnung gehabt hätte?»

«Ich bin unendlich betrübt, Amin. Entschuldige, wenn ich ... wenn ich ... ach, ich verstehe überhaupt nichts mehr. Ich ... Ich weiß nicht, was ich sagen soll.»

«Dann sag einfach gar nichts. Dann redest du wenigstens keinen Unsinn.»

10.

Yasser tut mir richtig leid. Hilflos, den Hals tief in seinen abgewetzten Kragen gezogen, als rechne er im nächsten Moment damit, dass ihm der Himmel auf den Kopf fällt, konzentriert er sich angestrengt auf die Straße, um sich meinem Blick nicht stellen zu müssen. Aber ich bin sowieso auf dem Holzweg. Yasser ist nicht der Typ, auf den man sich, wenn es hart auf hart kommt, verlassen könnte, ganz zu schweigen davon, ihn in die Vorbereitungen zu einem Blutbad mit einzubeziehen. Weit über sechzig, ist er mit seinen wässrigen Augen und seinem eingefallenen Mund nur noch ein Schatten seiner selbst, fähig, bei der kleinsten Aufregung das Zeitliche zu segnen. Wenn er sagt, dass er nichts über das Attentat weiß, dann stimmt das auch. Yasser geht nie ein Risiko ein. Ich erinnere mich nicht, dass ich ihn je lautstark hätte protestieren oder gar die Ärmel hochkrempeln sehen, um jemandem mal so richtig handfest die Meinung zu sagen. Im Gegenteil, er neigt eher dazu, sich in sein Schneckenhaus zurückzuziehen und abzuwarten, bis der Sturm sich gelegt hat, als auch nur den leisesten Widerspruch anzumelden. Seine panische Angst vor den Bullen und seine blinde Unterwürfigkeit gegenüber der Staatsgewalt haben ihn aufs blanke Überleben reduziert: schuften ohne Ende, um halbwegs über die Runden zu kommen, und jeder Bissen Brot der Beweis, dem Teufel wieder mal von der Schippe gesprungen zu sein. Und wie ich ihn so neben mir sehe, übers Lenkrad geduckt, mit seinem runzligen Hals, dem tief gebeugten Kopf, sich bereits schuldig bekennend, mir überhaupt über den Weg gelaufen zu sein, geht mir so richtig auf, wie absurd mein ganzes Unterfangen ist. Nur, wie bekomme ich diese Glut, die in meinem Bauch schwelt, gelöscht? Wie soll ich mich im Spiegel betrachten, ohne rot zu werden, wenn meine zerbrochene Selbstachtung und mein Zweifel, obwohl vor vollendete Tatsachen gestellt, derart meinen Schmerz verspotten? Seit Hauptmann Moshe mich wieder mir selbst überlassen hat, taucht ihr Lächeln vor mir auf, sobald ich nur die Augen schließe. Sihem war so liebevoll, las mir jeden Wunsch von den Augen ab, schien an meinen Lippen zu hängen, wenn ich ihr im Garten, meinen Arm um ihre Taille geschlungen, in leuchtenden Farben unsere Zukunft schilderte, all die Projekte, die ich für sie angehen wollte. Ich spüre noch ihre Finger, die begeistert meine drücken, so hingerissen, so überzeugt, dass mir schien, es würde ewig währen. Sie glaubte felsenfest an eine rosige Zukunft, war mit ganzem Herzen dabei und feuerte mich jedes Mal an, wenn ich zu verzagen drohte. Wir waren so glücklich, wir zwei, so voller Vertrauen zueinander. Welch böser Fluch war da am Werk, der die uneinnehmbare Festung, die ich zu ihrem Schutz erbaut hatte, einstürzen ließ, als wäre es eine Sandburg? Wie soll ich noch an irgendetwas glauben, nachdem all meine Gewissheiten auf einem Eid beruhten, der traditionell als heilig gilt und der sich als ebenso zuverlässig erweist wie das Wort eines Scharlatans? Weil ich auf all diese Fragen keine Antworten finde, bin ich nach Bethlehem gekommen, um meinerseits geradezu selbstmörderisch mit dem Feuer zu spielen, weil ich so untröstlich und nackt bin.

Yasser erklärt mir, dass er seinen Lieferwagen in einer Garage abstellen muss, da die Gasse, die zu seinem Haus führt, für Fahrzeuge zu schmal ist. Er ist erleichtert, endlich etwas zu haben, worüber er reden kann, ohne Angst haben zu müssen, in ein Fettnäpfchen zu treten. Ich gestatte ihm, seine Karre abzustellen, wo er will. Er nickt und prescht los, wie befreit von einer schweren Last. Mitten durch eine Hauptverkehrsstraße, in der dichtes Gedränge herrscht. Wir durchqueren ein chaotisches Viertel, bevor wir auf einen großen staubigen Platz gelangen, wo ein Imbissverkäufer emsig damit zugange ist, Fliegen von seinen Fleischspießchen fernzuhalten. Die besagte Garage befindet sich an der Ecke einer schmalen Straße gegenüber einem mit Scherben und zerdellten Blechkisten übersäten Hof. Yasser hupt zweimal kurz und wartet einige endlose Minuten, bis er das Geräusch mehrerer Riegel hört, die umgelegt werden. Quietschend öffnet sich ein Tor in tristem Blau. Yasser manövriert auf der Stelle, um die Schnauze seines Lieferwagens in Richtung einer Art halbüberdachten Hofs zu dirigieren, und schiebt sich geschickt zwischen das Gerippe eines Mini-Krans und einen ramponierten Jeep. Ein weißhaariger, schmuddeliger Wächter grüßt uns mit lascher Handbewegung, macht das Tor wieder zu und kehrt zu seiner Beschäftigung zurück.

«Das war früher mal eine Lagerhalle», informiert mich Yasser, um das Thema zu wechseln. «Adel, mein Sohn, hat sie für ein Butterbrot gekauft. Er wollte einen Handel mit Gebrauchtwagenteilen aufziehen. Aber unsere Leute sind derart erfinderisch, und es ist ihnen so was von egal, wie kaputt ihre Karre ist, dass sein Projekt nicht lange andauerte. Adel hat viel Geld in diese Idee gesteckt. Jetzt wartet er, bis sich was Neues bietet, und hat die Halle vorläufig zur Garage für die Anwohner umfunktioniert.»

Sechs, sieben Autos stehen da, einige sind ausgemustert, mit Plattfuß und übel zugerichteter Windschutzscheibe. Eine dicke Limousine, weiter hinten abgestellt, vor der Sonne geschützt, zieht meine Aufmerksamkeit auf sich, außerdem ein cremefarbener Mercedes, älteres Modell, zur Hälfte mit einer Plane abgedeckt.

«Der gehört Adel», erklärt Yasser, meinem Blick folgend, stolz.

«Wann hat er ihn gekauft?»

«Daran erinnere ich mich nicht mehr.»

«Und warum ist er aufgebockt? Ist das ein Sammlerstück?»

«Nein, aber Adel ist zurzeit nicht da, und außer ihm fährt niemand den Wagen.»

In meinem Kopf schwirren die Stimmen durcheinander. Erst die von Hauptmann Moshe – *der Fahrer des Busses der Linie Tel Aviv – Nazareth sagt, deine Frau ist in einen cremefarbenen Mercedes, älteren Modells, gestiegen –, dann* knallt mit voller Wucht die Stimme von Naveed Ronnen dagegen – *mein Schwiegervater hat dasselbe Modell.*

«Wo ist Adel denn jetzt?»

«Du weißt doch, wie diese Geschäftsleute sind. Einen Tag hier, einen Tag dort, ständig auf der Jagd nach einer guten Gelegenheit.»

Yassers Gesicht ist schon wieder ganz faltig.

In Tel Aviv bekomme ich nur selten jemanden aus der Verwandtschaft zu Gesicht, aber Adel kam oft zu Besuch. Jung und dynamisch, wie er war, wollte er um jeden Preis erfolgreich sein. Er war erst siebzehn, da schlug er mir schon vor, mit ihm ins Telefongeschäft einzusteigen. Angesichts meiner Vorbehalte ist er wenig später mit einem neuen Projekt angerückt: der Wiederverwertung von Autoteilen. Ich hatte die größte Mühe, ihm klar zu machen, dass ich Chirurg war und mich zu sonst gar nichts berufen fühlte. Zu der Zeit übernachtete er jedes Mal, wenn er durch Tel Aviv kam, bei mir. Er war ein prima Bursche, ein witziger Kerl, und Sihem hatte ihn ohne Wenn und Aber akzeptiert. Er träumte davon, ein Unternehmen in Beirut zu gründen und von dort aus den arabischen Markt zu erobern, vor allem die Monarchien am Persischen Golf. Doch seit über einem Jahr hab ich nichts mehr von ihm gehört.

«Als Sihem bei dir war, hat Adel sie da begleitet?»

Yasser streicht sich nervös über den Nasenrücken.

«Ich weiß nicht. Ich war in der Moschee zum Freitagsgebet, als sie hier ankam. Sie traf nur Issam an, meinen Enkel, der das Haus hütete.»

«Du sagtest, sie wäre noch nicht mal auf ein Glas Tee geblieben.»

«Wie man halt so sagt.»

«Und Adel?»

«Ich weiß nicht.»

«Weiß Issam das vielleicht?»

«Hab ihn nicht gefragt.»

«Kannte Issam meine Frau?»

«Ich denke schon.»

«Und seit wann? Sihem war ja nie in Bethlehem, und weder du noch Leila noch euer Enkel habt mich je besucht.»

Yasser gerät ins Schleudern und fuchtelt hilflos mit den Armen herum. «Lass uns nach Hause gehen, Amin. Wir werden das alles in Ruhe bei einem guten Tee besprechen.»

Zu Hause wird alles nur noch komplizierter. Wir treffen Leila im Bett an, unter Obhut einer Nachbarin. Ihr Puls geht schwach. Ich schlage vor, sie zur nächstgelegenen Ambulanz zu bringen. Yasser lehnt ab und erklärt mir, dass meine Milchschwester in ärztlicher Behandlung ist und die vielen Tabletten, die sie jeden Tag schlucken muss, sie in diesen Zustand versetzen. Kurze Zeit später, als Leila eingenickt ist, sage ich Yasser, dass ich mich gern mit Issam unterhalten würde.

«Einverstanden», antwortet er ohne große Begeisterung. «Ich werde ihn holen. Er wohnt zwei Häuserblocks entfernt.»

Zwanzig Minuten später ist Yasser zurück, flankiert von einem kleinen Jungen mit olivfarbenem Teint.

«Er ist krank», warnt Yasser mich.

«Dann hättest du ihn besser nicht mitgebracht.»

«Ach, was spielt das jetzt noch für eine Rolle ...», schimpft er entnervt.

Von Issam erfahre ich nicht viel Neues. Es ist offenkundig, dass sein Großvater ihn in die Mangel genommen hat, bevor er ihn mir vorstellte. Ihm zufolge ist Sihem allein gekommen. Sie verlangte nach Papier und einem Stift, und Issam riss ein Blatt aus seinem Schulheft. Als Sihem mit Schreiben fertig war, gab sie ihm einen Brief und bat ihn, damit zur Post zu gehen, was er dann auch getan hat. Beim Verlassen des Hauses fiel ihm an der Straßenecke ein Mann auf. Wie der aussah, daran erinnert er sich nicht mehr, aber es war jedenfalls keiner aus dem Viertel. Als er von der Post zurückkam, war Sihem nicht mehr da und der Fremde verschwunden.

«Warst du allein zu Hause?»

«Ja. Großmutter war bei meiner Tante in En Kerem. Großvater war in der Moschee. Ich habe das Haus gehütet und dabei meine Schularbeiten gemacht.»

«Kanntest du Sihem?»

«Ich hatte mal ein paar Fotos von ihr in Adels Album gesehen.»

«Und hast du sie gleich wiedererkannt?»

«Nicht sofort. Aber als sie sagte, wer sie war, da fiel es mir wieder ein. Sie wollte auch nicht unbedingt jemanden sehen, sie wollte nur eben einen Brief schreiben, bevor sie wieder ging.»

«Und wie war sie?»

«Schön.»

«Das meine ich nicht. Schien sie es eilig zu haben oder so?»

Issam denkt nach. «Sie wirkte ganz normal.»

«Ist das alles?»

Issam wirft seinem Großvater einen fragenden Blick zu und macht den Mund nicht mehr auf.

Ich wende mich an Yasser und fahre ihn an: «Du sagst, dass du sie nicht getroffen hast. Von Issam erfahren wir nichts, was wir nicht schon wussten. Was berechtigt dich also zu behaupten, meine Frau sei in Bethlehem gewesen, um sich von Scheich Marwan segnen zu lassen?»

«Jeder Straßenjunge kann dir das bestätigen», gibt er zurück. «Ganz Bethlehem weiß, dass Sihem am Abend vor dem Attentat dort war. Sie ist seitdem zu einer Art Ikone hier in der Stadt geworden. Manche schwören sogar, mit ihr geredet und ihr die Stirn geküsst zu haben.

Das sind bei uns normale Reaktionen. Ein Märtyrer regt die Phantasie an wie sonst niemand. Mag sein, dass die Gerüchteküche zu heftig brodelt, aber jedenfalls erzählt alle Welt, dass Sihem an jenem Freitag von Scheich Marwan gesegnet wurde.»

«Haben sie sich in der Großen Moschee getroffen?»

«Nicht während des Gebetes. Erst sehr viel später, nachdem alle Gläubigen heimgekehrt waren.»

«Aha.»

Am nächsten Morgen gehe ich in aller Frühe in die Moschee. Einige Gläubige sind gerade mit ihren Verbeugungen fertig und erheben sich von den großen gesteppten Decken, mit denen der Boden ausgelegt ist. Andere sitzen still in ihrer Ecke und lesen im Koran. Ich ziehe meine Schuhe aus und trete über die Schwelle. Ein Greis, den ich frage, ob es irgendwo einen Verantwortlichen gibt, beugt sich tief nach unten, empört, mitten im Gebet gestört zu werden. Ich blicke mich suchend nach jemandem um, der mir Auskunft erteilen könnte.

«Ja?», schnarrt eine Stimme hinter mir.

Zur Stimme gehört ein langer junger Mann mit ausgezehrtem Gesicht, tiefliegenden Augen und Hakennase. Ich reiche ihm die Hand, doch er übersieht sie. Mein Eindringen beunruhigt ihn, mein Gesicht ist ihm fremd.

«Doktor Amin Jaafari.»

«Ja …?»

«Ich bin Doktor Amin Jaafari.»

«Das habe ich gehört. Was kann ich für Sie tun?»

«Mein Name sagt Ihnen nichts?»

Er verzieht unschlüssig das Gesicht: «Nicht dass ich wüsste.»

«Ich bin der Ehemann von Sihem Jaafari.»

Der junge Mann kneift die Augen zusammen und denkt eine Weile nach. Plötzlich legt sich seine Stirn in Falten, sein Gesicht verfärbt sich grau. Er legt die Hand aufs Herz und ruft: «Mein Gott! Wo hatte ich nur meinen Kopf?» Er überhäuft mich mit Entschuldigungen. «Wie unverzeihlich von mir!»

«Halb so wild.»

Er breitet die Arme aus und drückt mich an seine Brust. «Bruder Amin, es ist mir eine Ehre und ein Privileg, Sie kennen zu lernen. Ich werde Sie auf der Stelle dem Imam ankündigen. Ich bin mir sicher, er wird entzückt sein, Sie zu empfangen.»

Er bittet mich, im Gebetssaal auf ihn zu warten, hastet zum Minbar, hebt einen Vorhang an und verschwindet in einem Hinterzimmer. Die wenigen Gläubigen rings an den Wänden, die im Koran lasen, mustern mich neugierig. Meinen Namen haben sie zwar nicht gehört, wohl aber den plötzlichen Umschwung im Verhalten des jungen Mannes bemerkt, bevor er loslief, um seinen Meister zu informieren. Ein Dicker mit Vollbart legt sogar seinen Koran hin und starrt mich derart unverhohlen an, dass es mir schon peinlich ist.

Ich glaube zu sehen, wie der Vorhang sich kurz öffnet und wieder zu Boden fällt, doch niemand taucht hinter dem Minbar auf. Fünf Minuten später ist der junge Mann zurück, sichtlich verärgert.

«Es tut mir leid. Der Imam ist nicht da. Er muss gegangen sein, ohne dass ich es merkte.»

Er spürt, dass wir von den anderen Gläubigen beobachtet werden, und zwingt sie mit seinem schwarzen Blick, sich abzuwenden.

«Zum Gebet ist er doch wieder zurück?»

«Natürlich ...» Er besinnt sich und fügt hinzu: «Ich weiß nicht, wohin er sich begeben hat. Schon möglich, dass er mehrere Stunden lang wegbleibt.»

«Das macht nichts. Ich werde hier auf ihn warten.»

Der junge Mann wirft einen bestürzten Blick Richtung Minbar, schluckt spürbar und sagt:

«Es ist nicht sicher, dass er vor Sonnenuntergang zurück ist.»

«Kein Problem. Ich habe Geduld.»

Überfordert hebt er die Arme und zieht sich zurück.

Ich mache es mir im Schneidersitz am Fuß einer Säule bequem, nehme ein Buch mit den gesammelten Sprüchen des Propheten zur Hand, lege es mir auf die Knie und schlage es irgendwo auf. Der junge Mann kommt zurück, tut so, als unterhielte er sich mit einem Greis, läuft eine Weile ziellos durch den Gebetssaal wie ein Tiger im Käfig und verschwindet schließlich auf die Straße.

Eine Stunde geht vorbei, dann eine zweite. Gegen Mittag stehen plötzlich drei junge Männer vor mir, aus dem Nichts aufgetaucht, machen mir nach den üblichen Begrüßungsfloskeln klar, dass meine Anwesenheit in der Moschee nicht erwünscht sei, und bitten mich, den Raum zu verlassen.

«Ich möchte den Imam sprechen.»

«Er ist unpässlich. Es ging ihm heute früh nicht gut. Er wird die nächsten Tage über nicht hier sein.»

«Ich bin Doktor Amin Jaafari ...»

«Schon gut», unterbricht mich der Kleinste von ihnen, ein Typ von vielleicht dreißig Jahren, mit hervorspringenden Wangenknochen und zerfurchter Stirn. «Gehen Sie jetzt bitte nach Hause.»

«Nicht, bevor ich den Imam gesprochen habe.»

«Wir geben Ihnen Bescheid, sobald es ihm wieder besser geht.»

«Und Sie wissen, wo Sie mich erreichen können?»

«In Bethlehem spricht sich alles herum.»

Sie schieben mich freundlich, aber bestimmt Richtung Ausgang, warten geduldig, bis ich meine Schuhe wieder anhabe, und geleiten mich schweigend bis zur nächsten Straßenecke.

Zwei der drei Männer, die mich eskortiert haben, beschatten mich, ganz ohne Versteckspiel, bis zur Innenstadt. Sie wollen mir zeigen, dass sie mich im Auge behalten und es ratsam für mich wäre, nicht noch einmal umzukehren.

Es ist Markttag. Auf dem Platz wimmelt es nur so von Menschen. Ich gehe in eine Kaschemme, bestelle einen Espresso ohne Zucker, verbarrikadiere mich hinter einer von Fingerabdrücken und Fliegendreck übersäten Fensterscheibe und überwache das brodelnde Treiben auf dem Souk. Im Raum, der mit ächzenden Stühlen und einfachen Tischen überfüllt ist, sitzen ein paar triste alte Männer unter dem leeren Blick des Barkeepers herum, der hinter seinem Tresen klebt. Neben mir zieht ein gepflegter Fünfziger an seiner Wasserpfeife. Weiter hinten spielen ein paar junge Männer lärmend Domino. Ich rühre mich bis zur Gebetsstunde nicht vom Fleck. Als der Ruf des Muezzins ertönt, beschließe ich, zur Großen Moschee zurückzukehren, in der Hoffnung, den Imam in Ausübung seines Amts vorzufinden.

Am Eingang des Viertels werde ich von den beiden Männern abgefangen, die mich am Vormittag beschattet haben. Sie sind nicht erfreut, mich zurückkommen zu sehen, und lassen mich nicht zur Moschee durch.

«Was Sie da tun, ist gar nicht gut, Herr Doktor», rügt mich der Größere.

Ich kehre zu Leila zurück und warte das nächste Gebet ab.

Wieder werde ich, bevor ich die Moschee erreichen kann, aufgehalten. Diesmal hat sich ein dritter Mann zu meinen beiden Schutzengeln, die meine Hartnäckigkeit wütend macht, gesellt. Er ist gut gekleidet, nicht sehr groß, aber kräftig, mit schmalem Schnäuzer und dickem Silberring. Er bittet mich, ihm in eine Sackgasse zu folgen, und dort, geschützt vor indiskreten Ohren, fragt er mich, was der Zweck meines Vorhabens sei.

«Ich möchte den Imam sprechen.»

«Aus welchem Grund?»

«Sie wissen ganz genau, warum ich hier bin.»

«Mag sein, aber Sie, Sie wissen nicht, wohin Sie Ihren Fuß setzen.»

Die Drohung ist deutlich. Seine Augen bohren sich in meine. «Um Himmels willen, Herr Doktor», beschwört er mich sichtlich nervös, «tun Sie, was man Ihnen sagt: fahren Sie nach Hause zurück.»

Er lässt mich stehen und zieht ab, gefolgt von seinen beiden Gefährten. Ich warte in Yassers Wohnung auf den Ruf zum Abendgebet, fest entschlossen, den Imam in die Enge zu treiben. Zwischenzeitlich ruft Kim mich an. Ich beruhige sie und verspreche ihr, sie noch vor dem Abend zurückzurufen.

Die Sonne verschwindet auf leisen Sohlen hinter dem Horizont. Der Straßenlärm verebbt nach und nach. Im Innenhof, den die Nachmittagshitze in einen Glutofen verwandelt hat, kommt ein leichter Wind auf. Yasser kehrt wenige Minuten vor dem Gebet heim. Er wirkt nicht begeistert, mich hier anzutreffen, und ist erleichtert, als er hört, dass ich keine zweite Nacht bleibe.

Beim Ruf des Muezzins mache ich mich zum dritten Mal zur Moschee auf. Die Tempelwächter warten diesmal nicht in ihrer Höhle auf mich. Sie fallen bereits einen Häuserblock von Yasser entfernt über mich her. Diesmal sind sie zu fünft. Zwei, die am Ende des Gässchens Wache schieben, während drei andere mich in einen Torbogen drängen.

«Spiel nicht mit dem Feuer, Doktor!», droht mir ein großer Kerl, der mich gegen eine Mauer drückt.

Ich wehre mich nach Kräften, um freizukommen, doch gegen seine athletischen Muskeln komme ich nicht an. In der wachsenden Finsternis sprühen seine Augen furchterregende Funken.

«Deine Nummer bringt dir hier gar nichts.»

«Meine Frau hat Scheich Marwan in der Großen Moschee getroffen. Deshalb möchte ich den Imam sehen.»

«Da hat man dir Blödsinn erzählt. Dein Typ ist hier nicht gefragt.»

«Wen störe ich denn?»

Meine Frage belustigt und nervt ihn zugleich. Er beugt sich über meine Schulter und flüstert mir ins Ohr: «Du reitest die ganze Stadt in die Scheiße.»

«Achte auf deine Ausdrucksweise!», ermahnt ihn der Kleine mit den vorstehenden Wangenknochen und der zerfurchten Stirn, der schon in der Moschee mit mir gesprochen hatte. «Wir sind hier nicht im Schweinestall.»

Der Primitive zügelt seinen Eifer und lässt von mir ab.

Einmal zurechtgewiesen, hält er sich zurück und rührt sich nicht mehr.

Der Kleine erklärt mir in versöhnlichem Ton: «Herr Doktor Amin Jaafari, ich bin sicher, dass Ihnen gar nicht bewusst ist, in was für eine Verlegenheit Ihre Anwesenheit Bethlehem stürzt. Die Menschen hier sind äußerst dünnhäutig geworden, und wenn sie nicht rebellieren, dann nur, weil sie sich nicht provozieren lassen wollen. Die Israelis warten nur auf einen Vorwand, um unsere Selbstbestimmung anzugreifen und uns in die Ghetto-Falle zu locken. Weil wir das wissen, versuchen wir, auf keinen Fall den Fehler zu begehen, auf den sie nur warten. Und Sie spielen ihnen auch noch in die Hände ...»

Er blickt mir direkt in die Augen. «Wir haben mit Ihrer Frau nichts zu tun.»

«Aber ...»

«Ich bitte Sie, Herr Doktor Jaafari. Verstehen Sie mich doch.»

«Meine Frau hat in dieser Stadt Scheich Marwan getroffen.»

«Das wird in der Tat allgemein erzählt, aber es stimmt nicht. Scheich Marwan war schon seit Ewigkeiten nicht mehr bei uns. Diese Gerüchte sollen ihn davor schützen, in eine Falle zu laufen. Jedes Mal, wenn er irgendwo auftreten möchte, wird das Gerücht in Umlauf gesetzt, dass er in Haifa, Bethlehem, Dschenin, Gaza, Nusseireth, Ramallah ist, überall zur selben Zeit, um seine Spur zu verwischen und seine Bewegungen zu schützen. Der israelische Geheimdienst ist hinter ihm her. Er hat ein ganzes Heer von Agenten aktiviert, die Alarm schlagen sollen, sobald er nur die Nase vor die Tür steckt. Vor zwei Jahren ist er auf wunderbare Weise einer von einem Hubschrauber abgeschossenen Lenkrakete entkommen. Wir haben auf diese Art schon zahlreiche Anführer unseres Kampfes verloren. Erinnern Sie sich nur, wie es Scheich Yassin getroffen hat, als er bereits alt und gebrechlich war und an den Rollstuhl gefesselt. Wir müssen sorgsam über die wenigen Führer wachen, die uns verblieben sind, Herr Doktor Jaafari. Da ist Ihr Verhalten nicht gerade hilfreich …»

Er legt mir eine Hand auf die Schulter und fährt fort: «Ihre Frau ist eine Märtyrerin. Wir werden ihr auf ewig dankbar sein. Aber das gibt Ihnen nicht das Recht, ihr Opfer zu verunglimpfen oder wen auch immer in Gefahr zu bringen. Wir respektieren Ihren Schmerz, respektieren Sie unseren Kampf.»

«Ich will wissen …»

«Dafür ist es noch zu früh, Herr Doktor Jaafari», fällt er mir kategorisch ins Wort. «Ich flehe Sie an, kehren Sie nach Tel Aviv zurück.»

Er macht seinen Männern ein Zeichen, sich zurückzuziehen.

Als wir allein sind, nur er und ich, umfasst er meinen Hals mit beiden Händen, stellt sich auf die Zehenspitzen, drückt mir gierig einen Kuss auf die Stirn und geht davon, ohne sich umzudrehen.

11.

Kim stürzt zur Tür, sobald sie es läuten hört, und öffnet, ohne zu fragen, wer da ist.

«Gott im Himmel!», ruft sie aus. «Wo warst du nur so lange?»

Sie überzeugt sich erst davon, dass ich fest auf beiden Beinen stehe und weder meine Kleidung noch mein Gesicht Spuren von Gewaltanwendung aufweisen, dann hält sie mir anklagend ihre Hände hin: «Großartig! Dank dir bin ich wieder in meine alte Unart verfallen: ich kaue Fingernägel.»

«Ich habe in Bethlehem kein Taxi gefunden, und wegen der vielen Checkpoints hat mir auch kein einziger Illegaler seine Dienste angeboten.»

«Du hättest mich ja anrufen können. Ich hätte dich gleich abgeholt.»

«Du hättest den Weg nicht gefunden. Bethlehem ist ein riesiges ineinander verschachteltes Kaff. Mit Einbruch der Dunkelheit tritt eine Art Ausgangssperre in Kraft. Ich wusste nicht, wohin ich dich hätte bestellen sollen.»

«Na gut», sagt sie und macht Platz, um mich hereinzulassen, «wenigstens bist du unversehrt.»

Sie hat einen Tisch in die Loggia gestellt und dort für uns gedeckt.

«Ich habe in deiner Abwesenheit ein bisschen eingekauft. Du hast hoffentlich noch nicht zu Abend gegessen? Ich hab ein kleines Festmahl gezaubert.»

«Ich sterbe vor Hunger.»

«Eine hervorragende Nachricht.»

«Ich habe heute mächtig geschwitzt.»

«Das habe ich mir fast gedacht ... Das Badezimmer ist bereit.»

Ich hole meinen Kulturbeutel aus dem Zimmer und verschwinde im Bad.

Ich bleibe gut zwanzig Minuten unter dem brennend heißen Duschstrahl, die Hände gegen die Wand gestützt, mit rundem Rücken und in die Halskuhle geschmiegtem Kinn. Das über meinen Körper strömende Wasser entspannt mich. Ich spüre, wie meine Muskeln sich lockern, mein Atem sich beruhigt. Kim kommt und reicht mir um den Vorhang herum einen Bademantel herein. Ihre übertriebene Schamhaftigkeit lässt mich grinsen. Ich trockne mich mit einem großen Badetuch ab, rubble kräftig Arme und Beine ab, schlüpfe in den zu weiten Bademantel, der Benjamin gehört, und gehe zu Kim hinaus auf die Loggia.

Kaum habe ich mich gesetzt, klingelt es an der Tür. Beunruhigt sehen Kim und ich uns an.

«Erwartest du jemanden?»

«Nicht dass ich wüsste», antwortet sie und geht zur Tür.

Ein langer Kerl mit Kippa und im Unterhemd rennt Kim fast um, als er eintritt. Er wirft einen raschen Blick über ihre Schulter, mustert mich und sagt: «Ich bin der Nachbar von Nummer 38. Ich habe Licht gesehen und wollte Benjamin nur mal kurz hallo sagen.»

«Benjamin ist nicht da», erwidert Kim, verärgert über so viel Dreistigkeit. «Ich bin seine Schwester, Doktor Kim Yehuda.»

«Seine Schwester? Ich habe Sie noch nie gesehen.»

«Dann sehen Sie mich eben jetzt.»

Er nickt und verlagert seinen Blick auf mich.

«Na schön», macht er, «ich hoffe, ich habe Sie nicht gestört.»

«Ist nicht weiter schlimm.»

Er tippt nachdenklich mit dem Finger an die Schläfe und zieht ab. Kim sieht ihm eine Weile hinterher, bevor sie die Tür wieder schließt.

«So was von unverschämt, dieser Typ», brummt sie, während sie zum Tisch zurückkehrt.

Wir fangen an zu essen. Das nächtliche Gezirpe um uns herum wird lauter. Ein riesiger Falter torkelt wie trunken um eine Glühbirne an der Vorderseite des Hauses. Am Himmel, an dem früher einmal unsere romantischen Akkorde verklangen, steht ein einsamer Sichelmond und schiebt sich in eine Wolke. Jenseits des Mäuerchens, das den Besitz umgibt, leuchten die Lichter Jerusalems mit all seinen Minaretten und Kirchtürmen, neuerdings durchbrochen von dieser grauenhaften und gottlosen Trennwand, hervorgebracht von der Angst der Menschen und ihrer unverbesserlichen Niedertracht. Und doch: trotz des herben Schlags, den diese Schandmauer ihr zufügt, lässt die ewige Stadt sich nicht unterkriegen. Unvergänglich liegt sie da, zwischen sanfte Ebenen und Judäas raue Wüste gebettet, und schöpft ihre Lebenskraft aus der Quelle ewiger Berufung, zu der weder die Könige von einst noch die Scharlatane von heute jemals Zugang haben. Obwohl grausam gebeutelt vom Missbrauch der einen, dem Martyrium der anderen, fällt sie nicht vom Glauben ab – heute Abend weniger denn je. Es sieht aus, als halte sie Andacht inmitten ihrer

Kerzen, als würden die Verheißungen, die ihr einst zugedacht waren, in vollem Umfang wahr, jetzt, da die Menschen sich anschicken, schlafen zu gehen. Die Stille ist ein Hafen des Friedens. Der Wind wispert im Laub, beladen mit Weihrauch und abendlichen Düften. Man müsste nur noch die Ohren spitzen, um den Pulsschlag der Götter zu hören, die Hand ausstrecken, um ihr Erbarmen zu spüren, voller Geistesgegenwart sein, um mit ihnen eins zu werden.

Als Jugendlicher habe ich Jerusalem sehr geliebt. Mir lief derselbe Schauder über den Rücken, ob ich nun vor dem Felsendom oder am Fuß der Klagemauer stand, und die Ruhe, die von der Grabeskirche ausging, bewegte mich zutiefst. Ich wanderte von Viertel zu Viertel, und es war, als wechselte ich von einem Beduinenmärchen in eine aschkenasische Fabel hinüber. Beides beglückte mich gleichermaßen, und ich musste gar kein Gewissensverweigerer sein, um allen Kriegstheorien und Hasspredigten mein Vertrauen zu entziehen. Ich musste nur meine Augen zu den Fassaden ringsum erheben, um allem zu widerstehen, was an ihrer unwandelbaren Majestät kratzen könnte. Bis heute sehnt sich Jerusalem im Spagat zwischen der Lust der Odaliske und der Enthaltsamkeit der Heiligen nach rauschenden Festen und schwärmerischen Verehrern, ist verstört durch den Tumult, den seine Sprösslinge veranstalten, und hofft allen Stürmen zum Trotz, dass ein Lichtstrahl die Seelen aus ihrer Verirrung erlöst. Abwechselnd Ghetto und Olymp, Muse und Mätresse, Tempel und Arena, leidet die Stadt darunter, ihre Dichter nicht inspirieren zu können, ohne dass die entfachte Leidenschaft rasch wieder entartet, und sie siecht, den Tod im Herzen, als ein Spiel-

ball der Launen dahin, wie ihre Gebete, die im frevleri-
schen Donner der Kanonen verpuffen ...

«Und wie war er?», unterbricht mich Kim.

«Was denn?»

«Na, dein Tag!»

Ich tupfe mir den Mund mit einer Serviette ab.

«Sie haben nicht damit gerechnet, mich noch mal zu
sehen», antworte ich. «Jetzt, wo sie mich am Hals haben,
wissen sie nicht, wo ihnen der Kopf steht.»

«Tatsächlich ...? Und worin besteht deine Taktik genau?»

«Ich habe gar keine. Da ich nicht weiß, wo ich anfangen soll, bin ich mitten hineingeplatzt.»

Sie schenkt mir Mineralwasser ein. Nicht gerade mit
ruhiger Hand.

«Und du glaubst, die sehen dir dabei tatenlos zu?»

«Ich habe nicht die leiseste Ahnung.»

«Wenn dem so ist, worauf willst du hinaus?»

«Das müssen die mir sagen, Kim. Ich bin weder Polizist noch Reporter. Ich bin nur wütend, und meine Wut
würde mich auffressen, wenn ich die Hände einfach so in
den Schoß legte. Offen gestanden weiß ich nicht so recht,
was ich will. Ich höre auf etwas tief in mir drin, das mich
lenkt, wie es will. Ich weiß nicht, wohin der Weg mich
führt, und es ist mir auch egal. Aber ich versichere dir, ich
fühle mich schon viel besser, jetzt, wo ich sie alle aufge-
rüttelt habe. Das war wie ein Schritt in den Ameisenhaufen. Hättest mal sehen sollen, was los war, als sie mich
plötzlich mitten auf ihrem Weg entdeckten ... Verstehst
du, was ich sagen will?»

«Eher nicht, Amin. Was du da vorhast, klingt nicht so,
als käme viel Gutes dabei heraus. Meiner Meinung nach

nimmst du dir die Falschen vor. Was du brauchst, ist ein Therapeut und nicht ein Guru. Diese Leute sind dir gegenüber keine Rechenschaft schuldig.»

«Sie haben meine Frau getötet.»

«Sihem hat sich selber getötet, Amin», antwortet sie sanft, als fürchte sie, schlafende Dämonen zu wecken. «Sie wusste, was sie tat. Sie hat sich ihr Schicksal selbst gewählt. Das ist nicht dasselbe.»

Kims Bemerkung erbittert mich.

Sie nimmt meine Hand. «Wenn du ohnehin nicht weißt, was du willst, warum willst du dich dann Hals über Kopf da reinstürzen? Es ist nicht der richtige Weg, Amin. Angenommen, diese Leute lassen sich dazu herab, sich mit dir zu treffen, was versprichst du dir davon? Sie werden dir sagen, dass deine Frau für die gute Sache gestorben ist, und dich auffordern, es ihr gleichzutun. Das sind Menschen, die haben der irdischen Welt längst entsagt, Amin. Erinnere dich nur daran, was Naveed gesagt hat: das sind alles potentielle Märtyrer, sie warten nur auf grünes Licht, um sich in Rauch aufzulösen. Ich versichere dir, du bist auf dem Holzweg. Lass uns nach Tel Aviv zurückfahren und die Polizei ihre Arbeit tun.»

Ich ziehe meine Hand unter ihrer weg. «Ich weiß nicht, was mit mir los ist, Kim. Ich bin vollkommen klar im Kopf, aber es drängt mich mit aller Gewalt, so zu handeln. Ich hab das Gefühl, dass ich erst dann den Tod meiner Frau verarbeiten kann, wenn ich dem Mistkerl ins Gesicht gesehen habe, der sie um den Verstand gebracht hat. Es ist mir relativ egal, was ich ihm vorwerfen könnte. Ich möchte einfach nur sehen, wie so einer aussieht, ich will verstehen, was er mehr hat als ich ... Es ist schwer zu erklären, Kim. In meinem Kopf geht es drunter und drüber. Mal mache ich mir selbst die bittersten Vorwürfe, mal kommt mir Sihem schlimmer als das billigste Flittchen vor. Ich muss einfach wissen, wer von uns beiden sich am anderen versündigt hat.»

«Und du denkst, die Antwort bei diesen Leuten zu finden.»

«Ich weiß es doch selber nicht!»

Mein Schrei hallt durch die Stille wie eine Detonation. Kim sitzt wie gelähmt auf ihrem Stuhl, eine Serviette gegen den Mund gepresst, die Augen weit aufgerissen.

Ich hebe beschwichtigend die Hände: «Bitte, Kim, du musst entschuldigen ... Diese ganze Geschichte überfordert mich, das sieht selbst ein Blinder. Aber ich muss meinem Bedürfnis nachgeben. Wenn mir irgendetwas zustößt, dann ist es vielleicht genau das, worauf ich aus war.»

«Ich mache mir Sorgen um dich.»

«Daran zweifle ich keine Sekunde, Kim. Ich schäme mich manchmal richtig für mein Benehmen, und doch kann ich einfach keine Vernunft annehmen. Und je mehr man mir zuredet, endlich vernünftig zu werden, umso weniger habe ich Lust, mich zu beherrschen ... Verstehst du das, Kim?»

Kim legt die Serviette beiseite, ohne zu antworten. Ihre Lippen bewegen sich eine lange Minute nervös hin und her, bevor sie die richtigen Worte finden. Sie atmet tief durch, blickt mich schmerzbewegt an und beginnt zu erzählen: «Ich habe mal jemanden gekannt, vor langer Zeit. Ein ganz normaler Junge war das, nur dass er mir auf den ersten Blick ins Auge stach. Er war nett und zärtlich. Es ist mir ein Rätsel, wie er es angestellt hat, aber nach dem ersten Flirt war er der Mittelpunkt meiner Welt. Ich war wie vom Blitz getroffen, sobald er mir zulächelte, und wenn er mich mal finster ansah, musste ich am hellen Tag sämtliche Lichter andrehen, um meine Umwelt zu erkennen, so weit ging das. Ich habe ihn geliebt, wie man nur selten jemanden liebt. Ab und zu, auf dem Gipfel des Glücks, habe ich mir die furchtbare Frage gestellt: und wenn er mich nun verlässt? Und schon sah ich, wie meine Seele sich von meinem Körper löste. Ohne ihn war ich nichts. Und doch hat er eines Abends aus heiterem Himmel seine Sachen in einen Koffer gepackt und sich aus meinem Leben verabschiedet. Jahrelang hatte ich das Gefühl, eine leere Hülle zu sein, einfach vergessen und liegen gelassen nach der Häutung. Eine durchsichtige, im Nichts schwebende Hülle. Dann sind noch mehr Jahre vergangen, und ich habe gemerkt, dass ich noch immer da war, dass meine Seele mich nie im Stich gelassen hatte, und mit einem Mal war ich wieder ich selbst …»

Ihre Finger legen sich schützend um meine und drücken sie. «Was ich sagen will, ist einfach, Amin. Selbst wenn du ständig mit dem Schlimmsten rechnest, es kommt doch immer überraschend für dich. Und wenn du das Pech hast, dass es dich ganz nach unten verschlägt, dann liegt es an dir, und nur an dir, ob du dort bleibst oder dich aufraffst, wieder nach oben zu kommen. Heiß und Kalt trennt nur ein Schritt. Man muss wissen, wohin man die Füße setzt. Wie schnell rutscht man aus! Eine überstürzte Bewegung, schon liegt man auf dem Boden. Aber ist es das Ende der Welt? Ich glaube kaum. Um wieder auf die Beine zu kommen, muss man sich nur damit abfinden, dass es ist, wie es ist.»

Draußen fährt mit quietschenden Bremsen ein Wagen

vor. Türen schlagen, Geräusche von Schritten überdecken das Grillengezirp. Es klopft an der Tür, dann klingelt es. Kim macht auf. Es ist die Polizei in Begleitung des Nachbarn von Nummer 38. Der Offizier ist ein blonder Mann mittleren Alters, schmal und höflich; drei Polizisten eskortieren ihn, bewaffnet bis an die Zähne. Er entschuldigt sich für die Störung und fragt nach unseren Papieren. Wir gehen jeder in sein Zimmer, um die gewünschten Dokumente zu holen, und die Polizisten folgen uns auf Schritt und Tritt.

Der Offizier kontrolliert unsere Personal- und Arztausweise, stutzt, als er meinen sieht.

«Sie sind Israeli, Herr Jaafari?»

«Ist das ein Problem für Sie?»

Er mustert mich irritiert, gibt uns die Papiere zurück und wendet sich an Kim. «Sie sind die Schwester von Benjamin Yehuda, gnädige Frau?»

«Ja.»

«Ihr Bruder ist ein guter alter Bekannter von mir. Ist er noch immer nicht aus den USA zurück?»

«Er ist in Tel Aviv. Um ein Friedensforum vorzubereiten.»

«Ach ja. Hatte ich ganz vergessen. Ich habe gehört, er sei vor kurzem operiert worden. Ich hoffe, es geht ihm wieder besser ...»

«Mein Bruder hat sein Lebtag noch keinen Fuß in einen OP-Saal gesetzt, Herr Offizier.»

Er nickt, verabschiedet sich von ihr und macht seinen Männern Zeichen, ihm auf die Straße zu folgen. Bevor er die Tür wieder schließt, hören wir den Nachbarn von Nummer 38, wie er erklärt, dass Benjamin noch nie etwas von einer Schwester erzählt hat. Draußen geht wieder geräuschvoll der Wagenschlag, und die Polizei braust mit quietschenden Reifen davon.

«Hier herrscht aber Vertrauen!», entfährt es mir.

«Das kann man wohl sagen!» Kim kommt zu mir an den Tisch zurück.

Die Nacht über mache ich kein Auge zu. Bald stiere ich Löcher in die Decke, bald zünde ich eine weitere Zigarette an und kaue endlos Kims Worte wieder, ohne ihnen irgendeinen Geschmack abzugewinnen. Kim versteht mich nicht. Und, was viel schlimmer ist, ich bin auch nicht weiter als sie. Doch ich ertrage es nicht länger, dass man mir schulmeisterlich kommt. Ich will nur noch auf dieses Etwas hören, das sich in meinem Kopf festgesetzt hat und mich beinahe wider meinen Willen zu dem einzigen Tunnelausgang hinzieht, der mir noch einen Schimmer Licht verheißt, zur Stunde, da alle anderen Ausgänge sich vor mir verschließen.

Am nächsten Morgen, als Kim noch schläft, schleiche ich mich in aller Herrgottsfrühe aus dem Haus und nehme ein Taxi nach Bethlehem. Die Große Moschee ist wie ausgestorben. Einem Gläubigen, der damit beschäftigt ist, Bücher in ein wackliges Regal zu räumen, bleibt keine Zeit, mich abzufangen. Ich durchquere in Windeseile den Gebetssaal, hebe den Vorhang hinter dem Minbar an und lande in einem schlichten Zimmer, in dem ein junger weißgewandeter Mann mit einer kleinen Mütze auf dem Kopf im Koran liest. Er sitzt im Schneidersitz auf einem Kissen, vor sich einen niedrigen Tisch. Der Gläubige kommt hinter mir hereingeplatzt und packt mich bei der Schulter. Ich stoße ihn zurück und baue mich vor dem Imam auf, der, empört über mein Eindringen, seinen Anhänger bittet, sich ruhig zu verhalten. Letzterer zieht sich grummelnd zurück. Der Imam klappt sein Buch zu und mustert mich. Sein Blick ist dunkel vor Wut.

«Das ist hier doch kein Taubenschlag.»

«Es tut mir leid, aber es war die einzige Möglichkeit, an Sie heranzukommen.»

«Das ist noch lange kein Grund.»

«Ich muss mit Ihnen reden.»

«Worum geht es?»

«Ich bin Doktor …»

«Ich weiß, wer Sie sind. Ich war es, der darum gebeten hatte, dass man Sie fernhält von der Moschee. Ich wüsste nicht, was Sie in Bethlehem zu finden hoffen, ich denke, Ihre Anwesenheit hier bei uns ist keine gute Idee.»

Er legt den Koran auf einen zierlichen Leseständer und erhebt sich. Er ist klein und asketisch, doch von seiner Person geht eine eiserne Energie und Willenskraft aus.

Seine Augen, schwarz glänzend, dringen tief in mich hinein.

«Sie sind uns hier nicht willkommen, Herr Doktor Jaafari. Sie haben auch nicht das Recht, diese geweihte Stätte zu betreten, ohne sich vorher die Schuhe auszuziehen und die Füße zu waschen», fügt er hinzu, während er sich mit dem Finger über die Mundwinkel fährt. «Wenn Sie schon den Kopf verlieren, dann wahren Sie wenigstens den Schein der Korrektheit. Sie befinden sich in einem Gotteshaus. Und wir wissen, dass Sie ein widerspenstiger Gläubiger sind, fast schon ein Renegat, der vom Weg seiner Vorfahren abgewichen ist, nicht nach ihren Prinzipien lebt und sich längst von der gemeinsamen Sache verabschiedet hat, indem er sich für eine andere Nationalität entschied … Oder sollte ich mich täuschen?»

Angesichts meines Schweigens verzieht er verächtlich das Gesicht und verfügt: «Folglich sehe ich nichts, worüber wir reden könnten.»

«Über meine Frau!»

«Sie ist tot», kontert er barsch.

«Aber ich habe ihren Tod noch nicht verwunden.»

«Das ist Ihr Problem, Herr Doktor.»

Sein harscher Ton, die Art, wie er mich abkanzelt, verunsichern mich. Ich kann nicht glauben, dass ein Mann, der Gott so nahe sein soll, den Menschen so fern sein kann, so gleichgültig gegenüber ihrem Schmerz.

«Ich mag die Art nicht, wie Sie mit mir reden.»

«Es gibt sehr viele Dinge, die Sie nicht mögen, Herr Doktor. Ich denke nicht, dass Sie das von irgendetwas entbindet. Ich weiß nicht, wer für Ihre Erziehung zuständig war, doch eins ist gewiss: Sie waren in keiner guten Schule. Außerdem: nichts berechtigt Sie dazu, diese empörte Miene aufzusetzen oder sich über das einfache Volk zu erheben; weder Ihr sozialer Aufstieg noch der Mut Ihrer Frau, der, nebenbei bemerkt, Sie in unserer Achtung keineswegs steigen lässt. Für mich sind Sie nur ein armer Unglücklicher, eine erbärmliche Waise ohne Glaube und Heil, die wie ein Schlafwandler am helllichten Tag durch die Gegend irrt. Und auch wenn Sie über das Wasser wandelten, es wüsche Sie doch nicht rein von der Schande, die Sie verkörpern. Denn der wahre Bastard ist nicht der, welcher seinen Vater nicht kennt, sondern jener, der sein Vaterland nicht kennt. Von allen räudigen

Schafen ist er am meisten zu bedauern und am wenigsten zu beklagen.»

Er mustert mich geringschätzig. Sein Mund sieht aus, als beiße er gleich zu: «Und jetzt gehen Sie! Sie bringen den bösen Blick in unser Haus.»

«Ich verbiete Ihnen …»

«Hinaus!» Sein Arm zuckt zum Vorhang, als ziehe er ein Schwert.

«Noch etwas, Herr Doktor: zwischen gesellschaftlicher Integration und persönlicher Isolation ist der Spielraum äußerst klein. Der geringste Hauch von Übereifer kann bereits alles verderben.»

«Sie Erleuchteter, Sie!»

«Von Gott Erleuchteter», korrigiert er mich.

«Sie glauben tatsächlich, Sie seien mit einer göttlichen Mission betraut.»

«Das ist jeder Rechtschaffene. Andernfalls wäre er nur eitel, selbstsüchtig und ungerecht.»

Er klatscht in die Hände. Der Schüler, der offensichtlich hinter der Tür gelauscht hatte, taucht auf und packt mich erneut bei der Schulter. Ich stoße ihn erbost weg und wende mich zum Imam: «Ich werde Bethlehem nicht verlassen, solange ich keinen Verantwortlichen Ihrer Bewegung gesprochen habe.»

«Bitte gehen Sie endlich», erwidert der Imam, greift nach seinem Buch auf dem Leseständer, nimmt wieder auf seinem Kissen Platz und tut so, als sei ich schon nicht mehr vorhanden.

Kim ruft mich auf meinem Handy an. Sie ist wütend, weil ich sie sitzen gelassen habe. Um sie versöhnlich zu stimmen, willige ich ein, dass sie nach Bethlehem nachkommt, und bestelle sie zu einer Tankstelle am Ortseingang. Von dort aus fahren wir zu meiner Milchschwester, die sich von ihrem letzten Rückfall noch nicht wieder erholt hat.

Überzeugt, dass die Männer des Imams sich schon bemerkbar machen würden, bleiben wir bei Leila am Krankenbett. Yasser stößt wenig später dazu. Er trifft Kim dabei an, wie sie sich gerade um seine Frau kümmert, und versucht gar nicht erst herauszufinden, ob es eine Freundin von mir oder eine in der Not herbeigerufene Ärztin ist. Wir ziehen uns in ein Zimmer zurück, um ein wenig zu plaudern. Um mich daran zu hindern, ihm den Feierabend zu verderben, zählt er mir sämtliche Gefahren auf, die seine Ölpresse bedrohen, die Schulden, die ihm über den Kopf wachsen, der erpresserische Druck, den seine Gläubiger auf ihn ausüben. Ich höre ihm zu, bis ihm die Puste ausgeht. Dann berichte ich ihm meinerseits von meiner kurzen Unterredung mit dem Imam. Er begnügt sich damit, hin und wieder zu nicken, während sich auf seiner Stirn eine tiefe Falte abzeichnet. Vorsichtig, wie er ist, riskiert er keinen Kommentar, doch die Haltung des Imams mir gegenüber beunruhigt ihn ernstlich.

Am Abend beschließe ich, da bislang nichts passiert ist, mich nochmals zur Moschee aufzumachen. In einer schmalen Gasse fallen zwei Männer über mich her. Der erste packt mich am Kragen und schlägt mir mit dem Fuß die Beine weg; der zweite verpasst mir einen gezielten Kniestoß in die Seite, bevor ich am Boden aufschlage. Ich bringe mein verletztes Handgelenk unter der Achsel in Sicherheit, schirme mein Gesicht mit beiden Armen ab und krümme mich, so gut es geht, um mich vor den Hieben zu schützen, die von allen Seiten auf mich niederprasseln. Die beiden Männer lassen nicht von mir ab und versprechen, mich an Ort und Stelle zu lynchen, wenn sie mich noch einmal hier herumstreichen sehen. Ich versuche, mich hochzurappeln und zum nächsten Torbogen zu schleppen. Doch sie schleifen mich an den Füßen in die Mitte der Gasse, treten mir immer weiter in Rücken und Beine. Die paar Zuschauer, die in der Gasse auftauchen, verdrücken sich schleunigst und überlassen mich dem Wüten meiner Angreifer. Inmitten des Gebrülls und Schlagens explodiert etwas in meinem Kopf, danach verliere ich die Besinnung ...

Als ich wieder zu mir komme, finde ich mich in einer Gruppe kleiner Jungen wieder. Einer will wissen, ob ich tot bin, ein anderer erklärt, dass ich vermutlich besoffen sei – und alle weichen erschreckt zurück, als ich mich plötzlich aufsetze.

Es ist Nacht. Ich taste mich mit zittrigen Knien und brummendem Schädel an den Mauern entlang. Unter tausenderlei Verrenkungen komme ich endlich am Haus meines Schwagers an.

«Mein Gott!», schreit Kim auf.

Zusammen mit Yasser hilft sie mir, mich auf dem Sofa auszustrecken, und macht sich daran, mein Hemd aufzuknöpfen. Erleichtert stellt sie fest, dass mein Körper nur Abschürfungen und Prellungen aufweist, aber keine Spuren von Stech- oder Schusswunden. Nachdem sie mich provisorisch verarztet hat, greift sie zum Telefon, um die Polizei zu rufen – als Yasser das sieht, trifft ihn fast der Schlag. Ich erkläre Kim, dass das überhaupt nicht in Frage kommt und ich nicht im mindesten die Absicht habe, jetzt zu kneifen, vor allem nicht nach dieser Abreibung, die man mir gerade verpasst hat. Sie protestiert, schimpft, ich sei verrückt, und fleht mich an, unverzüglich mit ihr nach Jerusalem zurückzufahren. Ich weigere mich kategorisch, Bethlehem zu verlassen. Kim begreift, dass ich blind vor Hass bin und nichts und niemand mich von meiner fixen Idee abbringen wird.

Am nächsten Morgen humple ich, am ganzen Körper grün und blau, zur Moschee zurück. Diesmal wirft mich keiner hinaus. Manche Gläubige halten mich für nicht ganz zurechnungsfähig, als sie sehen, dass ich nicht aufstehe zum Gebet.

Am Abend meldet sich jemand bei Yasser und kündigt an, dass in einer halben Stunde jemand vorbeikäme, um mich abzuholen. Kim rät mir ab, sie hält das für eine Falle. Mir ist es egal. Ich bin es leid, dem Teufel ständig nach den Hörnern zu greifen und doch immer nur seinen Pferdefuß abzukriegen. Ich will ihn endlich als Ganzes sehen, selbst wenn ich den Rest meines Lebens darunter leiden müsste.

Zunächst taucht ein Junge bei Yasser auf. Er bittet mich, ihm bis zum Platz zu folgen, wo ihn ein Jugendlicher ablöst, der mich lange durch einen in Dunkelheit getauchten Vorort führt. Ich habe ihn im Verdacht, im Kreis zu laufen, um mir die Orientierung zu nehmen. Schließlich gelangen wir zu einem schäbigen Laden, wo ein Mann neben einem halb heruntergelassenen Eisenrollo wartet. Er schickt den Jugendlichen weg und bittet mich, ihm ins Innere des Gebäudes zu folgen. Am Ende eines mit leeren Kästen und aufgerissenen Kartons vollgestellten Korridors übernimmt mich ein zweiter Mann. Wir überqueren einen kleinen Platz und kommen in einen spärlich beleuchteten Innenhof. In einem kahlen Raum erhalte ich einen Jogginganzug und Turnschuhe, beides neu, und werde gebeten, mich umzuziehen. Der Mann erklärt mir, das seien Vorsichtsmaßnahmen, für den Fall, dass der Shin Beth mir eine Wanze untergejubelt hat, die ihm jederzeit meinen genauen Standort verraten könnte. Er kontrolliert auch gleich, ob ich nicht vielleicht ein Mikrophon oder sonstige technische Spielereien bei mir habe. Eine Stunde später holt mich ein Lieferwagen ab. Man verbindet mir die Augen und hievt mich auf die Ladefläche. Nach einer Unzahl von Kurven und Umwegen höre ich ein Tor quietschen und sich hinter dem Wagen wieder schließen. Ein Hund beginnt zu bellen und wird sofort von einer Männerstimme zur Ordnung gerufen. Arme richten mich auf und entfernen die Binde von meinen Augen. Ich befinde mich in einem großen Hof, an dessen Ende bewaffnete Silhouetten nur auf mich zu warten scheinen. Sekundenlang läuft mir ein unheimlicher Schauer über den Rücken; ich habe plötzlich Angst und das Gefühl, in der Falle zu sitzen.

Der Fahrer des Lieferwagens packt mich am Ellenbogen und schiebt mich zu einem Haus auf der rechten Seite. Weiter begleitet er mich nicht. Ein großer Kerl vom Aussehen eines Türstehers bittet mich in ein mit Wollteppichen ausgelegtes Zimmer, in dem mir ein junger Mann im schwarzen *kamis* mit Stickereien an Ausschnitt und Ärmeln mit weit geöffneten Armen entgegenkommt.

«Bruder Amin, es ist ein Privileg für mich, dich in meiner bescheidenen Klause zu empfangen», ruft er mit leicht libanesischem Akzent.

Sein Gesicht sagt mir nichts. Ich glaube kaum, ihn vorher schon einmal getroffen oder gesehen zu haben. Ein schöner Mann, mit hellen Augen und feinen Zügen, die ein Schnäuzer, der zu buschig ist, um echt zu sein, teilweise verdeckt. Er ist höchstens dreißig.

Er kommt auf mich zu, umarmt mich fest und klopft mir auf den Rücken, ganz nach Art der Mudschaheddin.

«Bruder Amin, du mein Freund und mein Schicksal. Du ahnst nicht, wie geehrt ich bin.»

Ich halte es für überflüssig, ihn an die Hiebe zu erinnern, die mir seine Schergen am Abend zuvor verpasst haben.

«Komm», sagt er und fasst nach meiner Hand, «setz dich zu mir auf die Bank.»

Ich sehe zu dem Koloss hinüber, der vor der Tür Wache schiebt. Mit kaum merklichem Kopfnicken schickt mein Gastgeber ihn weg.

«Es tut mir unendlich leid wegen gestern», bekennt er, «aber du musst zugeben, du hast es auch ein bisschen herausgefordert.»

«Wenn das der Preis war, den man zahlen muss, um Ihnen zu begegnen, dann finde ich die Rechnung ziemlich gepfeffert.»

Er lacht. «Andere vor dir sind nicht so billig davongekommen», bekennt er nicht ohne einen Anflug von Überheblichkeit. «Wir machen Zeiten durch, wo nichts dem Zufall überlassen bleiben darf. Die kleinste Nachlässigkeit, und schon kann alles wegbrechen.»

Er rafft sein langes Gewand zusammen und lässt sich im Schneidersitz auf einer Matte nieder.

«Dein Schmerz bewegt mich zutiefst in der Seele, Bruder Amin. Gott sei mein Zeuge, ich leide ebenso wie du.»

«Das bezweifle ich. Diese Dinge kann man nicht gerecht teilen.»

«Auch ich habe Angehörige verloren.»

«Unter denen hatte ich weniger zu leiden als Sie.»

Er kneift die Lippen zusammen: «Ich verstehe …»

«Das hier ist kein Höflichkeitsbesuch», erkläre ich ihm.

«Ich weiß … Was kann ich für dich tun?»

«Meine Frau ist tot. Aber bevor sie sich inmitten einer Schar Schüler in die Luft gesprengt hat, ist sie in diese Stadt gekommen, um hier ihren Guru zu treffen. Ich bin sehr zornig, dass sie mir irgendwelche Fundamentalisten vorgezogen hat», füge ich hinzu, unfähig, die neuerliche Wut zu unterdrücken, die wie eine Flut in mir hochsteigt. «Und ich bin noch einmal so zornig, wenn ich bedenke, dass ich nicht das Geringste gemerkt habe. Ich gestehe, ich bin sehr viel zorniger darüber, dass ich nichts habe kommen sehen, als über alles andere. Meine Frau Islamistin? Und seit wann, bitte schön? Das will mir noch immer nicht in den Kopf. Sie war doch ein Kind ihrer Zeit. Sie ging gern auf Reisen und gerne schwimmen, trank ihre Limonade auf den Terrassen der Milchbars und war viel zu stolz auf ihr Haar, um es unter einem Schleier zu verstecken … Was habt ihr ihr nur erzählt, um aus ihr ein Monster zu machen, eine Terroristin, eine fundamentalistische Selbstmordkandidatin, sie, die es noch nicht ein mal ertrug, einen Welpen wimmern zu hören?»

Er wirkt enttäuscht. Seine Charmeoffensive, an der er bestimmt stundenlang herumgefeilt hat, bevor er mich empfangen hat, war nicht erfolgreich. Mit einer solchen Reaktion hat er nicht gerechnet. Vermutlich hatte er gehofft, mich durch die abenteuerliche Inszenierung unserer etappenweisen Annäherung bis hin zu meiner Quasientführung genügend beeindruckt zu haben, um mich in die schwächere Position zu manövrieren. Ich verstehe ja selber nicht, woher meine unverschämte Angriffslust rührt, die mir die Hände zittern lässt, ohne dass meine Stimme bebt, die mein Herz aufputscht, ohne dass mir die Knie weich werden. In der Spannung zwischen meinem mulmigen Gefühl und der Wut, die die hochtönende Inbrunst und die deplatzierte Maskerade meines Gastgebers in mir aufkommen lassen, entscheide ich mich für die Verwegenheit. Ich muss diesem Möchtegern-Feldherr einfach klar machen, dass ich ihn nicht fürchte, ich muss ihm den Groll und den Abscheu, den solche Eiferer wie er in mir auslösen, ins Gesicht spucken.

Lange verknotet der Kommandeur seine Finger ineinander, nicht wissend, wo er anfangen soll, bis er schließlich seufzend erwidert: «Die Härte deiner Vorwürfe gefällt mir nicht, Bruder Amin. Aber ich halte sie deinem Kummer zugute.»

«Sie können sie halten, wohin Sie wollen.»

Sein Gesicht verfärbt sich dunkelrot. «Ich bitte dich, keine Grobheiten. Das ertrage ich nicht. Vor allem nicht aus dem Mund eines berühmten Chirurgen. Ich habe aus einem simplen Grund eingewilligt, dich zu empfangen: um dir ein für alle Mal klar zu machen, dass es völlig überflüssig ist, wenn du dich bei uns in der Stadt zum Gespött der Leute machst. Es gibt hier nichts für dich zu holen. Du wolltest einen Verantwortlichen unserer Bewegung treffen. Nun, das ist geschehen. Jetzt wirst du nach Tel Aviv zurückkehren und unser Gespräch ganz schnell vergessen. Noch etwas: Ich persönlich habe deine Frau nicht gekannt. Sie hat nicht unter unserer Flagge gekämpft, aber wir schätzen ihre Tat außerordentlich.»

Er betrachtet mich mit glühendem Blick. «Eine letzte Bemerkung, Herr Doktor. In deinem Bestreben, deinen

Adoptivbrüdern möglichst ähnlich zu werden, verlierst du mit der Zeit den Blick für die Deinen. Ein Islamist ist ein politischer Aktivist. Er hat nur einen Wunsch: einen theokratischen Staat in seinem Land zu errichten und in den vollen Genuss seiner Souveränität und Unabhängigkeit zu gelangen … Ein Fundamentalist dagegen ist ein Dschihadist bis zum bitteren Ende. Er glaubt weder an die Souveränität muslimischer Staaten noch an ihre Autonomie. Für ihn sind das alles nur Vasallenstaaten, die früher oder später in einem einzigen Kalifat aufgehen werden. Denn der Fundamentalist träumt von der einen und unteilbaren Umma, die sich von Indonesien bis Marokko erstreckt, um den Westen, wenn er ihn schon nicht bekehren kann, zu unterwerfen oder zu vernichten … Wir sind weder Islamisten noch Fundamentalisten, Herr Doktor Jaafari. Wir sind nur die Kinder eines verhöhnten und beraubten Volkes, die sich mit dem wenigen, was sie haben, dafür einsetzen, ihr Vaterland und ihre Würde zurückzuerlangen, nicht mehr und auch nicht weniger.»

Er mustert mich prüfend, um zu sehen, ob ich alles verdaut habe. Dann versinkt er wieder in die Betrachtung seiner makellos gepflegten Fingernägel und fährt fort. «Ich habe deine Frau nie kennen gelernt, was ich sehr bedauere. Sie hätte es verdient, dass man ihr die Füße küsst. Das Geschenk, das sie uns mit ihrem Opfer gemacht hat, ist lehrreich und ermutigend. Ich verstehe, dass du dich hintergangen fühlst. Aber nur, weil du dir der Tragweite ihrer Tat noch nicht bewusst bist. Momentan sträubt sich dein gekränkter Gattenstolz noch dagegen. Eines Tages wird er klein beigeben, und dann wirst du klarer sehen. Über den Tellerrand hinaus. Wenn deine Frau dir nichts von ihrem Kampf erzählt hat, heißt das nicht, dass sie dich verraten hat. Sie hatte dir nichts zu sagen. Sie hatte niemandem Rechenschaft abzulegen. Da sie ihr Leben Gott anheim gestellt hat … Ich bitte dich nicht, ihr zu verzeihen – was ist schon die Verzeihung eines Ehemanns gegen den Empfang der Gnade Gottes? Ich bitte dich nur, ein neues Kapitel aufzuschlagen. Die Geschichte geht immer weiter.»

«Ich will aber wissen, warum», antworte ich beharrlich.

«Warum was? Das ist ihre Geschichte. Eine Geschichte, die dich nicht betrifft.»

«Ich war doch ihr Mann.»

«Das wusste sie wohl. Wenn sie dir nichts anvertrauen wollte, dann hatte sie ihre Gründe dafür. Auf diese Weise disqualifizierte sie dich.»

«Unsinn! Sie hatte mir gegenüber Verpflichtungen. Man lässt seinen Mann doch nicht einfach so im Stich. Jedenfalls nicht einen wie mich. Ich hab mir ihr gegenüber nie etwas zuschulden kommen lassen. Und sie hat mein ganzes Leben zerstört. Nicht nur ihres. Mein Leben und das von siebzehn anderen Menschen, die sie überhaupt nicht kannte. Und da fragen Sie mich, warum ich wissen will? Nun, ich will alles wissen, einfach alles, die ganze und komplette Wahrheit.»

«Welche? Deine oder ihre? Die einer Frau, die begriffen hat, was ihre Pflicht war, oder die eines Mannes, der glaubt, dass es genügt, einem Drama den Rücken zu kehren, um seine Hände in Unschuld zu waschen? Welche Wahrheit möchtest du wissen, *Doktor Amin Jaafari*? Die des Arabers, der glaubt, dass er mit einem israelischen Pass aus dem Schneider ist? Die des Quotenmohren vom

Dienst, den man alle naselang mit Ehrungen überhäuft und auf Empfänge einlädt, um allen zu zeigen, wie tolerant und aufmerksam man ist? Die von jemandem, der glaubt, wenn er seine Weste wendet, hätte er zugleich seine Haut gewendet und die perfekteste aller Häutungen vollzogen? Ist das die Wahrheit, die du suchst, oder eher die, vor der du fliehst ...? Nein, auf welchem Planeten lebst du bloß, *mein Herr*? Wir sind in einer Welt, die sich jeden Tag, den Gott werden lässt, selbst zerfleischt. Des Abends sammeln wir unsere Toten ein, und des Morgens beerdigen wir sie. Unserem Vaterland wird blindlings Gewalt angetan, unsere Kinder wissen nicht mehr, was das Wort Schule heißt, unsere Töchter haben zu träumen verlernt, seit ihre Märchenprinzen ihnen die Intifada vorziehen, unsere Städte brechen unter Panzerraupen weg, und unsere Schutzheiligen können nur noch die Hände ringen. Und nur, weil du warm und gemütlich in deinem goldenen Käfig sitzt, lehnst du es ab, die Hölle, in der wir leben, zur Kenntnis zu nehmen. Das ist dein gutes Recht, gewiss. Jeder steuert sein Schiff, wie es ihm gefällt. Aber dann komm bitte nicht daher und frag nach denen, die, angewidert von deiner Gefühllosigkeit und deinem Egoismus, nicht zögern, ihr Leben zu geben, um dich zu dir selbst zu erwecken ... Deine Frau ist um *deiner* Erlösung willen gestorben, Herr Jaafari.»

«Du redest von Erlösung!» Jetzt duze ich ihn auch. «Du, der sie am nötigsten hat ... Du wagst es, mir von Egoismus zu sprechen, mir, dem man das Liebste, was er hatte, genommen hat ...? Du wagst es, mich mit deinen Geschichten von Tapferkeit und Würde voll zu labern, während du sauber in der Ecke hocken bleibst und Frauen und Kinder losschickst, um dir die Kohlen aus dem Feuer zu holen? Du irrst dich gewaltig: wir leben alle auf demselben Planeten, *mein Bruder*, aber wir logieren nicht unter derselben Adresse. Du hast dich fürs Töten entschieden, ich dafür, Leben zu retten. Was dir der Feind ist, ist mir der Patient. Ich bin weder egoistisch noch gleichgültig, und ich habe genauso viel Selbstachtung wie jeder. Ich will einfach nur mein Stück Leben leben, ohne an das der anderen zu rühren. Ich glaube nicht an Verheißungen, die das Leid glorifizieren und den gesunden Menschenverstand missachten. Ich bin nackt zur Welt gekommen und ich werde nackt von ihr scheiden. Was ich besitze, gehört mir nicht. Nicht mehr als das Leben der anderen. Das ganze Unglück der Menschheit gründet auf diesem Missverständnis: was Gott dir leiht, musst du zurückgeben können. Kein Ding auf Erden gehört wirklich dir. Weder das Vaterland, von dem du redest, noch das Grab, in dem du zu Staub unter Staub wirst.»

Unablässig rede ich auf ihn ein. Der Kommandeur zuckt nicht mit der Wimper. Er hört mir bis zum Ende zu, den Blick auf seine Fingernägel gerichtet, ohne meine Spuckespritzer von der Wange zu wischen.

Nach langem Schweigen, das mir endlos vorkommt, zieht er eine Augenbraue hoch, atmet tief durch und blickt mich endlich an.

«Was ich gehört habe, bestürzt mich, Amin, es zerreißt mir das Herz und die Seele. Wie groß auch immer dein Schmerz sein mag, du hast nicht das Recht, derart frevlerisch zu reden. Du erzählst mir von deiner Frau und hörst nicht zu, wenn ich dir von deinem Vaterland erzähle. Wenn du keins willst, zwinge nicht die anderen dazu, auf das ihre zu verzichten. Jene, die es leidenschaftlich einfordern, geben ihr Leben dafür hin, Tag für Tag und Nacht für Nacht. Für sie ist es unvorstellbar, von den anderen verachtet, sich selbst verachtend, dahinzuvegetieren. Für sie gibt es nur Selbstbestimmung oder Tod, Freiheit oder Verderben, Würde oder Grab. Und kein Schmerz und keine Trauer wird sie je davon abhalten, für das zu kämpfen, was sie, übrigens zu Recht, als das Wesentliche ihrer Existenz ansehen: die Ehre. ‹*Die Glückseligkeit ist nicht der Lohn der Tugend, sondern die Tugend selbst.*›»

Er klatscht in die Hände. Die Tür öffnet sich, und der Koloss erscheint. Die Unterredung ist beendet.

Bevor er mich endgültig entlässt, fügt er noch hinzu: «Du machst mir großen Kummer, Doktor Amin Jaafari. Es ist klar, wir haben nicht denselben Weg. Wir könnten noch Monate und Jahre mit dem Versuch verbringen, uns einander verständlich zu machen, und doch würde keiner von beiden auf den anderen hören wollen. Nutzlos, noch weiterzumachen. Fahr nach Hause. Wir haben einander nichts mehr zu sagen.»

12.

Kim hatte recht, ich hätte den Brief doch Naveed geben sollen; er hätte ihn besser zu nutzen gewusst. Sie hatte auch recht, als sie mich vor mir selber warnte, denn von all den Ungeheuerlichkeiten der letzten Zeit war mein Verhalten jene, die sich am schwersten eingestehen lässt. Es hat gedauert, bis ich bereit war, das einzusehen. Ich habe gewaltiges Glück, mit dem Leben davongekommen zu sein – zwar unverrichteter Dinge, nicht gänzlich unbeschadet, aber doch in einem Stück. Das Scheitern dieses Abenteuers wird mir noch lange zusetzen, hartnäckig und widerwärtig. Was hat es mir letztlich gebracht? Eigentlich bin ich nur um eine Illusion gekreist, wie der Falter, der um eine Funzel schwirrt, mehr von seiner unbändigen Neugier getrieben als vom tödlichen Licht der Kerze in Bann gezogen. Die Falltür, die ich unbedingt öffnen wollte, hat mir nicht eins ihrer Geheimnisse preisgegeben. Nur ihren Modergeruch und ihre Spinnweben hat sie mir ins Gesicht geweht.

Nichts drängt mich mehr, noch weiter zu forschen.

Jetzt, wo ich mit eigenen Augen gesehen habe, wie ein Kriegstreiber und ein Kamikaze-Macher aussehen, setzt mein innerer Dämon mir weniger zu. Ich habe beschlossen, aufzuhören: ich fahre zurück nach Tel Aviv.

Kim ist erleichtert. Sie chauffiert schweigend, die Hände fest ums Lenkrad gelegt, als müsse sie sich erst klar machen, dass sie nicht halluziniert, sondern mich wirklich und wahrhaftig nach Hause fährt. Seit dem Morgen vermeidet sie jedes Wort, aus Angst, es könnte das falsche sein und ich könne schlagartig meine Meinung ändern. Sie ist in aller Frühe aufgestanden, hat geräuschlos zusammengepackt und mich erst geweckt, als die Wohnung aufgeräumt und der Wagen startklar war.

Wir rasen mit Scheuklappen durch die jüdischen Viertel. Den Blick stur geradeaus und bloß nicht länger auf irgendetwas verweilen lassen. Das kleinste Versehen könnte eine Lawine auslösen. Kim hat nur Augen für die Straße, die sich vor ihr entrollt, auf geradem Weg hinaus aus der Stadt. Von den Schrecken der Nacht befreit, kündigt der Tag sich strahlend an. Ein makelloser Himmel wölbt sich reglos, noch im Schlaf des Gerechten. Die Stadt scheint nur mit Mühe zu erwachen. Einige Frühaufsteher lösen sich hier und da mit traumverquollenen Augen aus dem Dunkel, huschen wie Schatten die Wände entlang. Hin und wieder erklingt ein einsames Geräusch, ein Eisenrollo, das hochgezogen, ein Wagen, dessen Motor angelassen wird. Ein Omnibus fährt spuckend und fauchend in einen Busbahnhof ein. In Jerusalem ist man morgens sehr vorsichtig: es sind für gewöhnlich die ersten Gesten und Taten der Morgendämmerung, die das Gesicht des Tages prägen.

Kim nutzt den flotten Verkehrsfluss aus, um schnell, sehr schnell zu fahren. Sie merkt gar nicht, wie nervös sie ist. Man könnte meinen, sie versucht, der Sprunghaftigkeit meiner Launen zuvorzukommen, hätte Angst, ich könnte meine Meinung ändern und beschließen, nach Bethlehem zurückzukehren.

Sie richtet sich erst gerade auf, als die letzten Vororte der Stadt aus dem Rückspiegel verschwinden.

«Es treibt uns doch niemand», bemerke ich.

Erschrocken nimmt sie den Fuß vom Gaspedal, als hätte sie gerade erst gemerkt, dass sie einer Schlange auf den Schwanz getreten ist. In Wahrheit ist es meine zerrüttete Stimme, die sie beunruhigt. Ich fühle mich so matt, richtig elend. Was hatte ich in Bethlehem überhaupt gesucht? Ein Stück Lüge, um das, was von meinem Gesicht noch bleibt, zu überschminken? Einen Hauch Würde zur Stunde, da mir alles misslingt? Meine Wut öffentlich zur Schau zu stellen, damit jedermann weiß, wie sehr ich diese Mistkerle verabscheue, die meinen Traum wie einen Abszess haben aufplatzen lassen ...? Angenommen, aller Augen wären auf meinen Schmerz und meinen Abscheu gerichtet, die Leute wichen zur Seite, wenn ich vorüberkomme, die Nacken beugten sich tief unter meinem Blick ... und was weiter? Was würde das ändern? Welche Wunde würde dadurch geheilt, welcher Bruch wieder eingerenkt ...? In meinem Innersten bin ich mir nicht einmal sicher, ob ich wirklich bis zur Wurzel meines Unglücks vordringen will. Sicher, ich hätte keine Angst davor, mich zu schlagen, wenn es hart auf hart kommt, aber wie soll man die Klinge mit Phantomen kreuzen? Es ist offensichtlich, dass ich im Vergleich nur ein Fliegengewicht bin. Mit den Gurus und ihren Schergen kenne ich mich nicht aus. Mein Leben lang habe ich den Hetzreden der einen, den Machenschaften der anderen beharrlich den Rücken gewandt, habe mich an meine Ziele geklammert wie der Jockey an sein Pferd. Ich habe auf meinen Stamm verzichtet, habe es hingenommen, mich von meiner Mutter zu trennen, habe eine Konzession nach der anderen gemacht, um mich voll und ganz meiner Karriere als Chirurg zu widmen. Ich hatte keine Zeit, mich für die Traumata zu interessieren, die jeden Aufruf zur Versöhnung der beiden auserwählten Völker zunichte machen, die beschlossen haben, Gottes Heiliges Land in ein Feld des Schreckens und des Jammers zu verwandeln. Ich erinnere mich nicht, dem Kampf der einen je Beifall gezollt oder den der anderen je verurteilt zu haben, da ich sie beide unendlich vernunftwidrig fand. Nicht ein einziges Mal habe ich mich betroffen gefühlt, oder auch nur angesprochen, in dem blutigen Konflikt, der bei Licht besehen Prügelknaben und Sündenböcke einer verbrecherischen Geschichte, die jederzeit rückfällig werden kann, unter Ausschluss der Öffentlichkeit gegeneinander hetzt. Ich habe so viel an gemeiner Anfeindung erlebt, dass das einzige Mittel darin besteht, denen nicht ähnlich zu werden, die dahinterstecken, und nicht meinerseits darein zu verfallen. Statt die andere Wange hinzuhalten oder Auge um Auge auszuteilen, habe ich mich dafür entschieden, den Kranken zu helfen. Ich habe den edelsten Beruf, den die Menschheit kennt, ich bin stolz auf ihn und würde um nichts auf der Welt etwas tun, was seinem Ansehen schaden könnte. Mein Besuch in Bethlehem war letztlich nur eine Flucht nach vorn; mein vermeintlicher Wagemut nichts als ein Ablenkungsmanöver. Wer bin ich, dass ich mir anmaßen könnte, dort zu triumphieren, wo die zuständigen Behörden sich täglich die Zähne ausbeißen? Ich habe es mit einer reibungslos funktionierenden Maschinerie zu tun, die durch langjähriges Intrigieren und bewaffnetes Manipulieren hervorragend eingespielt ist und den besten Spürnasen der Geheimdienste das Leben schwer macht. Ich hab dem nichts als den Frust des betrogenen Ehemanns entgegenzusetzen, eine hochgekochte Wut ohne echte Tragweite. Und in diesem Duell ist kein Platz für Gefühlszustände, geschweige denn für menschliche Rührung. Nur Geschütze, Sprenggürtel und Verrat haben mitzureden, und wehe den Puppenspielern, deren Marionetten nicht mehr folgen. Es ist ein gnadenloses Duell, ohne Regeln, jedes Zögern kann tödlich sein und jeder Irrtum der letzte. Es ist ein Duell, in dem der Zweck die Mittel heiligt und das Heil nicht eben hoch im Kurs steht, im Gegensatz zum Taumel der Rachegelüste und zum spektakulären Tod. Ich aber habe stets einen heiligen Schreck vor Panzern und Bomben gehabt, in denen ich nie etwas anderes zu sehen vermochte als das Fürchterlichste, was die Spezies Mensch an sich hat, in vollendeter Reinkultur. Die Welt, in die ich in Bethlehem so respektlos eingedrungen bin, ist mir fremd; ich kenne ihre Rituale nicht, erfülle ihre Ansprüche nicht und halte mich für unfähig, mich daran zu gewöhnen. Ich hasse alles, was Krieg und Revolution ist, und diese Geschichten von der erlösenden Gewalt, die sich endlos um sich selber drehen und eine Generation nach der anderen in ihren abstrusen mörderischen Strudel reißen, ohne dass es in ihrem Kopf irgendwann klick macht. Ich bin Chirurg und finde, der menschliche Körper ist schon zu sehr vom Schmerz gepeinigt, als dass Leute, die körperlich und geistig gesund sind, auf Schritt und Tritt noch mehr davon wollen.

«Du kannst mich bei mir absetzen», sage ich zu Kim, als die Hochhäuser von Tel Aviv in der Ferne aufleuchten.

«Brauchst du irgendwas von zu Hause?»

«Nein, ich will einfach nur nach Hause zurück.»

Sie runzelt die Stirn. «Das ist noch zu früh.»

«Das ist mein Zuhause, Kim. Früher oder später muss ich ja doch wieder dahin.»

Kim wird bewusst, was für einen Fehler sie begangen hat. Verärgert schiebt sie sich eine Strähne aus der Stirn.

«Ich hab das nicht so gemeint, Amin.»

«Macht doch nichts.»

Während der nächsten paar hundert Meter beißt sie sich auf die Lippen. «Da ist immer noch dieses verfluchte *Zeichen, das du nicht erkannt hast*, ja?»

Ich gebe keine Antwort.

Ein Traktor rumpelt einen Abhang entlang. Der Junge, der ihn lenkt, muss sich am Steuer festhalten, um nicht abgeworfen zu werden. Zwei Hunde mit rotem Fell springen um den Traktor herum, der eine mit gesenkter Schnauze, der andere eher unkonzentriert. Hinter einer Hecke taucht ein Häuschen auf, winzig und wurmstichig, bevor eine Baumgruppe es flink wie ein Zauberer wieder verschwinden lässt. Von neuem nehmen die Felder ihr endloses Defilee durch die Ebene auf. Es sieht aus, als würde sich die kommende Jahreszeit selbst übertreffen.

Kim wartet erst ab, bis sie einen Militärkonvoi überholt hat, dann fährt sie fort: «Hast du dich bei mir denn nicht wohl gefühlt?»

Ich wende mich ihr zu, doch sie blickt weiter starr geradeaus.

«Ich wäre gerne länger geblieben, Kim, das weißt du genau. Ich schätze deine Gegenwart sehr. Nur brauche ich jetzt ein bisschen Abstand, um die letzten Tage in Ruhe zu überdenken.»

Kim fürchtet vor allem, dass ich mir etwas antun könnte, dass ich die Einsamkeit nicht ertrage, dass am Ende der Aufruhr, der noch immer in meinem Innern tobt, die Oberhand gewinnt. Sie meint, ich sei um Haaresbreite von einer Depression entfernt, stehe kurz vor dem letzten, dem unumkehrbaren Schritt. Sie muss es mir gar nicht erklären, alles an ihr verrät, wie ungeheuer besorgt sie ist: ihre Finger, die auf alles und jedes eintrommeln, ihre Lippen, die ratlos hin und her zucken, ihr Blick, der sich meinem entzieht, sobald meiner zu eindringlich wird, ihre Kehle, die sie jedes Mal räuspern muss, wenn sie mir etwas zu sagen hat … Ich frage mich, wie sie es hinbekommt, nie den Faden zu verlieren und mit gleichbleibender Wachsamkeit jeden meiner Schritte zu verfolgen.

«Einverstanden», lenkt sie ein. «Ich setze dich bei dir ab und komme dich dann heute Abend wieder abholen. Wir können bei mir zu Abend essen.»

Ihre Stimme klingt verlegen.

Ich warte geduldig, bis sie sich mir wieder zugewandt hat, dann sage ich: «Ich muss für eine Weile allein bleiben.»

Sie tut so, als würde sie nachdenken, dann erkundigt sie sich mit verzerrtem Mund: «Bis wann?»

«Bis sich alles ein bisschen gesetzt hat.»

«Das kann aber lange dauern.»

«So schlecht steht es nun auch wieder nicht um mich», beschwichtige ich sie. «Ich muss nur einfach mal zur Ruhe kommen und richtig abschalten.»

«Na großartig», kommentiert sie in einem schlecht unterdrückten Anflug von Wut.

Nach langem Schweigen fährt sie fort: «Kann ich wenigstens mal vorbeikommen, um nach dir zu sehen?»

«Ich ruf dich an, sobald es geht.» Das war ein weiterer Schlag für sie.

«Nimm es nicht persönlich, Kim. Das hat nichts mit dir zu tun. Ich weiß, es ist schwer zu akzeptieren, aber du verstehst sicher, warum ich so handle.»

«Ich will nicht, dass du dich isolierst, das ist alles. Ich finde, du bist noch nicht so weit, um dich allein wieder zu fangen. Und es liegt mir nichts daran, mir die Finger vor Verzweiflung bis zum Stumpf abzunagen.»

«Das würde ich mir verübeln.»

«Wie wäre es, wenn du dich von Professor Menach untersuchen ließest? Er ist ein berühmter Analytiker und ein guter Freund von dir.»

«Ich werde zu ihm gehen, versprochen, aber nicht in dem Zustand, in dem ich gerade bin. Ich muss mich erst mal selber wieder in den Griff bekommen. Dann wäre ich auch in einer besseren Verfassung, um zuhören zu können.»

Sie setzt mich bei mir ab, wagt nicht, mich bis ins Haus zu begleiten. Bevor ich das Gartentor hinter mir schließe, lächle ich ihr zu. Sie zwinkert traurig zurück.

«Versuche, dir von *deinem* Zeichen nicht die Existenz verderben zu lassen, Amin. Auf Dauer zermürbt das, und irgendwann wirst du dich beim Versuch, dich in den Griff zu bekommen, wie eine morsche Mumie in Staub auflösen.»

Ohne meine Antwort abzuwarten, braust sie los.

Als das Geräusch des Nissan verklungen ist und ich allein mit meinem Haus und seiner Stille bin, wird mir das volle Ausmaß meiner Einsamkeit bewusst. Kim fehlt mir schon jetzt ...

Ich bin wieder allein ... *Ich lass dich nicht gern allein*, hatte Sihem am Abend vor ihrer Abreise nach Kafr Kanna zu mir gesagt. Und plötzlich ist alles wieder da.

Gerade in dem Moment, in dem ich am wenigsten damit gerechnet habe. Sihem hatte mir an jenem Abend ein fürstliches Mahl zubereitet; alle meine Lieblingsgerichte. Wir saßen bei Kerzenschein im Wohnzimmer und dinierten. Sie aß so gut wie nichts, stocherte nur ein bisschen auf ihrem Teller herum. Sie war so schön und so weit weg zugleich. «Warum bist du traurig, Liebes?», fragte ich sie. «Ich lass dich nicht gern allein, mein Schatz», antwortete sie. «Drei Tage, das ist doch nicht lange», sagte ich. «Für mich ist es eine Ewigkeit», gestand sie mir. Da war sie, ihre Botschaft, *das Zeichen, das ich nicht erkannt hatte.* Aber wie sollte ich hinter dem Glanz ihrer Augen den Abgrund erahnen? Wie hinter so viel Großzügigkeit den Abschied, als sie sich mir hingab in dieser Nacht wie noch nie zuvor?

Ich bleibe eine weitere Ewigkeit lang zitternd auf der Schwelle stehen, bevor ich endlich mein Haus betrete.

Die Putzfrau war noch immer nicht da. Ich versuche, sie telefonisch zu erreichen, aber da ist nur der Anrufbeantworter. Ich beschließe, die Dinge selbst in die Hand zu nehmen. Das Haus ist noch immer in dem Zustand, in dem die Männer von Hauptmann Moshe es hinterlassen haben; in den Schlafzimmern ein riesiges Durcheinander, die Schubladen am Boden, ihr Inhalt verstreut, Schränke ausgeräumt, Regale umgeworfen, Möbel verstellt, manche umgedreht. Inzwischen haben sich auch Staub und welkes Laub breitgemacht, wegen der zersplitterten Scheiben und der Fenster, die ich zu schließen vergaß. Der Garten ist in einem schlimmen Zustand, mit Bierdosen, Zeitungen und allem möglichen Unrat übersät, den der Mob von neulich dort zurückgelassen hat, als Ausgleich für den missglückten Coup. Ich rufe den Glaser an; er sagt, er habe gerade viel zu tun, verspricht aber, vorbeizuschauen, bevor es dunkel wird. Ich fange schon einmal damit an, in den Zimmern Ordnung zu schaffen, sammle ein, was am Boden liegt, stelle gerade, was umgeworfen wurde, schiebe Regale und Schubladen dahin, wo sie hingehören, sortiere die beschädigten Dinge aus. Als der Glaser eintrifft, bin ich gerade mit Durchfegen fertig. Er hilft mir, die Mülltüten hinauszutragen, und beginnt, die Fenster zu inspizieren, während ich mich in die Küche zurückziehe, um mir eine Zigarette und einen Kaffee zu genehmigen, kurz darauf kommt er mit einem Notizblock zurück, auf dem er die diversen Reparaturen, die durchzuführen sind, notiert hat.

«Orkan oder Vandalismus?», will er wissen.

Ich biete ihm eine Tasse Kaffee an, die er gern annimmt. Es ist ein dicker Rothaariger mit einem Gesicht voller Sommersprossen, das zur Halfte aus Mund besteht, dazu runde Hängeschultern und kurze Beine, die in zerkratzten Militärstiefeln stecken. Ich kenne ihn seit Jahren; seinen Vater habe ich schon zweimal operiert.

«Es gibt viel Arbeit», informiert er mich. «Dreiund zwanzig Scheiben müssen ersetzt werden. Du solltest auch einen Schreiner bestellen, du hast zwei beschädigte Fenster und mehrere Fensterläden, die repariert werden müssen.»

«Kennst du einen, der was taugt?»

Er kneift beim Überlegen ein Auge zu.

«Da gäbe es jemanden, der gar nicht so schlecht ist, aber ich weiß nicht, ob er sofort kann. Ich fange morgen an. Ich hatte einen harten Tag und bin erledigt. Ich bin nur eben wegen dem Kostenvoranschlag vorbeigekommen. Ist dir das recht?»

Ich sehe auf die Uhr.

«Einverstanden. Morgen dann.»

Der Glaser leert in einem Zug seinen Kaffee, verstaut seinen Notizblock in einer alten Mappe mit ausgeleierten Riemen und verabschiedet sich. Ich hatte befürchtet, er würde vom Attentat anfangen, da er offensichtlich Bescheid weiß. Aber nichts. Er notierte, was zu notieren war, und fertig.

Nachdem er gegangen ist, gehe ich unter die Dusche und mache mich auf den Weg in die Stadt. Erst im Taxi zu der Garage, in der ich mein Auto vor der Abfahrt nach Jerusalem untergestellt habe, dann im eigenen Wagen Richtung Küste. Der hektische Verkehr nötigt mich, einen Parkplatz am Mittelmeer anzusteuern. Familien und Pärchen flanieren über die Strandpromenade. Ich esse in einem kleinen versteckten Restaurant zu Abend, genehmige mir in einer Bar am anderen Ende der Straße ein paar Bierchen und trödele dann bis tief in die Nacht am Strand herum. Das Rauschen der Wellen erfüllt mich mit Wehmut. Ich komme leicht angetrunken zu Hause an, der Geist aber ist einigermaßen befreit.

Ich döse im Sessel ein, in Straßenkleidung, mit den Schuhen an den Füßen – zwischen zwei Zigarettenzügen hat mich der Schlaf übermannt, einfach so. Plötzlich knallt ein Fenster, und ich schrecke hoch, schweißgebadet. Ich glaube, ich habe etwas Schlimmes geträumt, aber mir will nicht einfallen, was. Ich stehe unsicher auf. Mein Herz verkrampft sich, Schauer laufen mir über den Rücken. Ich höre mich rufen: *Ist da jemand?* Ich mache in der Diele Licht, in der Küche, den Schlafzimmern, horche auf verdächtige Geräusche … *Ist da jemand?* Eine

Balkontür im ersten Stock ist geöffnet, der Vorhang bläht sich im Wind. Kein Mensch ist weit und breit zu sehen. Ich schließe die Fensterläden und kehre ins Wohnzimmer zurück. Aber dieses Gefühl, als wäre da jemand, ganz nah und zugleich ganz schemenhaft, das bleibt. Mich schaudert noch mehr. Das ist bestimmt Sihem oder ihr Geist, oder beide zugleich, die zurückgekehrt sind ... Sihem ... Der Raum füllt sich immer mehr mit ihr an. Nach ein paar Herzschlägen ist das Haus randvoll mit ihr, lässt mir nur noch eine winzige Lufttasche, um nicht zu ersticken. Alles verwandelt sich in die Hausherrin. Leuchter, Kommoden, Gardinenstangen, Konsolen, Farben ... Auch die Gemälde, die sie ausgesucht und auch eigenhändig aufgehängt hatte. Ich sehe sie vor mir, wie sie ein paar Schritte zurückmacht, einen Finger ans Kinn gelegt, den Kopf bald nach rechts, bald nach links geneigt, um sich zu überzeugen, dass der Rahmen auch gerade hängt. Sihem hatte einen ausgeprägten Sinn fürs Detail. Sie überließ nichts dem Zufall und konnte Stunden damit zubringen, über den richtigen Platz für ein Gemälde oder einen Faltenwurf zu grübeln. Vom Esszimmer zur Küche, von Raum zu Raum habe ich das Gefühl, auf ihren Spuren zu gehen. Die Szenen, die sich vor meinen Augen abspielen, meine Erinnerungen verdrängen, sind gespenstisch real. Da liegt sie entspannt auf dem Ledersofa. Dort trägt sie behutsam rosa Nagellack auf. Jeder Winkel hütet ein Stückchen von ihrem Schatten, jeder Spiegel reflektiert einen Ausschnitt von ihrem Bild, jedes Rascheln des Vorhangs erzählt von ihr. Ich brauche nur die Hand auszustrecken, nach einem Lachen, einem Seufzen, einem Hauch ihres Parfums ... *Ich wünsche mir eine Tochter von dir*, habe ich ihr in den Anfängen unserer Liebe gesagt ... *Blond oder braun?*, fragte sie errötend zurück. ... *Gesund und schön soll sie sein. Ihre Augenfarbe, ihre Haarfarbe sind mir egal. Deinen Blick soll sie haben und deine Grübchen, damit sie, wenn sie lächelt, dein Ebenbild wird* ... Ich gelange in den Salon im ersten Stock, der mit granatrotem Velours ausstaffiert ist, mit milchigen Vorhängen vor den Fenstern und zwei imposanten Sesseln auf einem edlen Perserteppich, der einen gläsernen Couchtisch mit Chromgestell trägt. Ein enormer Bücherschrank aus Kirschholz nimmt eine ganze Breitseite ein, beladen mit liebevoll aufgereihten Büchern und Souvenirs aus aller Welt. Dieser Raum war unser Elfenbeinturm, reserviert für Sihem und mich. Hier hatte niemand Zutritt. Es war unser Refugium, unsere Ruhehöhle. Hierher zogen wir uns manchmal zurück, um dem Schweigen in uns zu lauschen und unsere vom Alltagslärm abgestumpften Sinne zu schärfen. Wir nahmen ein Buch zur Hand oder legten Musik auf, und schon waren wir in einer anderen Welt. Wir lasen mit gleicher Begeisterung Kafka und Khalil Gibran und lauschten mit derselben Andacht Oum Kalsoum oder Pavarotti ... Plötzlich bekomme ich von oben bis unten eine Gänsehaut. Ich spüre ihren Atem in meinem Nacken, schwer, warm, keuchend, jetzt müsste ich mich nur noch umdrehen, um mich Auge in Auge mit ihr zu befinden, sie mit ihren wilden Locken vor mir zu sehen, strahlend, mit riesengroßen Augen, schöner als in meinen verrücktesten Träumen ...

Ich drehe mich nicht um.

Ich gehe rückwärts aus dem Salon, bis ihr Atem sich im Luftzug verliert, kehre in mein Schlafzimmer zurück, knipse alle Lichter und Lampen an, um den letzten Schatten aus dem hintersten Winkel zu vertreiben, ziehe mich aus, rauche eine letzte Zigarette, schlucke zwei Beruhigungspillen und schlüpfe unter die Bettdecke.

Ohne das Licht zu löschen.

Am nächsten Morgen finde ich mich oben im Salon wieder, das Gesicht ans Fenster gepresst, in den dämmernden Morgen hinausstarrend. Wie bin ich zurückgekommen an diesen Geisterort? Aus eigenem Antrieb oder schlafwandelnd? Ich weiß es nicht.

Der Himmel über Tel Aviv übertrifft sich selbst. Nicht der Hauch einer Wolke ist in Sicht. Vom Mond nichts als eine kleine Sichel. Die letzten Sterne der Nacht erlöschen sanft im opalisierenden Licht des Sonnenaufgangs. Vor meinem Gartentor poliert der Nachbar von gegenüber seine Windschutzscheibe. Er steht hier im Viertel immer als Erster auf. Als Geschäftsführer eines der schicksten Restaurants der Stadt möchte er vor der Konkurrenz auf dem Großmarkt sein. Manchmal tauschten wir in nächtlicher Finsternis ein paar Grußworte, wenn er zum Markt aufbrach und ich vom Krankenhaus heimkam. Seit dem Attentat behandelt er mich wie Luft.

Der Glaser kommt gegen 9 Uhr vorgefahren, in einem von der Sonne verblichenen Lieferwagen. Zusammen mit zwei pickelgesichtigen Lehrjungen lädt er sein Material und seine Glasscheiben ab, behutsam wie ein Feuerwerker, der mit einem Sprengsatz hantiert. Er kündigt an, dass der Schreiner jeden Moment auftauchen wird. Und da ist er auch schon, an Bord eines Kleinlasters mit Plane. Ein langer hagerer Kerl im verschlissenen Overall, mit zerfurchtem Gesicht und ernstem Blick. Er fragt gleich nach den beschädigten Fenstern. Der Glaser führt ihn durchs Haus. Ich bleibe in meinem Sessel im Erdgeschoss sitzen, mit meiner Zigarette und einer Tasse Kaffee. Eine Sekunde lang denke ich, ich könnte eigentlich eine Runde durch den kleinen Park in der Nähe drehen, mir die Beine vertreten und das Hirn durchlüften lassen. Das Wetter ist schön, und die Sonne taucht die Bäume ringsum in goldenes Licht – doch das Risiko, eine unschöne Begegnung könnte mir den Tag verderben, hält mich davon ab.

So gegen 11 Uhr ruft Naveed Ronnen an. Inzwischen ist der Schreiner mitsamt den zu reparierenden Fenstern unter der LKW-Plane Richtung Werkstatt davongefahren, und vom Glaser und von seinen beiden Gehilfen im Obergeschoss hört und sieht man nichts mehr.

«Na, alter Freund, wie geht's denn so?», tönt mir Naveed ins Ohr, äußerst zufrieden, mich am anderen Ende der Leitung zu haben. «Alzheimer oder simple Zerstreutheit? Du kommst und gehst, verschwindest und tauchst wieder auf, ohne nur einmal daran zu denken, deinen alten Kumpel anzurufen und ihm deine Adresse zu hinterlassen.»

«Was für eine Adresse? Du sagst doch selber, dass mich nichts am Platz hält.»

Er lacht. «Das ist doch kein Hindernis. Ich habe auch Hummeln im Hintern, aber meine Frau weiß immer ganz genau, wo sie mich erreichen kann, wenn es darauf ankommt. Wie war's denn so in Jerusalem?»

«Woher weißt du denn, dass ich in Jerusalem war?»

«Ich bin doch schließlich Bulle …» Er lacht kurz auf. «Ich habe bei Kim angerufen, und Benjamin war dran. Der hat mir gesagt, wo ihr wart.»

«Und wer hat dir gesagt, dass ich zurück bin?»

«Ich hab Benjamin angerufen, und Kim war dran ... Zufrieden? ... Also, warum ich eigentlich anrufe: Margaret wäre entzückt, wenn du zum Abendessen vorbeikommen könntest. Sie hat dich ewig nicht mehr gesehen.»

«Nicht heute Abend, Naveed. Ich hab Reparaturen durchzuführen. Im Moment sind die Glaser da, und heut früh hat ein Tischler vorbeigeschaut.»

«Dann also morgen.»

«Ich weiß nicht, ob ich bis dahin mit allem fertig bin.»

Naveed räuspert sich, denkt kurz nach und schlägt mir dann vor: «Wenn viel Arbeit bei dir anfällt, kann ich dir auch Verstärkung schicken.»

«Das sind alles nur kleinere Dinge. Es sind schon genug Leute im Haus.»

Naveed räuspert sich erneut. Das ist ein Tick, den er immer hat, wenn er verlegen ist.

«Aber die bleiben doch wohl nicht über Nacht?»

«Nein, aber das ändert auch nichts. Dank dir, dass du angerufen hast, und Gruß an Margaret.»

Als Kim sich gegen Mittag noch immer nicht gemeldet hat, begreife ich, dass sie hinter dem Anruf von Naveed steckt, um zu hören, ob ich noch auf der Welt bin.

Der Tischler kommt mit den Fenstern zurück, baut sie allein wieder ein und überprüft in meiner Gegenwart, ob sie sich einwandfrei öffnen und schließen lassen. Dann lässt er mich eine Rechnung unterschreiben, kassiert das Geld und zieht los, eine erloschene Kippe im Mundwinkel. Der Glaser und seine Gefährten sind schon seit längerem verschwunden. Ich habe mein Haus endlich wieder für mich allein, mitsamt den mysteriösen Schatten seines Halbdunkels, und ich gehe nach oben in den

Salon, um meinen Gespenstern kühn ins Auge zu blicken. Nichts bewegt sich in den Ecken und Winkeln. Ich lasse mich in einen Sessel sinken und sehe der Nacht zu, die sich wie ein Vorhang über die Stadt herabsenkt und den Horizont dunkelrot färbt.

Sihem lächelt in einem Rahmen über der Stereoanlage, ein Auge größer als das andere, vielleicht, weil das Lächeln erzwungen ist. Man lächelt immer, wenn der Fotograf einen zu überreden versteht – selbst wenn es nicht von Herzen kommt. Das ist ein altes Bild, eins ihrer ersten Fotos, von kurz nach der Hochzeit. Ich erinnere mich noch genau, sie brauchte ein Foto für ihren Reisepass. Sihem legte keinen besonderen Wert darauf, unsere Flitterwochen im Ausland zu verbringen. Sie wusste, dass meine Mittel begrenzt waren, und zog es vor, das Geld in eine Wohnung zu investieren, die etwas weniger trist wäre als die Stadtrandwohnung, in der wir damals lebten.

Ich stehe auf, um mir das Bild aus der Nähe anzusehen. Links von mir, in einem Regal mit Schallplatten, steht ein in Leder gebundenes Fotoalbum. Fast mechanisch nehme ich es heraus, kehre zum Sessel zurück und beginne zu blättern. Es löst keine großen Emotionen in mir aus. Es ist, als blätterte ich beim Zahnarzt im Wartezimmer in einer Illustrierten. Die Fotos ziehen unter meinen Augen vorbei, den Moment festhaltend, in dem sie gemacht wurden, kühl wie das Glanzpapier, auf dem sie ihre Geschichten erzählen, fern jedes emotionalen Gehalts, der mich berühren könnte ... Sihem unter einem Sonnenschirm, das Gesicht hinter einer riesigen Sonnenbrille versteckt, in Scharm el Scheich; Sihem auf den Champs-Élysées in Paris; wir beide in Positur neben einem Wachposten der Garde Ihrer Majestät, der Königin von England; mit meinem Neffen Adel im Garten; auf einer mondänen Abendgesellschaft; bei einem Empfang zu meinen Ehren; mit ihrer Großmutter auf dem Bauernhof in Kafr Kanna; ihr Onkel Abbas in Gummistiefeln, bis zu den Knien im Matsch; Sihem vor der Moschee ihres Geburtsviertels in Nazareth … Ich tippe Erinnerung um Erinnerung an, ohne mich länger dabei aufzuhalten. Es ist, als blätterte ich die Seiten eines früheren Lebens um, eines abgeschlossenen Falls … Dann lässt ein Foto mich stutzen. Mein Neffe Adel ist darauf zu sehen, wie er lacht, die Hände auf die Hüften gestützt, vor einer Moschee in Nazareth. Ich blättere zurück, bis an die Stelle, wo Sihem vor der Moschee ihrer Kindheit posiert. Es ist ein Foto jüngeren Datums, kein Jahr alt, ich erkenne das an der Handtasche, die ich ihr zum Geburtstag gekauft hatte, das war im letzten Januar. Zur Rechten sieht man die Motorhaube eines roten Wagens und einen Jungen, der vor einem Welpen kauert. Ich blättere zum Foto mit Adel zurück. Auch hier der rote Wagen, der Junge und der Welpe. Die beiden Fotos wurden also zur selben Zeit aufgenommen, vermutlich unmittelbar hintereinander von den beiden Personen, die darauf abgebildet sind. Ich brauche eine Weile, bis ich es verstehe. Wenn sie zu Besuch bei ihrer Großmutter war, ist Sihem regelmäßig nach Nazareth gefahren. Sie war ganz vernarrt in ihre Heimatstadt. Aber Adel …? Ich erinnere mich nicht, ihn je dort angetroffen zu haben. Das war nicht seine Welt. Er kam uns oft in Tel Aviv besuchen, wenn seine Geschäfte ihn aus Bethlehem wegriefen, aber von da nach Nazareth … Mein Herz zieht sich zusammen. Eine sonderbare Beklemmung beschleicht mich. Die beiden Fotos machen mir Angst. Ich suche nach einem Motiv, einer Erklärung, einem Beweggrund, umsonst. Meine Frau ist nie mit engen Freunden oder Verwandten einfach so ausgegangen, ohne dass ich davon wüsste. Sie sagte mir immer, bei wem sie war, wen sie traf, mit wem sie telefonierte. Sicher, sie mochte Adel sehr, wegen seines Humors und seines spontanen Wesens, aber dass sie sich außer Haus mit ihm traf, und dann auch noch woanders als in Tel Aviv, ohne mir davon zu erzählen, das wäre ganz untypisch für sie.

Dieser Zufall beschäftigt mich, lässt mich nicht los. Holt mich im Restaurant ein, verdirbt mir den Appetit. Wartet schon zu Hause auf mich. Hält mich wach trotz zweier Schlaftabletten ... Adel und Sihem ... Sihem und Adel ... *Der Omnibus von Tel Aviv nach Nazareth ... Sie hat ein dringendes Bedürfnis vorgeschützt und ist ausgestiegen, um in ein Auto zu steigen, das dem Bus gefolgt war ... Ein cremefarbener Mercedes, älteres Modell.* Identisch mit dem, den ich in der ehemaligen Lagerhalle in Bethlehem kurz gesehen hatte ... *Der gehört Adel*, hatte Yasser mir stolz bestätigt ... Sihem in Bethlehem, die letzte Etappe vor dem Attentat ... So viel Zufall ist kein Zufall mehr.

Ich schiebe die Bettdecke weg. Der Wecker steht auf fünf Uhr früh. Ich ziehe mich an, steige in mein Auto und nehme Kurs auf Kafr Kanna.

Auf dem Hof treffe ich niemanden an. Ein Nachbar erklärt mir, dass man die Großmutter ins Krankenhaus nach Nazareth gebracht hat und ihr Neffe Abbas bei ihr ist. Im Krankenhaus lässt man mich nicht zu der Patientin vor, die in aller Eile in den OP-Saal gerollt wird. Gehirnblutung, informiert mich die Krankenschwester. Abbas sitzt im Warteraum im Halbschlaf auf einer Bank. Er steht noch nicht einmal auf, als er mich sieht. Das liegt in seiner Natur; so unbeweglich wie ein verrosteter Karabiner. Fünfundfünfzig und noch immer Junggeselle, nie von seiner Farm weggekommen, traut er keiner Frau und keinem Städter über den Weg und schuftet lieber von früh bis spät, als sich mit jemandem, und sei es auch nur für ein Mittagessen, an einen Tisch zu setzen, der nicht nach Erde und Schweiß riecht. Ein richtiger Holzklotz, aus Eiche geschnitzt, mit verbissenen Lippen und einem Betonschädel. Er trägt schlammverkrustete Stiefel, ein Hemd mit hellen Schweißflecken unter den Achseln und eine Hose aus grobem Stoff, dass man meint, er hätte sie aus einer Plane zugeschnitten. Er erklärt mir in drei Sätzen, dass er Großmutter mit offenem Mund am Boden gefunden hat, nun schon seit Stunden hier herumsitzt und ganz vergessen hat, die Hunde loszumachen. Der Anfall der Großmutter scheint ihm eher lästig zu sein, als ihn aufzuwühlen.

Wir warten, bis irgendwann ein Arzt kommt und uns mitteilt, dass der Eingriff vorüber ist. Großmutters Zustand sei stabil, aber ihre Chancen, noch einmal davonzukommen, seien minimal. Abbas bittet um Erlaubnis, auf den Hof zurückzukehren.

«Ich muss die Hühner füttern», brummt er vor sich hin, ohne sich wirklich für den Bericht des Arztes zu interessieren.

Er klettert in seinen rostigen Lieferwagen und brettert nach Kafr Kanna zurück. Ich fahre ihm hinterher. Erst als alle Aufgaben auf seinem Hof erledigt sind, das heißt gegen Abend, merkt er, dass ich noch da bin.

Er bestätigt, Sihem des Öfteren in Begleitung des Jungen auf dem Foto gesehen zu haben. Das erste Mal, als er zum Friseursalon zurückkehrte, um Sihem ihr Portemonnaie zu bringen, das sie auf dem Sitz des Lieferwagens vergessen hatte. Da überraschte er sie, wie sie mit diesem Jungen redete. Am Anfang dachte sich Abbas nichts dabei. Aber später, nachdem er sie an verschiedenen Orten zusammen gesehen hatte, begann er, Verdacht zu schöpfen. Doch erst, als der Junge vom Foto es wagte, sich auf dem Hof zu zeigen, drohte Abbas, ihm den Schädel mit der Spitzhacke einzuschlagen. Sihem nahm ihm das sehr übel und ließ sich seitdem nicht mehr in Kafr Kanna blicken.

«Das ist unmöglich», wende ich ein, «Sihem hat die beiden letzten Opferfeste bei ihrer Großmutter verbracht.»

«Sie ist nicht mehr wiedergekommen, seit ich dem Burschen die Meinung gesagt habe.»

Dann, und dazu muss ich allen Mut sammeln, frage ich ihn, welcher Art die Beziehung zwischen meiner Frau und dem Jungen auf dem Foto war. Verwundert über meine naive Frage, mustert er mich mit verächtlichem Grinsen und knurrt: «Oh Mann, soll ich dir ein Bild malen, oder was?»

«Hast du dafür Beweise?»

«Ich hab doch Augen im Kopf. Ich brauche sie doch nicht erst dabei zu erwischen, wie sie sich küssen. Die Art, wie sie sich an den Wänden entlanggedrückt haben, hat mir gereicht.»

«Und warum hast du mir nie was gesagt?»

«Weil du mich nie gefragt hast. Und außerdem stecke ich meine Nase nicht in jeden Dreck.»

Und in dieser Sekunde habe ich ihn verabscheut, wie ich noch nie im Leben jemanden verabscheut habe.

Ich steige in meinen Wagen und brause ohne einen Blick in den Rückspiegel los. Mit durchgedrücktem Gaspedal, ohne zu wissen, wohin. Ob ich aus der Kurve fliege oder mit voller Wucht in einen LKW-Anhänger, ich fürchte keine Gefahr. Ich glaube, ich warte nur darauf, fordere sie geradezu heraus, aber die Straße ist grausam leer. *Wer zu viel träumt, vergisst zu leben.* Hat meine Mutter immer zu meinem Vater gesagt. Mein Vater hat ihr nie zugehört. Er hat weder die Verzweiflung der Geliebten bemerkt noch die Einsamkeit der Gefährtin. Da war eine Art unsichtbare Membran zwischen ihnen, hauchdünn, doch stark genug, sie auseinander zu halten wie Tag und Nacht. Mein Vater hatte Augen nur für sein Gemälde, immer dasselbe, an dem er im Sommer wie im Winter malte, das er derart überlud, dass es unter all den Retuschen am Ende verschwand, bis er auf einer neuen Staffelei von vorn damit begann, mit immer demselben Motiv, detailgetreu bis ins Kleinste, in der festen Überzeugung, seine *Madonna in Handschellen* in den Rang einer *Mona Lisa* zu erheben, die ihm die weite Welt öffnen würde und ihn mit den Lorbeeren der berühmtesten Museen krönen. Und weil er für nichts sonst Augen hatte, nur für diese unvorstellbare Bestätigung, nahm er nichts von dem wahr, was um ihn her vorging, weder den Frust einer vernachlässigten Ehefrau noch den Zorn eines gestürzten Patriarchen ... Vielleicht war mir dasselbe mit Sihem passiert. Sie war mein Gemälde, meine denkbar größte Bestätigung. Ich sah nur die Freuden, mit denen sie mich überhäufte, und ahnte nichts von ihrem Kummer, ihren Schwächen ... Ich lebte nicht wirklich mit ihr, nein – andernfalls hätte ich sie weniger idealisiert, weniger isoliert. Wenn ich es recht bedenke, wie hätte ich auch mit ihr leben können, da ich doch unablässig von ihr *träumte*?

13.

Herr Jaafari, ruft es durch eine endlose Reihe unterirdischer Gänge ... *Herr Jaafari* ... Die Stimme verliert sich im vielfachen Echo, vermischt sich mit meinem Gestammel, kommt und geht wie ein immerwährendes Leitmotiv, bald eindringlich, bald erschreckt. Ein Abgrund verschluckt mich, ich falle wie in Zeitlupe durch die Dunkelheit... *Herr Jaafari* ... Ein greller Streifen zuckt durch das Dunkel und dringt in meine Augen wie eine gleißende Flamme.

«Herr Jaafari ...»

Ich komme zu mir, mein Kopf fühlt sich an wie aus Holz.

Ein Mann steht da, über mich gebeugt, eine Hand auf dem Rücken, die andere fingerbreit vor meiner Stirn. Sein schmales Gesicht mit dem spitzen Kinn ist mir nicht bekannt. Ich versuche herauszufinden, wo ich bin. Ich liege auf einem Bett, mit trockener Kehle und zerschlagenen Gliedern. Die Zimmerdecke droht über mir einzustürzen. Ich schließe die Augen, um den Schwindel zu kontrollieren, der mich mitreißen will und erneut zu überwältigen droht. Ich versuche mühsam, wieder klare Gedanken zu fassen und mich zu orientieren. Langsam erkenne ich an der Wand gegenüber die Billigkopie der *Sonnenblumen* von van Gogh, die verblichene Tapete, das trostlose Fenster, das auf die Dächer einer Fabrik hinausgeht ...

«Was ist los?», frage ich und stütze mich auf einen Ellenbogen.

«Ich glaube, es geht Ihnen nicht so gut, Herr Jaafari.»

Mein Ellenbogen rutscht weg, und ich sinke aufs Kopfkissen zurück.

«Sie sind seit zwei Tagen hier im Zimmer, Sie haben es nicht einmal verlassen.»

«Wer sind Sie?»

«Der Inhaber dieses Hotels. Die Putzfrau ...»

«Was wollen Sie?»

«Uns vergewissern, dass es Ihnen gut geht.»

«Warum?»

«Sie sind vor zwei Tagen bei uns eingetroffen. Sie haben dieses Zimmer genommen und sich darin eingeschlossen. Es kommt schon mal vor, dass unsere Gäste das tun, aber ...»

«Es geht mir gut.»

Der Hotelbesitzer richtet sich emsig wieder auf. Er weiß nicht, was er von meiner Antwort halten soll, geht ums Bett herum und öffnet das Fenster. Ein Schwall Frischluft ergießt sich ins Zimmer, schwappt mir ins Gesicht. Ich atme tief durch, bis mir das Blut in den Schläfen pocht.

Mechanisch streicht der Hotelier die Bettdecke über meinen Füßen glatt. Er mustert mich aufmerksam, hüstelt in die Faust und bemerkt: «Wir haben einen guten Arzt, Herr Jaafari. Wenn Sie wollen, können wir ihn rufen.»

«Ich bin selber Arzt», entgegne ich und quäle mich aus dem Bett.

Doch mir schlottern die Knie, ich schaffe es nicht, stehen zu bleiben, lasse mich wieder auf die Bettkante fallen, das Gesicht auf beide Hände gestützt. Den Hotelier macht meine Blöße, da ich nur mit einem Slip bekleidet bin, ganz verlegen. Er stottert etwas, das ich nicht verstehe, und verlässt rückwärts den Raum.

Meine Gedanken fügen sich nach und nach zusammen, und plötzlich ist mein Gedächtnis wieder da. Ich erinnere mich, dass ich in hohem Tempo aus Kafr Kanna wegfuhr, wegen Überschreitung des Tempolimits auf der Höhe von Afula einen Strafzettel bekam und Tel Aviv in einem desaströsen Zustand erreichte. Da wurde es gerade dunkel. Ich habe vor dem erstbesten Hotel am Straßenrand gehalten. Unfähig, in diesem Zustand nach Hause zurückzukehren, wo die Lüge meines Lebens auf mich wartete. Während der Fahrt habe ich ununterbrochen die Welt und mich selbst verflucht, den Fuß voll auf dem Gaspedal, begleitet vom schrillen Quietschen der Reifen, das in mir wie eine infernalische Sirene nachhallte. Es war, als wollte ich auf Teufel komm raus die Schallmauer durchbrechen, die Schwelle der Realität zum Jenseits erreichen, mich in die Reste meiner zerstörten Selbstachtung auflösen. Es schien nichts mehr zu geben, das mich noch hätte zurückhalten und mich mit der Zukunft aussöhnen können. Welcher Zukunft überhaupt? Gibt es ein Leben nach dem Verrat, eine Erholung nach solchem Schmerz? Ich fühlte mich derart elend und lächerlich, dass der bloße Gedanke an Selbstmitleid mich auf der Stelle zerstört hätte. Als die Stimme von Abbas mich einholte, ließ ich den Motor aufheulen, so laut, dass er fast explodierte. Ich wollte nichts mehr spüren außer dem Dröhnen der Reifen in den engen Kurven und der Wut, die mich ausfüllte und mein Innerstes zerfraß. Ich fand nicht eine einzige Entschuldigung für mich, suchte gar nicht danach, weil ich sie nicht verdiente. Ich überließ mich voll und ganz dieser Wut, die sich immer weiter in mir ausbreitete, bis in die Haarwurzeln und die Fingerspitzen hinein.

Das Hotel hat schon bessere Tage gesehen. Das Neonschild ist ramponiert. Ich habe mir ein Zimmer genommen, es schien mir, als wäre es die letzte Handlung meines Lebens. Ich habe siedend heiß geduscht, in einem Lokal zu Abend gegessen und mich danach in einer schmuddeligen Kneipe volllaufen lassen. Für den Rückweg brauchte ich Stunden. Kaum war ich auf meinem Zimmer, bin ich übergangslos in die Besinnungslosigkeit gefallen.

Ich muss mich an der Wand abstützen, um ins Bad zu gelangen. Meine Gliedmaßen gehorchen mir nur halb. Mir wird speiübel, mein Blick verschwimmt, der Hunger setzt mir zu. Ich habe das Gefühl, mich durch Watte zu bewegen. Zwei Tage am Stück, die ich in diesem stinkenden Zimmer verschlafen habe, traumlos, und ohne jede Erinnerung, zwei Nächte, in denen ich mich in diesen Laken gewälzt habe, die mich einschnüren wie ein Grabtuch … Mein Gott! Wie weit ist es mit mir gekommen?

Der Spiegel zeigt mir ein gequältes, von Bartstoppeln übersätes Gesicht. Mit olivfarbenen Ringen unter den Augen, die das Weiße um so stärker hervortreten und mich noch hohlwangiger aussehen lassen, wie einen Geisteskranken, der gerade aus dem Delirium erwacht.

Ich halte den Mund unter den Wasserhahn, völlig ausgetrocknet, und stelle mich dann unter die Dusche, wo ich reglos unter dem Strahl verharre, bis ich einigermaßen das Gleichgewicht zurückgewonnen habe.

Der Hotelbesitzer scharrt von neuem an der Tür. Er will wohl sichergehen, dass ich keinen Rückfall ins Alkoholkoma erleide. Erleichtert, mich brummen zu hören, schleicht er davon. Ich ziehe mich an und verlasse, noch immer benommen, das Hotel, um mich erst einmal zu stärken.

Auf einer Bank in einem kleinen sonnendurchfluteten Park bin ich eingenickt und wurde vom Rauschen der Bäume in den Schlaf gewiegt.

Als ich aufwache, ist es Abend. Ich weiß nicht, wohin mit meiner Einsamkeit. Mein Handy hab ich zu Hause vergessen, meine Uhr auch. Ich habe plötzlich Angst davor, mit mir allein zu sein. Ich habe kein Vertrauen mehr in den Mann, der nichts von seinem Unglück kommen sah. Und ich bin auch noch nicht bereit, mich den Blicken anderer auszusetzen. Ist ganz gut, dass ich mein Handy vergessen habe, sage ich mir. Ich kann mir nicht vorstellen, in dem Zustand, in dem ich momentan bin, mit irgendjemandem zu reden. Kim würde meine Wunde womöglich noch mehr aufreißen; Naveed könnte mir eine Ausrede liefern, die ich jetzt am wenigsten gebrauchen kann. Und doch macht die Stille mich fertig. In diesem verlassenen Park komme ich mir vor, als wäre ich allein auf der Welt, Strandgut, von der Flut an ein unwirkliches Ufer gespült.

Ich kehre ins Hotel zurück, stelle fest, dass ich weder Kulturbeutel noch Tabletten dabeihabe. Das Telefon auf dem Nachttisch sieht mich herausfordernd an. Aber wen soll ich anrufen? Und wie spät ist es überhaupt? Meine Ohren sind vom Keuchen meines Atems erfüllt. Ich fühle mich nicht wohl. Ich spüre, wie ich unaufhaltsam abgleite …

Und schon bin ich wieder auf der Straße. Ganz plötzlich. Ich hab keinerlei Erinnerung, wie ich aus dem Hotel herausgekommen bin, weiß nicht, seit wann ich schon durch das Viertel laufe. Ringsum ist kein Fenster erleuchtet. In der Ferne brummt kurz ein Motor auf, dann herrscht die Stille der Nacht wieder ungestört über die Welt, was da schläft … Eine Telefonzelle, dahinten, neben dem Kiosk. Meine Schritte führen mich unweigerlich dorthin; meine Hand nimmt den Hörer ab; meine Finger wählen eine Nummer. Wenn rufe ich da eigentlich an? Was werde ich ihm sagen? Am Ende der Leitung läutet es, fünfmal, sechsmal, siebenmal. Dann ein Klicken, und eine schlaftrunkene, ungehaltene Stimme: «Hallo? Wer ist da? Weißt du nicht, wie spät es ist? Ich muss morgen in aller Herrgottsfrühe raus …» Ich erkenne Yassers Stimme. Ich bin überrascht, dass er das ist, am anderen Ende der Leitung. Warum er?

«Hier ist Amin …»

Erst ein Schweigen, dann erneut die Stimme von Yasser: «Amin? Ist was passiert?»

«Wo ist Adel?», höre ich mich fragen.

«Es ist drei Uhr morgens, ich bitte dich.»

«Wo ist Adel?»

«Woher soll ich das wissen? Vermutlich da, wo seine Geschäfte ihn hingeführt haben. Ist Wochen her, dass ich ihn zuletzt gesehen habe.»

«Wirst du mir endlich sagen, wo er steckt, oder muss ich erst zu dir kommen und da auf ihn warten?»

«Nein!», schreit er, «komm bloß nicht mehr nach Bethlehem! Die Typen vom letzten Mal sind hinter dir her. Sie sagen, du hättest sie gelinkt, der Shin Beth hätte dich geschickt.»

«Wo ist Adel, Yasser?»

Wiederum Schweigen, länger als das vorhergehende, dann entfährt es Yasser entnervt: «In Dschenin … Adel ist in Dschenin.»

«Ist nicht gerade der ideale Ort, um geschäftlich zu investieren, Yasser. Dschenin liegt in Schutt und Asche.»

«Hör zu, ich versichere dir, dass er nach allem, was mir zu Ohren gekommen ist, in Dschenin ist. Ich hab keinen Grund, dich anzulügen. Ich gebe dir Bescheid, sobald er zurück ist, wenn du willst … Darf ich wissen, worum es geht? Was ist mit meinem Sohn, dass du zu so einer Stunde anrufst?»

Ich hänge auf.

Ich weiß nicht warum, aber ich fühle mich schon etwas besser.

Der Nachtportier ist nicht begeistert, um drei Uhr früh aus dem Bett geklingelt zu werden – das Hotel macht um Mitternacht dicht, aber ich habe den Türcode vergessen. Er ist ein junger Mann, dünn wie ein Strich, vermutlich ein Student, der seine Nächte damit verbringt, den Schlaf der anderen zu bewachen, um sein Studium zu finanzieren. Er öffnet mir mürrisch, sucht meinen Schlüssel und findet ihn nirgends.

«Sind Sie sicher, dass Sie ihn abgegeben haben, bevor Sie gegangen sind?»

«Warum sollte ich mich denn mit einem Schlüssel belasten?»

Er bückt sich, taucht hinter der Rezeption ab, wühlt im Papierkram und in den Zeitschriften herum, die sich um ein Faxgerät und einen Fotokopierer herum stapeln, und kommt unverrichteter Dinge wieder hoch.

«Das ist seltsam.»

Er überlegt, versucht sich zu entsinnen, wo die Zweit-schlüssel verwahrt sind, doch so richtig wach wird er dabei nicht.

«Haben Sie schon in Ihren Taschen nachgesehen?»

«Ich hab Ihnen doch gesagt, dass ich den Schlüssel nicht bei mir habe», antworte ich und beginne, in meinen Taschen zu suchen.

Mein Arm erstarrt: der Schlüssel steckt tatsächlich in meiner Hosentasche. Ich ziehe ihn verwirrt hervor. Der Nachtportier unterdrückt einen Seufzer, sichtlich genervt. Er beherrscht sich und wünscht mir eine gute Nacht.

Der Aufzug ist außer Betrieb, und so nehme ich die schmale Treppe bis in den fünften Stock, stelle dann fest, dass mein Zimmer im dritten Stock liegt, kehre wieder um.

Im Zimmer mache ich erst gar kein Licht an.

Ich ziehe mich aus, lege mich aufs Bett, ohne es aufzuschlagen, und starre zur Decke hoch, die mich langsam wie ein schwarzes Tuch bedeckt.

Ab dem fünften Tag merke ich, dass mich nach und nach der Verstand verlässt. Meine Reflexe sind schneller als meine Absichten, meine Ungeschicklichkeit fällt schwerer ins Gewicht. Den Tag verbringe ich in meinem Zimmer eingekapselt, auf dem Stuhl zusammengesunken oder auf dem Bett ausgestreckt, die Augen so weit verdreht, als wollte ich meinen Hintergedanken auf die Schliche kommen. Seltsame Ideen setzen mir zu, lassen mir keine Ruhe: ich erwäge, einen Immobilienmakler mit dem Verkauf der Villa zu beauftragen, einen Strich unter die Vergangenheit zu ziehen und nach Europa oder Amerika auszuwandern ... Nachts mache ich, wie ein Raubtier auf Beutezug, zwielichtige Tavernen unsicher, Orte, an die ich nie zuvor einen Fuß gesetzt habe und an denen ich sicher sein kann, nicht auf einen Bekannten oder einen ehemaligen Kollegen zu stoßen. Das schummerige Licht dieser von Tabakqualm und ranzigen Ausdünstungen verseuchten Bars gibt mir ein eigenartiges Gefühl der Unsichtbarkeit. Bei all den krakeelenden Trunkenbolden und Frauen mit träumerischem Blick achtet kein Mensch auf mich. Ich suche mir einen Tisch in irgendeinem Winkel, wohin sich keins der beschwipsten Mädchen vorwagt, und zeche ungestört, bis man mir mitteilt, dass die Polizeistunde naht. Dann ziehe ich los, meinen Rausch auszuschlafen, auf immer derselben Parkbank, und kehre erst im Morgengrauen ins Hotel zurück.

Und irgendwann, in einer Brasserie, entgleiten die Dinge meiner Kontrolle. Die Wut, die seit Tagen in mir schwelt, hat sich am Ende verdoppelt. Ich sah es kommen. So blank, wie meine Nerven lagen, war mir klar, dass mir früher oder später alle Sicherungen durchbrennen würden. Mein Ton und meine Antworten waren barsch. Ich hatte überhaupt keine Geduld, reagierte überempfindlich, wenn ein fremder Blick mich traf. Kein Zweifel, aus mir wurde ein anderer, jemand, der unberechenbar war und doch verlockend faszinierend. Aber heute Abend in dieser Brasserie, da übertreffe ich mich selbst. Es geht damit los, dass mir der Platz, den man mir angewiesen hat, nicht gefällt. Ich wollte einen diskreten Ort, nur dass es nicht mehr genügend freie Tische gab. Ich habe mich erst gesträubt, dann gefügt. Als Nächstes erfahre ich von der Kellnerin, dass es keine gegrillte

Leber mehr gibt. Sie wirkt offen und ehrlich, doch ihr Lächeln gefällt mir nicht.

«Ich will aber gegrillte Leber», beharre ich.

«Ich bedaure, die Leber ist uns ausgegangen.»

«Das ist nicht mein Problem. Ich habe draußen auf der Speisekarte gelesen, dass Sie gegrillte Leber im Angebot haben, deshalb sitze ich überhaupt hier! Ich bin nur wegen der Leber in Ihr Lokal gekommen!»

Mein Geschrei unterbricht das Klappern des Bestecks. Die anderen Gäste drehen sich zu mir um.

«Was haben Sie mich so anzusehen?», brülle ich.

Schon taucht der Geschäftsführer auf. Er lässt seinen ganzen professionellen Charme spielen, um mich zu beschwichtigen. Seine aufgesetzte Höflichkeit entfesselt meine inneren Dämonen erst recht. Ich verlange, dass man mir auf der Stelle gegrillte Leber serviert. Eine Welle der Entrüstung geht durch den Raum. Jemand schlägt unumwunden vor, mich einfach auf die Straße zu setzen, ein älterer Herr, der wie ein Polizist oder ein Militär in Zivil aussieht. Ich fordere ihn auf, mich eigenhändig rauszuwerfen. Das lässt er sich nicht zweimal sagen und packt mich sofort am Hals. Kellnerin und Geschäftsführer stellen sich dem Rüpel in den Weg. Laut krachend fällt ein Stuhl um, dann schwirren Beleidigungen durch die Luft, unterlegt mit Möbelquietschen. Die Polizei rückt an. Der Offizier ist eine blonde Dame mit breitem Brustkorb, unförmiger Nase und feurigem Blick. Der Grobian erklärt ihr, wie die Situation eskaliert ist. Seine Erklärungen werden durch die Aussagen der Kellnerin und zahlreicher Gäste untermauert. Die Dame in Uniform bittet mich auf die Straße und verlangt meine Papiere zu sehen. Ich weigere mich, sie ihr zu zeigen.

«Der ist sternhagelblau», brummt ein Beamter.

«Wir nehmen ihn mit», beschließt der Offizier.

Man steckt mich in einen Wagen und bringt mich zur nächsten Polizeistation. Dort nötigt man mich, meine Papiere vorzuzeigen und meine Taschen auszuleeren, und schließt mich am Ende in eine Zelle, in der zwei Besoffene laut schnarchen.

Nach einer Stunde werde ich von einem Polizisten abgeholt. Er begleitet mich zu einem Schalterbeamten, von dem ich meine Sachen zurückbekomme, und bringt mich dann in die Eingangshalle. Dort steht, mit betrübter Miene an der Rezeption lehnend, Naveed Ronnen.

«Sieh einer an, mein guter Geist!», rufe ich ironisch.

Naveed entlässt den Polizisten mit einem Kopfnicken.

«Woher weißt du, dass sie mich eingelocht haben? Schnüffeln mir deine Jungs hinterher oder wie oder was?»

«Tun sie nicht, Amin», erwidert er erschöpft. «Ich bin erleichtert, dich aufrecht stehend vor mir zu sehen. Ich war auf das Schlimmste gefasst.»

«Worauf denn, wenn ich fragen darf?»

«Entführung oder Selbstmord. Ich suche seit Tagen und Nächten nach dir. Sobald Kim mir mitteilte, dass du verschwunden bist, habe ich deine Personenbeschreibung und deine Personalien an alle Polizeistationen und Krankenhäuser durchgegeben. Wo hast du denn nur gesteckt, Himmel noch mal?»

«Unwichtig … Könnte ich jetzt wohl gehen?», frage ich den Offizier hinter dem Schalter.

«Sie sind frei, Herr Jaafari.»

«Vielen Dank.»

Ein warmer Wind fegt durch die Straße. Zwei Polizisten plaudern rauchend miteinander, der eine an die Mauer des Kommissariats gelehnt, der andere auf dem Trittbrett eines Gitterwagens sitzend.

Naveeds Wagen steht am Bürgersteig gegenüber mit brennendem Standlicht.

«Wo willst du jetzt hin?», fragt er mich.

«Mir die Beine vertreten.»

«Es ist spät. Soll ich dich nicht bei dir absetzen?»

«Mein Hotel ist nicht weit von hier …»

«Was soll das heißen, dein Hotel? Findest du jetzt schon den Heimweg nicht mehr?»

«Ich bin im Hotel bestens aufgehoben.»

Naveed fährt sich schweigend mit der Hand über beide Wangen. «Und wo ist dein Hotel?»

«Ich werde mir ein Taxi nehmen.»

«Soll ich dich nicht lieber dorthin bringen?»

«Nicht nötig. Außerdem muss ich jetzt allein sein.»

«Soll ich das so verstehen, dass …»

«Da gibt es nichts zu verstehen», schneide ich ihm das Wort ab. «Ich muss eben mal allein sein. Schluss und Punkt. So einfach ist das.»

Naveed läuft mir nach bis zur Straßenecke, überholt mich, stellt sich mir in den Weg. «Was du da tust, ist gar nicht gut, Amin, das kannst du mir glauben. Wenn du nur sehen könntest, in welchem Zustand du bist.»

«Tu ich vielleicht irgendetwas, was nicht rechtens ist? Sag mir, welches Gesetz ich übertrete …? Deine Kollegen waren widerwärtig zu mir, wenn du es genau wissen willst. Das sind Rassisten. Der andere hat angefangen, aber das passende Gesicht für so etwas hab ich ja. Ich bin doch nicht deshalb schon schuldig, weil ich aus einem Kommissariat herauskomme. Mir reicht es für heute

Abend. Ich will nur noch in mein Hotel zurück. Ich verlange doch nicht, dass für mich der Mond vom Himmel geholt wird, verflixt noch mal! Was ist daran so schlimm, dass man mal allein sein will?»

«Überhaupt nichts», entgegnet Naveed und stemmt mir die Hand gegen die Brust, um mich daran zu hindern, weiterzulaufen. «Außer, dass du dir schaden kannst, wenn du dich weiter so absonderst. Du musst dich wieder in den Griff bekommen, verstehst du? Du bist dabei, völlig auszurasten. Und du irrst dich, wenn du glaubst, du wärst allein. Du hast noch Freunde, auf die du zählen kannst.»

«Und auf dich kann ich zählen?»

Meine Frage überrascht ihn. Er breitet die Arme aus und sagt: «Aber natürlich.»

Ich sehe ihn scharf an. Er wendet den Blick nicht ab, nur ein Muskel zuckt leicht auf seiner Wange.

«Ich will hinüber auf die andere Seite des Spiegels», murmele ich, «auf die andere Seite der Mauer.»

Er runzelt die Stirn, beugt sich vor, um mir näher ins Gesicht zu sehen. «Nach Palästina?»

«Ja.»

Er verzieht den Mund, blickt zu den beiden Polizisten hinüber, die uns unauffällig beobachten.

«Ich dachte, dieses Problem hättest du geklärt?»

«Das dachte ich auch.»

«Und was hat dich jetzt wieder wild gemacht?»

«Nun, sagen wir, es ist eine Frage der Ehre.»

«Die deine ist intakt, Amin. Du bist nicht schuld am Unrecht, das dir andere zufügen, sondern nur an dem, was du ihnen zufügst.»

«Eine bittere Pille.»

«Du musst sie ja nicht schlucken.»

«Da irrst du dich aber.»

Naveed fasst sich mit Daumen und Zeigefinger ans Kinn. Er kann sich nicht vorstellen, wie das gehen soll, ich in Palästina, so depressiv, wie ich bin, und sucht nach irgendeiner List, um mich davon abzubringen.

Doch da ihm nichts einfällt, sagt er nur: «Das wäre keine gute Idee.»

«Eine andere habe ich nicht.»

«Wo genau willst du denn hin?»

«Nach Dschenin.»

«Die Stadt ist im Belagerungszustand», warnt er mich.

«Das bin ich auch … Du hast meine Frage noch nicht beantwortet. Kann ich auf dich zählen?»

«Ich nehme an, dass dich nichts und niemand zur Vernunft bringen könnte.»

«Was soll das schon heißen, Vernunft …? Kann ich auf dich zählen, ja oder nein?»

Er ist verlegen und betrübt zugleich.

Ich wühle in meinen Taschen, finde eine zerknitterte Schachtel Zigaretten, ziehe eine hervor und stecke sie mir zwischen die Lippen. Dann merke ich, dass mein Feuerzeug weg ist.

«Ich habe kein Feuer», entschuldigt Naveed sich. «Du solltest auch mit dem Rauchen aufhören.»

«Kann ich auf dich zählen?»

«Ich wüsste nicht, wie. Du begibst dich auf vermintes Gebiet, auf dem ich keinerlei Einfluss habe, mein schützender Arm reicht nicht bis dorthin. Ich weiß nicht, was du dir da wieder beweisen willst. Dort gibt es nichts für dich zu holen. Da fliegen dir überall die Kugeln um die Ohren, und die verirrten Kugeln richten mehr Schaden an als die regulären Gefechte. Lass es dir gesagt sein, Bethlehem ist im Vergleich zu Dschenin der reinste Erholungsort.»

Er bemerkt seinen Fauxpas, versucht, ihn ungeschehen zu machen – zu spät. Sein letzter Satz explodiert in mir wie eine Sprengkapsel. Ich schlucke krampfhaft einige Male, bevor ich ihm gepresst sage: «Kim hat mir versprochen, nichts zu sagen, und sie hat immer Wort gehalten. Wenn sie also nicht geredet hat, woher weißt du dann, dass ich in Bethlehem war?»

Naveed steht dumm da, mehr aber auch nicht. Sein Gesicht verrät nicht die leiseste Regung.

«Was hättest du denn an meiner Stelle gemacht?», fragt er aufgebracht. «Die Frau meines besten Freundes ist eine Selbstmordattentäterin. Sie hat uns alle total überrollt, ihren Mann, ihre Nachbarn, ihre nächsten Angehörigen. Du wolltest wissen, wie und warum? Das ist dein gutes Recht. Aber es ist auch meine Pflicht.»

Ich fasse es nicht.

Ich bin wie vor den Kopf gestoßen.

«So ist das!», sage ich nur.

Naveed versucht, sich mir zu nähern. Ich hebe abwehrend beide Hände, damit er bleibt, wo er ist, biege in die nächste Gasse ein und verschwinde in der Nacht.

14.

In Dschenin sieht es aus, als hätte die Vernunft jede Verantwortung abgegeben und auch jede Hoffnung, nochmals gebraucht zu werden. Die fröhliche Laune, die einmal hier herrschte, hatte einer tödlichen Stimmung Platz gemacht.

«Und das ist noch gar nichts», sagt Jamil, als würde er in meinen Gedanken lesen. «Im Vergleich zu dem, was hier abgeht, ist die Hölle das reinste Hospiz.»

Dabei habe ich so einiges gesehen, seit ich jenseits der Mauer bin: Dörfer im Belagerungszustand, Checkpoints an jeder Straßenabzweigung, Straßen gesäumt von zerschossenen und ausgebrannten Fahrzeugen, endlose Schlangen von Verdammten, die darauf warten, bis sie an der Reihe sind, kontrolliert, grob behandelt und häufig dann doch nicht durchgelassen zu werden, milchbärtige Uniformen, halbe Kindersoldaten, die die Geduld verlieren und blindlings drauflosschlagen; protestierende Frauen, die den Hieben der Gewehrkolben nichts als ihre schwieligen Hände entgegenzusetzen haben; Jeeps, die in den Ebenen patrouillieren, andere, die jüdischen Siedlern Geleitschutz geben, die sich zu ihren Arbeitsplätzen bewegen wie durch ein Minenfeld ...

«Vor einer Woche», fügt Jamil hinzu, «war das hier das Ende der Welt. Hast du schon mal Panzer gesehen, die auf Steinschleudern schießen, Amin? Nun, in Dschenin haben die Panzer das Feuer auf Jungen eröffnet, von denen sie mit Steinen beworfen wurden. Goliath hat David an jeder Straßenecke in Grund und Boden gestampft.»

Ich hatte nicht im Traum geahnt, dass der Verfall derart fortgeschritten, dass es um die Hoffnung so schlecht bestellt ist. Ich wusste um die Feindseligkeiten, die das menschliche Klima beidseits vereisten, von der Sturheit, mit der die Kriegsparteien sich weigerten, eine Verständigung zu erreichen, und nichts gelten ließen außer ihrem mörderischen Vergeltungsdrang; aber das Unerträgliche mit eigenen Augen zu sehen, das erschüttert mich. In Tel Aviv lebte ich auf einem anderen Planeten. Meine Scheuklappen hielten das Wesentliche des Dramas, das mein Land zerfrisst, vor mir verborgen; die Ehrenbezeugungen, die man mir zukommen ließ, kaschierten das wahre Ausmaß des Grauens, das dabei war, das gesegnete Land Gottes in ein chaotisches Mülldepot zu verwandeln, wo die Grundwerte der Menschlichkeit ausgeweidet vermodern, wo der Weihrauch so übel riecht wie die hohlen Verheißungen und wo der Geist der Propheten sein Gesicht verhüllt bei jedem Gebet, das vom Klicken der Gewehre und vom Gebrüll der Ketchle übertönt wird.

«Weiter können wir nicht fahren», warnt mich Jamil. «Wir sind so gut wie auf der Demarkationslinie. Von dem zerstörten Patio an, da vorne links, zischen dir die Kugeln um die Ohren.»

Er zeigt mit der Hand auf einen Haufen rußgeschwärzten Schotters. «Letzten Freitag hat der Islamische Dschihad zwei Verräter exekutiert. Da drüben hat man ihre Leichen deponiert. Sie waren aufgequollen wie Luftballons.»

Ich sehe mich um. Das Viertel wird evakuiert. Nur ein ausländisches Fernsehteam ist gerade dabei, unter dem Schutz bewaffneter Führer die Trümmer zu filmen. Ein Geländewagen taucht plötzlich auf, voller steil aufragender Kalaschnikows, rast geradeaus und verschwindet unter furchtbarem Reifenquietschen in einer Kurve. Die Staubwolke, die er aufwirbelt, braucht lange, bis sie sich verzogen hat.

Ganz in der Nähe knallen Schüsse, dann herrscht wieder eine tödliche Stille.

Jamil fährt im Rückwärtsgang bis zu einem Verkehrskreisel, wirft einen prüfenden Blick in eine Seitenstraße, die wie ausgestorben daliegt, überlegt und beschließt, kein überflüssiges Risiko einzugehen.

«Das ist kein gutes Zeichen», sagt er, «das ist wirklich nicht gut. Ich sehe nicht einen Kämpfer von den Al-Aksa-Brigaden. Normalerweise sind hier immer drei oder vier Leute, die einem Auskunft geben. Wenn hier kein Mensch ist, dann deshalb, weil irgendwo in der Nähe ein Hinterhalt ist.»

«Wo wohnt dein Bruder denn?»

«Nur einen Katzensprung von der Moschee da entfernt. Siehst du die Dachgerippe rechts? Es ist gleich dahinter. Aber um dorthin zu kommen, muss man das ganze Viertel durchqueren, und es ist gespickt mit Heckenschützen. Das Schlimmste haben wir hinter uns, aber es ist noch immer ziemlich viel Blei in der Luft. Scharons Soldaten haben einen großen Teil der Stadt besetzt und die wichtigsten Zufahrtsstraßen abgeriegelt. Die werden uns nicht einmal in ihre Nähe lassen, wegen der Autobomben. Und unsere eigenen Milizen sind hochgradig nervös und schießen schon los, bevor sie nach deinen Papieren fragen. Wir haben einen schlechten Tag erwischt, um Khalil zu besuchen.»

«Was schlägst du jetzt vor?»

Jamil fährt sich mit der Zunge über seine blassen Lippen. «Weiß nicht. Das hab ich so nicht erwartet.»

Wir fahren bis zum Verkehrskreisel zurück, treffen dort auf zwei Rotkreuzfahrzeuge, folgen ihnen mit etwas Abstand. In der Ferne explodiert eine Granate, gleich darauf eine zweite. Am staubverhangenen Himmel brummen zwei Helikopter, ausgerüstet mit Raketen. Wir rücken mit äußerster Vorsicht im Windschatten der beiden Krankenwagen vor. Ganze Häuserblocks wurden hier von Panzern und Bulldozern planiert oder in die Luft gesprengt. An ihrer Stelle breitet sich Niemandsland aus, grauenhaft entstellt und aufgequollen durch Schuttberge, Geröllhaufen und zerbrochenes Eisen. Dazwischen haben sich Rattenkolonien niedergelassen, die nur darauf warten, ihren Herrschaftsbereich weiter auszudehnen. Die Ruinenreihen zeugen von den Straßen, die es hier einmal gab und die nur noch aus verstümmelten Fassaden bestehen, verziert mit hasserfüllten Graffiti, die schärfer hervorstechen als die Löcher in den Mauern. Und überall, vor den Abfallbergen, inmitten der von den Panzern platt gewalzten Autos, zwischen den vom Dauerbeschuss zerlöcherten Palisaden, den verunstalteten Plätzen – überall herrscht das Gefühl, erneut dieses Grauen zu durchleben, das man längst überwunden glaubte, und die schreckliche Ahnung, dass die alten Dämonen uneingeschränkt die Macht übernommen haben, um für immer zu bleiben.

Die beiden Krankenwagen biegen auf ein Feld ein, das von bleichen Gespenstern bevölkert ist.

«Die Überlebenden», erklärt Jamil. «Die zerstörten Häuser haben ihnen gehört. Jetzt haben sie sich hier niedergelassen.»

Ich sage nichts; ich bin entgeistert. Meine Hand tastet nach der Zigarettenschachtel.

»Gibst du mir eine?» Die beiden Krankenwagen halten vor einem Gebäude, wo Mütter mit Scharen von Kleinkindern am Rockzipfel schon ungeduldig warten. Die Fahrer springen zu Boden, reißen die Wagenschläge auf und beginnen, mit vollen Händen Lebensmittel zu verteilen, begleitet von Schubsen und Stoßen.

Jamil hat eine Reihe von Abkürzungen gefunden, nicht ohne immer wieder umzukehren, sobald ein Schuss oder eine suspekte Gestalt auftaucht und unseren Atem stocken lässt.

Endlich erreichen wir die vergleichsweise verschonten Stadtviertel, in denen Milizionäre in Drillich und allerlei andere Vermummte in hektischer Geschäftigkeit hin und her eilen. Jamil erklärt mir, dass er den Wagen in einer Garage abstellen muss und wir von jetzt an zu Fuß weitermüssen.

Wir klettern endlose Gässchen entlang, die voll aufgeregter, empörter Menschen sind, bevor wir die Unterkunft von Khalil erblicken.

Jamil klopft mehrmals an die Tür. Keine Antwort.

Von einem Nachbarn erfahren wir, dass Khalil vor ein paar Stunden mit seiner Familie nach Nablus aufgebrochen ist.

«Mensch, so ein Pech!», ruft Jamil. «Hat er gesagt, wohin genau er in Nablus wollte?»

«Er hat keine Anschrift hinterlassen ... Wusste er, dass du kommen würdest?»

«Ich hab ihn nicht erreichen können!», antwortet Jamil, wütend darüber, den ganzen weiten Weg umsonst gemacht zu haben. «Dschenin ist vom Rest der Welt abgeschnitten ... Darf man wissen, warum er nach Nablus aufgebrochen ist?»

«Na ja, er ist weg, mehr ist da nicht zu sagen. Was soll er auch noch hier? Wir haben kein Leitungswasser mehr und keinen Strom, haben nichts mehr zu essen und können kein Auge mehr zumachen. Wenn ich jemanden wüsste, der mich bei sich aufnehmen könnte, hätte ich mich auch davongemacht.»

Jamil bittet mich nochmals um eine Zigarette.

«Ein verdammtes Pech aber auch!», flucht er. «Ich kenne in Nablus keine Menschenseele.»

Der Nachbar lädt uns in sein Haus ein, um auszuruhen.

«Nein, vielen Dank», entgegne ich. «Wir haben keine Zeit zu verlieren.»

Jamil versucht nachzudenken, aber seine Enttäuschung behindert sein Denkvermögen. Er kauert sich vor die Tür seines Bruders, zieht nervös an seiner Zigarette, presst die Kiefer zusammen.

Jäh springt er auf. «Also, was machen wir jetzt? Ich kann nicht länger bleiben. Ich muss nach Ramallah zurück und dem Besitzer seinen Wagen zurückgeben.»

Ich sitze genauso in der Klemme. Khalil war mein einziger Anhaltspunkt. Den letzten Neuigkeiten zufolge war Adel bei ihm untergeschlüpft. Ich hatte gehofft, über ihn an Adel heranzukommen.

Wir drei sind Cousins, Khalil, Jamil und ich. Den ersten kenne ich nicht besonders gut, er ist zehn Jahre älter als ich, aber Jamil und ich, wir waren als Jugendliche fast unzertrennlich. In letzter Zeit sehen wir uns kaum noch, wegen der Verschiedenheit unserer beiden Berufe, ich als Chirurg in Tel Aviv und er als Transportbegleiter in Ramallah, doch wenn er zufällig durch meine Gegend muss, kommt Jamil immer auf einen Sprung vorbei. Er ist ein braver Familienvater, liebevoll und aufopfernd. Er schätzt mich sehr und hat sich von unserer früheren Verbundenheit her eine zärtliche Zuneigung zu mir bewahrt, die durch nichts zu erschüttern ist. Als ich ihm meinen Besuch ankündigte, hat er seinen Chef sofort um Urlaub gebeten, damit er sich um mich kümmern kann. Er weiß Bescheid über Sihem. Yasser hat ihm von meinem turbulenten Aufenthalt in Bethlehem erzählt und auch nicht verschwiegen, dass auf mir der Verdacht lastet, ich hätte mich vom israelischen Geheimdienst manipulieren lassen. Jamil wollte nichts davon wissen. Er hat mir gedroht, nie wieder ein Wort mit mir zu reden, wenn ich mich bei jemand anderem als ihm einquartieren würde.

Ich habe zwei Nächte in Ramallah verbracht, weil der Mechaniker mein Auto nicht reparieren konnte. Jamil musste einen anderen Cousin um Hilfe bitten, damit der uns sein Auto ausleiht, und ihm versprechen, es bis zum Abend zurückzubringen. Er dachte, er könnte mich bei seinem Bruder Khalil absetzen und gleich wieder umkehren.

«Gibt es hier irgendwo ein Hotel?», frage ich den Nachbarn.

«Sicher, aber bei all den Journalisten, die sich hier herumtreiben, sind sie alle belegt. Sie können gerne bei mir auf Khalil warten. Es stört mich nicht. Der gute Gläubige hat immer ein Bett für den Gast.»

«Vielen Dank», sage ich, «aber wir kommen schon allein zurecht.»

Wir finden ein freies Zimmer in einer Art Herberge, nicht weit von Khalils Haus entfernt. Der Empfangschef lässt mich im Voraus bezahlen und begleitet mich dann in den zweiten Stock, wo er mir ein Kabuff mit einem schmalen Bett, einem behelfsmäßigen Nachttisch und einem Metallstuhl zeigt. Er weist mich auf die Toiletten am Ende des Ganges hin, auf den vielleicht später einmal nützlichen Notausgang und überlässt mich dann meinem Schicksal. Jamil ist im Warteraum geblieben. Ich lege meine Tasche auf den Stuhl und öffne das Fenster, das zur Innenstadt geht. In weiter Ferne werfen Banden von Jungs Steine auf israelische Panzer und machen sich unter den Schüssen der Soldaten schnell aus dem Staub. Tränenbomben verbreiten ihren weißlichen Rauch in staubigen Straßen. Eine Menschentraube versammelt sich um ein am Boden liegendes Opfer ... Ich schließe das Fenster und gehe zu Jamil ins Erdgeschoss hinunter. Zwei Journalisten in zerknitterter Kleidung schlafen auf einem Sofa, ihre Ausrüstung ringsumher verstreut. Der Empfangschef macht uns darauf aufmerksam, dass es hinten rechts eine kleine Bar gibt, für den Fall, dass wir etwas trinken oder einen Happen essen wollen. Jamil bittet mich um die Erlaubnis, nach Ramallah zurückzufahren.

«Ich werde noch mal bei Khalil vorbeischauen und dem Nachbarn die Hoteladresse geben, wo er dich kontaktieren kann, sobald mein Bruder zurück ist.»

«Sehr gut. Ich rühre mich nicht aus dem Hotel. Außerdem wüsste ich gar nicht, wo ich mir hier die Beine vertreten könnte.»

«Du hast recht, bleib ruhig auf deinem Zimmer, bis dich jemand holt. Khalil kommt sicher noch heute oder spätestens morgen zurück. Er lässt das Haus nie völlig ohne Aufsicht.»

Er umarmt mich und drückt mich fest an sich. «Sei bloß nicht leichtsinnig, Amin.»

Nachdem Jamil fort ist, gehe ich in die Bar, bestelle mir einen Kaffee und rauche ein paar Zigaretten. Irgendwann tauchen bewaffnete Jugendliche in kugelsicheren Westen mit grünen Stirnbändern auf und lassen sich in einer Ecke nieder, im Schlepptau ein französisches Fernsehteam. Der jüngste der Kämpfer kommt zu mir herüber, erklärt mir, dass es sich um ein Interview handelt, und bittet mich höflich, mich woanders hinzusetzen.

Ich ziehe mich in mein Zimmer zurück und öffne das Fenster ein zweites Mal, diesmal mit Aussicht auf eine Reihe regulärer Gefechte. Ein Anblick, bei dem sich mein Herz zusammenzieht … Dschenin … die große Stadt meiner Kindheit. Da die Ländereien unseres Stammes nur rund dreißig Kilometer entfernt sind, begleitete ich meinen Vater oft nach Dschenin, wenn er sich dorthin begab, um seine Gemälde irgendeinem zwielichtigen Kunsthändler anzubieten. Zu der Zeit erschien mir Dschenin so mysteriös wie Babylon, und meine Fantasie verwandelte seine Flechtmatten in fliegende Teppiche. Als ich dann in der Pubertät den Hüftschwung der Frauen mit anderen Augen sah, begann ich auf eigene Faust die Stadt zu ergründen. Dschenin war die Traumstadt der verführerischen Engel, ein Marktflecken, der sich putzte und zierte und großstädtisch tat, mit seinen Menschenmengen, die endlos wogten, wie an den Markttagen im Ramadan, seinen tausend Ali-Baba-Läden voller Firlefanz, ein Ort, der sein Bestes gab, den langen Schatten des Mangels zu überdecken, mit seinen Sträßchen voller Wohlgerüche, in denen die Gassenjungen wie barfüßige Prinzen wirkten; nicht zu vergessen seine pittoreske Seite, die in einem früheren Leben die Pilger faszinierte, den Duft seines Brotes, den ich nirgends auf der Welt wiedergefunden habe, und seine bodenständige Herzlichkeit, allen Fährnissen des Schicksals zum Trotz ... Wo sind sie hin, die Nuancen, die einst seinen Charme ausmachten, die sein Markenzeichen waren, dank deren die Mädchen sich bald reizend verschämt, bald aufreizend unverschämt gaben und die Alten trotz ihres unerträglichen Charakters wie ehrwürdige Greise wirkten? Die Macht des Absurden hat nicht einmal vor den kleinen Freuden der Kinder Halt gemacht. Alles ist einem krankhaften Zerfall überantwortet. Man könnte glauben, sich auf einem vergessenen Seitenflügel der Zwischenwelt zu befinden, bevölkert von verwelkten Seelen, zerstörten Kreaturen, halb verdammt, halb Phantom, in der Not gefangen wie Mücken im Licht, Wesen mit verzerrter Miene und verdrehtem Blick, der Nacht zugewandt und derart unglücklich, dass selbst die Sonne Samarias sie nicht mehr zu erwärmen vermag.

Dschenin ist nur noch eine zerstörte Stadt, ein geballtes Unglück. Sie bleibt stumm, und ihr Ausdruck ist so erloschen wie das Lächeln ihrer Märtyrer, deren Porträts an jeder Straßenecke prangen. Verunstaltet durch die wiederholten Einfälle der israelischen Armee, bald an den Pranger gestellt, bald zu neuem Leben erweckt, um die Freude am Untergang länger währen zu lassen, liegt sie nun unter ihrem Fluch begraben, ist am Ende ihres Atems und ihrer Gebete …

Es klopft.

Ich wache auf. Das Zimmer ist in Finsternis getaucht. Ich schaue auf mein Handgelenk, es ist sechs Uhr abends.

«Herr Jaafari, Sie haben Besuch», wird mir durch die Tür mitgeteilt.

Ein Junge in bunt zusammengeflickter Uniform erwartet mich an der Rezeption. Er dürfte um die achtzehn sein, aber er versucht, älter zu wirken. Sein fein geschnittenes Gesicht wird von einer Borte wild abstehender Härchen gesäumt, die wohl ein Bart sein sollen.

«Ich heiße Abu Damar», stellt er sich beflissen vor. «Das ist mein Deckname. Du kannst mir trauen. Khalil schickt mich, um dich abzuholen.»

Er umarmt mich nach Art der Mudschaheddin.

Ich folge ihm durch ein Viertel, in dem es gärt und in dem die Gehwege unter Schichten von Schutt verschwunden sind. Die Gegend muss erst kürzlich von den israelischen Truppen geräumt worden sein, denn die von tiefen Rillen durchfurchte Chaussee weist noch den Abdruck der Panzerraupen auf wie ein Gefolterter die frischen Spuren seiner Tortur. Ein Schwarm kleiner Bengel überholt uns mit lautem Getrappel, wie auf einer wilden Jagd, und verschwindet unter ohrenbetäubendem Gebrüll in einer kleinen Gasse.

Mein Führer läuft schneller, als ich folgen kann; er muss von Zeit zu Zeit stehen bleiben und auf mich warten.

«Das ist nicht der richtige Weg», bemerke ich.

«Es ist bald Nacht», erklärt er mir. «Manche Sektoren sind abends tabu. Um jedes Versehen auszuschließen.

Wir sind sehr diszipliniert hier in Dschenin. Alle Anweisungen werden strikt befolgt. Sonst würden wir das gar nicht durchstehen.»

Er dreht sich zu mir um und fügt hinzu: «Solange du bei mir bist, riskierst du nichts. Das hier ist mein Sektor. In ein oder zwei Jahren hab ich hier das Sagen.»

Wir gelangen zu einer unbeleuchteten Sackgasse. Eine bewaffnete Gestalt hält vor einer Schwingtür Wache. Der Junge schiebt mich zu ihr hinüber.

«Da ist er, unser Herr Doktor», sagt er voll Stolz, seine Mission erfüllt zu haben.

«Sehr schön, Kleiner», antwortet der Wachposten. «Und jetzt gehst du brav nach Hause und vergisst uns.»

Verunsichert durch den schroffen Ton des Türstehers, verabschiedet sich der Junge und verschwindet hastig in der Dunkelheit.

Ich folge dem Wachposten in einen Innenhof, in dem zwei Milizionäre damit beschäftigt sind, ihre Gewehre im Licht einer Taschenlampe zu polieren. Ein großer Mann in Fallschirmspringerjacke steht auf der Schwelle eines mit Feldbetten und Schlafsäcken vollgestellten Raums. Das ist der Anführer. Er hat ein fleckiges Gesicht und weißglühende Augen und scheint nicht eben begeistert, mich zu sehen.

«Du willst dich wohl rächen, Doktor?», wirft er mir an den Kopf.

Damit habe ich jetzt nicht gerechnet. Ich brauche eine Weile, bis ich meine Sinne wieder beisammen habe.

«Wie bitte?»

«Du hast schon richtig gehört», erwidert er, während er mich in ein Geheimzimmer bringt. «Dich hat der Shin Beth geschickt, um uns aufzumischen, mit einem Tritt in den Ameisenhaufen aus unseren Löchern zu locken und seinen Drohnen auszuliefern.»

«Das stimmt doch gar nicht.»

«Du hältst jetzt besser dein Maul!», droht er mir und schubst mich gegen die Wand. «Wir haben dich schon seit längerer Zeit im Auge. Dein Auftritt in Bethlehem hat viel Staub aufgewirbelt. Wie hättest du's denn gern? Willst du lieber im Rinnstein erwürgt werden oder auf dem Marktplatz erhängt?»

Der Mann flößt mir schreckliche Angst ein.

Er drückt mir den Lauf seiner Pistole an die Rippen und zwingt mich in die Knie. Ein Milizionär, den ich beim Hereinkommen gar nicht gesehen habe, zieht mir die Hände hinter den Rücken und legt mir routiniert Handschellen an. Ich bin derart überrascht von der Wendung, die die Dinge nehmen, und der Leichtigkeit, mit der ich in die Falle getappt bin, dass ich Mühe habe zu glauben, was mir widerfährt.

Der Mann hockt sich hin, um mich aus der Nähe zu betrachten: «Endstation, Doktor, aussteigen. Du hättest nicht so weit gehen dürfen. Nicht bis hierher, denn hier kennt man keine Nachsicht mit Mistkerlen, wie du einer bist, wir lassen nicht zu, dass einer wie du uns das Leben sauer macht.»

«Ich bin gekommen, um Khalil zu sehen. Er ist mein Cousin.»

«Khalil hat sich abgesetzt, sobald er Wind von deinem Besuch bekommen hat. Der ist doch nicht verrückt. Ist dir eigentlich klar, was für ein Chaos du in Bethlehem angerichtet hast? Wegen dir war der Imam der Großen Moschee genötigt, umzuziehen. Wir selbst sind gezwungen, all unsere Aktivitäten dort auszusetzen, um zu überprüfen, ob unsere Netze nicht aufgespürt sind. Ich weiß nicht, warum Abu Moukaoum eingewilligt hat, sich mit dir zu treffen, aber es war keine gute Idee. Er ist inzwischen auch umgezogen. Und jetzt kommst du hierher nach Dschenin und fängst von vorn damit an?»

«Ich bin kein Kollaborateur.»

«Sieh an, sieh an ... Sie verhaften dich nach einem Attentat, das deine Frau begangen hat, und lassen dich drei Tage später wieder laufen, einfach so, ohne Strafverfolgung, ohne Prozess. Dass sie sich nicht für die Unannehmlichkeiten entschuldigen, die sie dir bereitet haben, ist erstaunlich. Und warum? Deiner schönen Augen wegen? Zugegeben, man wäre fast versucht, das zu glauben, nur dass man derlei noch nie erlebt hat. Nie wurde eine Geisel des Shin Beth einfach wieder freigelassen, ohne dass sie zuvor dem Teufel ihre Seele verkauft hätte.»

«Sie irren sich ...»

Er greift mich bei den Backen und drückt sie so heftig zusammen, dass mir der Mund offen stehen bleibt.

«Der Herr Doktor ist uns böse. Seine Frau ist *unseretwegen* gestorben. Es ging ihr doch so gut in ihrem goldenen Käfig, nicht wahr? Sie aß gut, schlief gut, amüsierte sich gut. Es fehlte ihr an nichts. Und da kommt so eine Bande von Idioten daher und lockt sie fort von ihrem Glück, damit sie – wie sagtest du noch? – für sie die *Kohlen aus dem Feuer* holt. Der Herr Doktor lebt in unmittelbarer Nachbarschaft eines Krieges, aber er will nichts davon wissen. Und er glaubt, dass seine Frau sich auch nicht damit zu beschäftigen braucht ... Nun, da hat er sich aber geirrt, der Herr Doktor.»

«Sie haben mich laufen lassen, weil ich mit dem Attentat nichts zu tun hatte. Niemand hat mich angeworben. Ich will einfach nur begreifen, was passiert ist. Deshalb suche ich Adel.»

«Dabei ist doch alles so klar. Wir leben im Krieg. Manche haben zu den Waffen gegriffen, andere sehen untätig zu. Und wieder andere machen im Namen der guten Sache gute Geschäfte. So ist das Leben. Aber solange jeder in seinem Bereich bleibt, ist das nicht weiter schlimm. Schwierig wird es erst, wenn die, die das süße Leben lieben, denen die Ohren lang ziehen, die bis zum Hals in der Scheiße stecken … Deine Frau hat ihr Lager gewählt. Das Glück, das du ihr geboten hast, hatte einen Beigeschmack von Verwesung. Es war ihr zuwider, verstehst du? Sie wollte das nicht. Sie hielt es nicht mehr aus, träge in der Sonne zu liegen, während ihr Volk unter dem Joch des Zionismus verkam. Muss man dir erst ein Bild malen, damit du begreifst, oder bist du so verstockt, dass du dich weigerst, der Realität ins Gesicht zu sehen?»

Zornbebend erhebt er sich, schiebt mich mit dem Knie an die Wand zurück und verlässt den Raum, den er von außen doppelt abschließt.

Einige Stunden später wirft man mich gefesselt und geknebelt und mit verbundenen Augen in einen Kofferraum. Für mich ist es das Ende. Jetzt wird man mich in ein Niemandsland bringen und exekutieren. Doch was mich wütend macht, ist meine eigene Gefügigkeit. Jedes Lamm hätte sich besser verteidigt. Als der Kofferraumdeckel über mir zuschlägt, nimmt er mir das letzte Stück Selbstachtung und entzieht mich zugleich dem Rest der Welt. Der weite Weg, den ich zurückgelegt habe, die ganze sagenhafte Karriere, und alles nur, um im Kofferraum eines Wagens zu enden wie irgendein altes Kleiderbündel! Wie konnte ich so tief fallen? Wie kann ich mich so behandeln lassen, ohne mich zu wehren? Ein Gefühl ohnmächtiger Wut trägt mich weit in die Vergangenheit zurück. Ich erinnere mich, wie Großvater eines Morgens, als er mich auf seinem Karren zu einem Zahnausreißer brachte, in einer Furche ins Schleudern geriet und einen Maultiertreiber umwarf. Dieser begann, kaum hatte er sich hochgerappelt, Großvater die übelsten Schimpfnamen an den Kopf zu werfen, und er fand kein Ende mehr. Ich hatte erwartet, den Patriarchen seinerseits in einen seiner denkwürdigen Wutanfälle ausbrechen zu sehen, einen von der Art, die die widerspenstigsten Stammesmitglieder erzittern lässt, doch wie groß war mein Kummer, als ich feststellen musste, dass mein Zentaur, dieses Wesen, das ich wie einen Gott verehrte, sich damit begnügte, Entschuldigungen zu stammeln und die Keffieh aufzuheben, die der andere ihm aus den Händen gerissen und zu Boden geworfen hatte. Ich war so betrübt, dass ich meine Zahnschmerzen vergaß. Ich war sieben oder acht Jahre alt. Ich wollte nicht glauben, dass Großvater das einfach so hinnahm, dass er sich derart erniedrigen ließ. Empört und ohnmächtig, wie ich war, ließ mich jeder Schrei des Maultiertreibers ein Stück tiefer im Erdboden versinken. Ich konnte nichts tun, als mit anzusehen, wie mein Idol vor meinem bloßen Auge zusammenschrumpfte ... Genau derselbe Kummer hat sich meiner bemächtigt in dem Moment, da der Kofferraumdeckel mich auslöschte. Ich schäme mich so sehr, dass ich all diese Schmach einfach hinnehme, ohne mit der Wimper zu zucken, dass das Schicksal, das mich erwartet, mir gleichgültig ist. Ich bin schon jetzt ein Nichts.

15.

Ich werde in ein dunkles Kellerloch gesperrt, ohne Luke, ohne Beleuchtung.

«Ist nicht gerade der größte Luxus hier», bemerkt der Mann in der Fallschirmspringerjacke, «aber der Service lässt nichts zu wünschen übrig. Versuch nicht, den Schlaumeier zu spielen, du hast nicht die geringste Chance, von hier wegzukommen. Wenn es nach mir ginge, wärst du schon am Vermodern. Aber ich bin leider nur ein kleines Rädchen in der Hierarchie, und die teilt nicht immer meine Ansichten.»

Mein Herz wäre fast stehen geblieben, als er die Tür hinter sich zuknallte.

Ich kauere mich hin, schlinge die Arme um meine Knie und rühre mich nicht mehr.

Am nächsten Tag kommen sie mich holen. Schon bin ich wieder in irgendeinem Kofferraum, mit Handschellen, geknebelt und mit einem Sack über dem Kopf. Nach einer langen Fahrt voller Schlaglöcher wirft man mich zu Boden, lässt mich hinknien und zieht mir den Sack vom Kopf. Das Erste, was mir ins Auge springt, ist ein großer Stein mit Blut- und Einschussspuren. Dieser Ort stinkt grässlich nach Tod. Hier müssen schon viele exekutiert worden sein. Einer drückt mir einen Gewehrlauf an die Schläfe. «Ich weiß, dass du keine Ahnung hast, in welcher Richtung die Kaaba liegt, aber es kann nie schaden, ein Gebet aufzusagen.» Der Biss des kalten Metalls durchzuckt mich von oben bis unten. Angst habe ich nicht, dennoch zittere ich derart heftig, dass mir fast die Zähne splittern. Ich schließe die Augen, raffe die letzten Fetzen Würde zusammen, die mir verblieben sind, und warte, dass es zu Ende geht... Das Gezischel eines Funkgeräts rettet mich in letzter Sekunde. Jemand gibt meinen Scharfrichtern Anweisung, ihren schmutzigen Job auf später zu verschieben und mich in meinen Kerker zurückzubringen.

Und wieder nichts als Finsternis, nur dass ich diesmal ganz allein auf der Welt bin, ohne den Schatten einer Hoffnung und ohne Erinnerungen, nur mit dieser ekelhaften Angst im Bauch und dem Abdruck der Kanone an meiner Schläfe...

Am nächsten Tag holen sie mich wieder. Am Ende der Fahrt derselbe besudelte große Stein, dieselbe Inszenierung, dasselbe Gezischel aus dem Funkgerät. Ich begreife, dass es sich um eine banale Scheinhinrichtung handelt, dass man versucht, mich mürbe zu machen.

Danach lassen sie mich in Ruhe.

Sechs Tage und sechs Nächte eingesperrt in einem widerwärtig stinkenden Rattenloch, allein mit Flöhen und Kakerlaken, bei kalter Suppe und einem Lager so hart wie ein Grabstein, auf dem man sich den Rücken wund liegt!

Ich hatte mit handfesten Verhören gerechnet, Folterungen oder Ähnlichem. Doch es geschah nichts dergleichen. Begeisterte Jugendliche, die ihre Maschinenpistolen wie Trophäen schwenken, sind mit meiner Bewachung betraut. Einmal bringen sie mir, wohl versehentlich, etwas zu essen, ohne auch nur ein Wort mit mir zu reden. Sie behandeln mich wie Luft.

Am siebten Tag stattet mir ein Kommandeur mit Eskorte in meinem Verlies einen Besuch ab. Es ist ein junger Mann um die dreißig, eher schmächtig, mit einem schmalen, seitlich verbrannten Gesicht und Augen von zweifelhaftem Weiß. Er steckt in einem verwaschenen Drillichanzug, und von der Schulter baumelt ihm eine Kalaschnikow.

Er wartet, bis ich mich aufgerichtet habe, drückt mir seinen Revolver in die Hand und tritt zwei Schritte zurück.

«Ist geladen, Doktor. Jetzt kannst du mich abknallen.»

Ich lege den Revolver auf den Boden.

«Knall mich ruhig ab. Das ist dein gutes Recht. Hinterher kannst du dann heimkehren und definitiv einen Strich unter alles ziehen. Hier wird dir kein Mensch auch nur ein Haar krümmen.»

Er kommt näher, drückt mir den Revolver wieder in die Hand.

Ich weigere mich.

«Gewissensverweigerer?», fragt er.

«Chirurg», antworte ich.

Er zuckt die Achseln, schiebt seine Pistole ins Halfter zurück und gesteht mir: «Ich weiß nicht, ob es mir gelungen ist, Doktor, aber ich wollte, dass du am eigenen Leib und im eigenen Kopf den Hass kennen lernst, der uns zerfrisst. Ich habe einen ausführlichen Bericht über dich verlangt. Man sagt, dass du ein feiner Kerl bist und ein außergewöhnlicher Menschenfreund und keinerlei Grund hast, den Leuten Böses zu wollen. Es war also schwierig, mich dir verständlich zu machen, ohne dich von deinem sozialen Rang herunterzuholen und durch den Dreck zu ziehen. Erst jetzt, wo du die Sauereien, die dein beruflicher Aufstieg dir erspart hat, hautnah erlebt hast, habe ich eine Chance, mich dir verständlich zu machen. Das Leben hat mich gelehrt, dass man von Luft und Liebe leben kann, von Brotkrumen und Versprechungen, doch dass man erlittene Schmach niemals heil übersteht. Und nichts anderes habe ich, seit ich auf der Welt bin, erlebt. Jeden Morgen. Jeden Abend. Mein Leben lang habe ich nichts anderes erfahren.»

Er macht eine leichte Handbewegung. Ein Milizionär wirft mir einen Beutel vor die Füße.

«Ich habe dir neue Kleidung mitgebracht. Ich habe sie aus eigener Tasche bezahlt.»

Ich kann ihm nicht ganz folgen.

«Du bist frei, Doktor. Du wolltest doch Adel sehen. Er wartet draußen auf dich, in einem Auto. Dein Großonkel würde dich gern im Haus des Patriarchen begrüßen. Wenn du ihn nicht sehen willst, ist das auch nicht schlimm. Dann werden wir ihm sagen, du seist verhindert gewesen. Wir haben ein Bad und ein etwas besseres Essen für dich vorbereitet, wenn es dir recht ist.»

Ich bleibe auf der Hut, rühre mich nicht.

Der Kommandeur kauert sich hin, öffnet den Beutel und zeigt mir Kleidung und ein Paar Schuhe, um mir seine guten Absichten zu beweisen.

«Wie hast du die sechs Tage in diesem stinkenden Kellerloch erlebt?», fragt er, während er sich, die Hände in die Hüften gestützt, erhebt. «Ich wage zu hoffen, du hast zu hassen gelernt. Andernfalls war die Erfahrung für die Katz. Ich habe dich da drin eingesperrt, damit du weißt, wie Hass schmeckt und wie sich die Lust anfühlt, ihn auszuleben. Ich habe dich nicht grundlos gedemütigt. Ich verabscheue es, jemanden zu demütigen. Man hat mich selbst oft genug gedemütigt, und ich weiß, wie es sich anfühlt. Alle Schandtaten sind möglich, wenn die Selbstachtung eines Menschen erst hinüber ist. Vor allem, wenn man feststellt, dass man nicht die Mittel hat, seine Würde wiederherzustellen, dass man ohnmächtig ist. Ich glaube, das ist die beste Schule des Hasses. Man lernt erst in der Sekunde wirklich zu hassen, in der man sich seiner Ohnmacht bewusst wird. Es ist ein tragischer Moment, der entsetzlichste und scheußlichste von allen.»

Er packt mich grimmig an den Schultern. «Ich wollte, dass du verstehst, warum wir zu diesen Waffen gegriffen haben, Herr Doktor Jaafari, warum Kinder sich auf Panzer stürzen, als wären es Bonbongläser, warum unsere Friedhöfe überquellen, warum ich mit der Waffe in der Hand sterben will ... warum deine Frau sich in einem Restaurant in die Luft gesprengt hat. Es gibt keine größere Katastrophe als die Erfahrung, gedemütigt zu werden. Das ist ein grenzenloses Unglück, Doktor. Es raubt dir den Geschmack am Leben. Und solange du deine Seele noch nicht ausgehaucht hast, hast du nur noch den einen Gedanken im Kopf: wie ein Ende in Würde finden, nachdem man elend, blind und nackt gelebt hat?»

Er merkt, dass mich seine Finger schmerzen, und nimmt die Hände wieder weg.

«Niemand wird nur so zum Spaß Mitglied unserer Brigaden, Herr Doktor. All die Jugendlichen, die du gesehen hast, die einen mit ihren Steinschleudern, die anderen mit ihren Raketenwerfern, hassen den Krieg mehr, als du dir vorstellen kannst. Weil Tag für Tag einer von ihnen in der Blüte des Lebens von einem feindlichen Geschoss hinweggerafft wird. Sie hätten auch gern eine angesehene gesellschaftliche Position, wären gern Chirurgen, Schlagerstars, Schauspieler, würden gern in tollen Autos herumfahren und Abend für Abend den Mond vom Himmel holen. Das Problem ist nur, dass man ihnen diesen Traum verwehrt, Doktor. Man tut alles, sie in Ghettos zu sperren, so lange, bis sie ganz darin untergehen. Deshalb ziehen sie es vor, zu sterben. Wenn die Träume zerstört werden, wird der Tod zum letzten Ausweg … Sihem hat das verstanden. Du solltest die Entscheidung, die sie für sich getroffen hat, respektieren und sie in Frieden ruhen lassen.»

Bevor er geht, fügt er noch hinzu: «Der menschliche Wahn kennt nur zwei Extreme. Den Moment, in dem man sich der eigenen Ohnmacht, und den, in dem man sich der Verwundbarkeit der anderen bewusst wird. Man hat nur die Wahl, seinen Wahn zu akzeptieren oder mit ihm unterzugehen.»

Und schon wendet er sich ab, im Schlepptau seine Leutnants.

Ich bleibe sprachlos in der Zelle zurück, vor mir die aufgerissene Tür, die auf einen lichtdurchfluteten Innenhof hinausgeht. Die Sonnenreflexe treffen mich mitten ins Hirn. Ich höre mehrere Autos abfahren, dann ist Stille. Ich glaube zu träumen, wage es nicht, mich zu zwicken. Ist das wieder nur ein Bluff?

Da taucht eine Silhouette im Turrahmen auf. Ich erkenne sie sogleich. Stämmig, rundlich, mit hängenden Schultern und kurzen, leicht krummen Beinen – das ist Adel. Ich weiß nicht, warum, aber als ich ihn so sehe, wie er zu mir in die tiefste Nacht herabsteigt, schluchze ich auf.

«*Ammou?*», sagt er mit aufgewühlter Stimme.

Er geht auf mich zu, mit ganz kleinen Schritten, als bewege er sich in der Höhle eines Bären.

«Onkelchen? Ich bin's, Adel ... Man hat mir gesagt, dass du mich suchst. Darum bin ich hier.»

«Du hast aber lange gebraucht.»

«Ich war nicht in Dschenin. Erst gestern Abend hat Zakaria angeordnet, dass ich zurückkommen soll. Ich bin erst vor einer knappen Stunde hier eingetroffen. Ich wusste nicht, dass es deinetwegen war. Was ist denn los, *ammou*?»

«Nenn mich nicht immer Onkelchen. Die Zeiten haben sich geändert, seit ich dich in mein Haus aufnahm und wie einen Sohn behandelt habe.»

«Das merke ich», sagt er und senkt den Kopf.

«Was kannst du schon, du bist doch nicht mal fünfundzwanzig? Siehst du wenigstens, in was für einen Zustand du mich versetzt hast?»

«Dafür kann ich nichts. Dafür kann niemand etwas. Ich wollte nicht, dass sie loszog, um sich in die Luft zu sprengen, aber sie war wild entschlossen. Sogar Imam Marwan hat es nicht geschafft, sie davon abzubringen. Sie hat gesagt, sie sei Palästinenserin und sehe nicht ein, warum sie anderen überlassen sollte zu tun, was ihre Aufgabe sei. Ich schwöre es dir, sie wollte nichts sehen und hören. Wir haben ihr gesagt, dass sie uns lebendig mehr nützen könnte als tot. Sie hat uns in Tel Aviv sehr unterstützt. Unsere wichtigsten Versammlungen haben wir bei dir im Haus durchgeführt. Wir haben uns als Installateure oder Elektriker verkleidet und unsere Ausrüstung mitgebracht, in Servicefahrzeugen, um keinen Verdacht zu erregen. Sihem hat uns ihr Bankkonto zur Verfügung gestellt. Dorthin haben wir das Geld für unsere Zwecke überwiesen. Sie war die Anlaufstelle unserer Sektion in Tel Aviv ...»

«Und Nazareth ...»

«Ja, in Nazareth auch», sagt er ohne erkennbare Bewegung in der Stimme.

«Und wo in Nazareth habt ihr eure Versammlungen abgehalten?»

«Nirgendwo. Ich hab sie da nur getroffen, um mit ihr sammeln zu gehen. Wenn wir unsere Wohltäter alle durchhatten, hat Sihem sich darum gekümmert, das Geld nach Tel Aviv zu bringen.»

«Und das ist alles?»

«Das ist alles.»

«Wirklich ...?»

«Was meinst du ...?»

«Wie war die Natur eurer Beziehungen?»

«Wir waren Verbündete im Krieg ...»

«Bloß Verbündete ... Der gute Zweck heiligt ja viele Mittel.»

Adel kratzt sich am Scheitel. Unmöglich zu erkennen, ob er verblüfft oder wachsam ist. Das Licht hinter ihm verbirgt seinen Gesichtsausdruck.

«Abbas ist nicht dieser Meinung», sage ich ihm.

«Wer ist das?»

«Der Onkel von Sihem. Der, der dir den Schädel mit der Spitzhacke spalten wollte, in Kafr Kanna.»

«Ach, der Bekloppte.»

«Der ist ganz klar im Kopf. Er weiß sehr genau, was er tut und was er sagt ... Er hat euch zusammen gesehen, wie ihr euch in Nazareth die Wände entlanggedrückt habt.»

«Ja, und weiter?»

«Er behauptet, es gäbe da Anzeichen, die nicht trügen.»

In exakt diesem Moment sind mir der Krieg, der gute Zweck, Himmel und Erde, die Märtyrer und ihre Monumente völlig egal. Ein Wunder, dass ich überhaupt noch aufrecht stehe. Mein Herz klopft wie aberwitzig in meiner Brust; meine Eingeweide treiben im ätzenden Saft ihrer eigenen Zersetzung. Meine Worte eilen meinen Ängsten voraus, sprudeln aus mir hervor wie feurige Funken. Ich habe Angst vor jedem Wort, das mir entwischt, Angst davor, dass eines wie ein Bumerang zurückkommen könnte, mit einer Wucht, die mich auf der Stelle vernichten würde. Doch das Bedürfnis, mir endlich Klarheit zu verschaffen, ist stärker als alles andere. Man könnte meinen, ich spiele Russisches Roulette und mein Schicksal sei mir gleichgültig, denn der Moment der Wahrheit wird ein für alle Mal über uns entscheiden. Es ist mir plötzlich egal, seit wann genau Sihem dem selbstmörderischen Fanatismus verfallen ist oder ob mich irgendeine Mitschuld trifft. Das alles ist in den Hintergrund gerückt. Was ich in erster Linie wissen will, was für mich mehr zählt als alles auf der Welt, ist die Frage, ob mich Sihem betrogen hat.

Adel begreift endlich, worauf ich hinauswill. Vor Empörung verschlägt es ihm die Sprache.

«Was soll das denn heißen?», bricht es schließlich aus ihm hervor. «Nein, das ist doch nicht möglich. Wie kommt man denn auf so eine …? Willst du etwa andeuten, dass …? Das darf doch nicht wahr sein! Wie kannst du es nur wagen?»

«Sie hat mir ja auch ihre Pläne verheimlicht.»

«Das ist doch nicht dasselbe.»

«Das ist dasselbe. Wer lügt, der betrügt.»

«Sie hat dich nicht belogen. Ich verbiete dir ...»

«Du wagst es, mir etwas zu verbieten ...?»

«Ja, ich verbiete es dir!», brüllt er und geht hoch wie eine Sprungfeder. «Ich erlaube dir nicht, ihr Andenken zu beflecken. Sihem war eine gottesfürchtige Frau. Und man kann seinen Mann nicht betrügen, ohne den Herrgott zu beleidigen. Das ergibt doch keinen Sinn. Wer beschlossen hat, sein Leben für Gott hinzugeben, der hat allen irdischen Freuden entsagt, und zwar ausnahmslos. Sihem war eine Heilige. Ein Engel. Ich wäre schon verdammt gewesen, hätte ich sie nur eine einzige Sekunde zu lange angeschaut.»

Und ich glaube ihm, mein Gott, ich glaube ihm! Seine Worte retten mich vor meinen Zweifeln, meinem Leiden, vor mir selbst; ich schlürfe sie auf, trinke sie bis zur Neige. Die schwarzen Wolkenstreifen an meinem Himmel lösen sich schwindelerregend schnell in nichts auf. Ein frischer Luftstrom durchflutet mich, verjagt den Muff, der mich innerlich verpestete, verleiht meinem Innern neuen Schwung und Lebenskraft. Mein Gott, ich bin gerettet; jetzt, da ich das Heil der Menschheit auf das meiner unendlich winzigen Person reduziere, da meine Ehre intakt ist, verliere ich meinen Kummer und meine Wut und bin beinahe versucht, alles zu vergeben. Meine Augen füllen sich mit Tränen, aber ich lasse nicht zu, dass sie mir diese mögliche Aussöhnung mit mir selbst verderben, diesen ganz privaten Frieden, den ich für mich allein besiegle. Doch das ist zu viel für einen geschwächten Mann, meine Knie geben nach, und ich sinke auf der Pritsche zusammen, den Kopf in beiden Händen vergraben.

Ich bin noch nicht so weit, dass ich mich in den Patio vorwagen könnte. Es ist zu früh für mich. Ich bleibe lieber noch eine Weile in meiner Zelle, um zu mir zu kommen, zu sehen, wo ich nun eigentlich stehe in diesem bunten Reigen von Enthüllungen. Adel setzt sich zu mir. Er zögert eine Weile, bevor er mir seinen Arm um den Hals legt; eine Geste, die mir zuwider ist, mir durch und durch geht, doch die ich nicht zurückweise. Ist es Reue? Oder Mitgefühl? In beiden Fällen wäre es nicht das, was ich erwarte. Erwarte ich wirklich etwas von einem Mann wie Adel? Das sollte mich wundern. Wir haben radikal unterschiedliche Vorstellungen davon, was die einen von den anderen erwarten können. Für ihn liegt das Paradies am Ende des Menschenlebens; für mich liegt es am Ende der ausgestreckten Hand. Für ihn war Sihem ein Engel, für mich war sie meine und nur meine Frau. Für ihn sind Engel unsterblich, für mich sterben sie an den Verletzungen, die wir ihnen zufügen ... Nein, wir haben uns wirklich so gut wie nichts zu sagen. Es ist schon ein Glück, dass er meinen Schmerz überhaupt wahrnimmt. Sein Schluchzen löst tief in mir drin ein Echo aus. Ohne dass ich es merke oder rechtfertigen könnte, macht meine Hand sich selbständig, legt sich tröstend auf seine ... Und dann haben wir geredet, geredet und geredet, als ob wir versucht hätten, jede Faser unserer Körper zu aktivieren. Adel kam nicht aufgrund geschäftlicher Dinge nach Tel Aviv, sondern um die örtliche Zelle der Intifada finanziell zu unterstützen. Er nutzte meine Popularität und meine Gastfreundschaft aus, um jeden Verdacht von sich fern zu halten. Sihem hatte rein zufällig eine Aktenmappe entdeckt, die er unter dem Bett versteckt hatte. Dokumente und eine Faustwaffe waren herausgefallen. Adel hatte bei seiner Rückkehr gleich begriffen, dass sein Versteck entdeckt worden war. Er hatte erst daran gedacht, Alarm zu schlagen und unterzutauchen. Er hatte sogar erwogen, Sihem zu töten, um nichts dem Zufall zu überlassen. Er war gerade dabei, sich ein Szenario für ihren «Unfalltod» auszumalen, da kam sie mit einem Bündel Schekel zu ihm ins Zimmer. «Hier. Für eure Sache», hat sie gesagt. Adel hat Monate gebraucht, bis er bereit war, sie ins Vertrauen zu ziehen. Sihem wollte sich ihm anschließen in der Widerstandsbewegung. Die Zelle hat sie auf die Probe gestellt, und sie war überzeugend gewesen. Warum hatte sie mir denn nichts davon gesagt? *Was hätte sie dir denn sagen sollen? Sie konnte doch nichts sagen, hatte gar kein Recht dazu. Sie legte auch keinen Wert darauf, dass sich ihr jemand in den Weg stellte. Und außerdem schweigt man über diese Art von Verpflichtungen. Man posaunt doch den Eid, den man geleistet hat und den man unter größter Geheimhaltung einhält, nicht über alle Dächer. Mein Vater und meine Mutter glauben, dass ich Geschäftsmann bin. Beide erwarten, dass ich ein Vermögen mache, um sie aus ihrem Elend zu befreien. Sie haben keine Ahnung von meiner Arbeit im Widerstand. Dabei sind sie ebenso gut Widerstandskämpfer wie ich. Sie würden keine Sekunde zögern, ihr Leben für Palästina zu geben ... aber nicht ihr Kind. Das wäre nicht normal, denn die Eltern leben in ihren Kindern weiter, sie sind ihr Stück von der Ewigkeit ... Sie werden untröstlich sein, wenn sie von meinem Tod erfahren. Mir ist bewusst, welch grenzenlosen Schmerz ich ihnen zufügen werde, aber das wird nur ein Kummer mehr unter den Kümmernissen ihres Lebens sein. Mit der Zeit werden sie ihre Trauer überwinden* und mir vergeben. *Das Opfer ist nicht nur Sache der anderen. Wenn wir hinnehmen, dass die Kinder der anderen für die unseren sterben, müssen wir auch hinnehmen, dass unsere Kinder für die der anderen sterben, das wäre sonst nicht loyal.* Und an dieser Stelle kommst du nicht mehr mit, ammou. *Sihem ist in erster Linie Frau, und erst danach deine Frau. Sie ist für die anderen gestorben ...* Warum ausgerechnet sie ...? *Warum nicht sie? Warum willst du, dass Sihem von der Geschichte ihres Volkes ausgeschlossen sein soll? Was unterschied sie von den Frauen, die sich vor ihr geopfert haben? Das ist der Preis, den man zahlen muss, um frei zu sein ...* Das war sie doch. Sihem war frei. Sie konnte alles tun. Ich habe sie in keiner Weise eingeschränkt. *Die Freiheit ist kein Pass, den man in der Präfektur ausgestellt bekommt,* ammou. *Zu verreisen, wohin man will, bedeutet noch lange nicht frei zu sein. Zu essen, so viel man will, noch kein Erfolg. Die Freiheit ist eine feste Überzeugung; sie ist die Mutter aller Gewissheiten. Und Sihem war sich nicht so sicher, ihres Glückes würdig zu sein. Ihr habt unter demselben Dach gelebt, dieselben Privilegien genossen, aber ihr habt nicht in dieselbe Richtung geblickt. Sihem stand ihrem Volk viel näher als der Vorstellung, die du dir von ihr gemacht hast. Sie mochte glücklich sein, aber nicht hinreichend, um dir ähnlich zu sein. Sie nahm es dir nicht übel, dass du den Lorbeer, mit dem man dich überhäufte, für bare Münze genommen hast, doch sie wünschte sich eine andere Art von Glück für dich, denn dieses fand sie einen Hauch anstößig, eine Spur unpassend. Es war, als ob du auf verbrannter Erde ein Grillfest feiern würdest. Du sahst nur das Grillfest, sie sah den Rest, die Trostlosigkeit ringsum, die all deine Freuden verfälschte. Es war*

nicht deine Schuld; dennoch ertrug sie es nicht länger,
deine Einäugigkeit mitzutragen ... Ich habe überhaupt
nichts kommen sehen, Adel. Sie schien so glücklich zu
sein ... *Du wolltest sie so gern glücklich sehen, dass du*
deine Augen vor allem verschlossen hast, was einen
Schatten auf ihr Glück werfen könnte. Sihem wollte
diese Art von Glück nicht. Es machte ihr ein schlechtes
Gewissen. Die einzige Möglichkeit, sich davon zu ent-
lasten, war, unserer Sache beizutreten. Das ist eine ganz
natürliche Entwicklung, wenn man aus einem leidge-
prüften Volk stammt. Es gibt kein Glück ohne Würde,
und kein Traum ohne Freiheit ... Die Tatsache, Frau zu
sein, disqualifiziert die Widerstandskämpferin nicht, ver-
schont sie nicht und schließt sie nicht aus. Der Mann hat
den Krieg erfunden, die Frau den Widerstand. Sihem war
Tochter eines Volkes, das Widerstand leistet. Sie wusste
sehr genau, was sie tat ... Sie wollte es sich verdient
haben zu leben, ammou, *wollte das Bild, das der Spie-*
gel ihr zurückwarf, verdient haben, wollte es verdient
haben, hellauf zu lachen, und nicht nur von ihrem Glück
profitieren. Ich kann mich auch ins Geschäftsleben stür-
zen und schneller als Onassis zu Geld kommen. Aber wie
kann man akzeptieren, blind zu sein, um glücklich zu
werden, wie kann man sich selbst den Rücken zukehren,
ohne seiner Selbstverleugnung ins Gesicht zu blicken?
Man kann nicht mit der einen Hand die Blume gießen,
die man mit der anderen pflückt; man gibt einer Rose,
die man ins Glas stellt, nicht ihre Anmut zurück, son-
dern verfälscht ihre Natur; man glaubt, man verschönert
sein Wohnzimmer mit ihr, doch in Wahrheit verunstaltet
man nur seinen Garten ... Seine Logik ist glasklar, doch
ich stoße mich an ihr wie eine Mücke an einem Glas.

Seine Botschaft schwebt mir deutlich vor Augen, doch ich finde keinen Zugang zu ihr. Ich versuche, Sihems Tat zu begreifen, und finde keine Rechtfertigung, keine Entschuldigung dafür. Je länger ich darüber nachdenke, je weniger leuchtet es mir ein. Wie sie dorthin gelangt ist. «Es kann jedem passieren», hatte Naveed gesagt. «Entweder es fällt dir wie ein Ziegel auf den Kopf, oder es frisst sich in dir fest wie ein Bandwurm. Danach siehst du die Welt mit anderen Augen.» Sihem musste diesen Hass schon immer, schon lange, bevor sie mich kennen lernte, in sich haben. Sie war auf Seiten der Unterdrückten aufgewachsen, als Waisenkind und Araberin in einer Welt, die weder dem einen noch der anderen etwas schenkt. Sie musste ihren Rücken sehr tief beugen, logischerweise, wie ich auch, nur dass sie ihn nicht ein einziges Mal hat aufrichten können. Manche Kompromisse, die man eingehen muss, wiegen schwerer als die Last der Jahre. Um dahin zu kommen, sich mit Sprengstoff voll zu packen und mit einer solchen Entschiedenheit in den Tod zu gehen, musste sie eine Verletzung in sich tragen, die derart gemein und scheußlich war, dass sie sich schämte, sie mir zu zeigen. Die einzige Möglichkeit, davon freizukommen, bestand darin, sich mit ihr zusammen zu zerstören, wie ein Besessener, der sich von der Klippe stürzt, um seinen Dämon und die eigene Verwundbarkeit zu besiegen. Zwar kaschierte sie ihre Narben bewundernswert gut, hat sie vielleicht zu übertünchen versucht, doch ohne Erfolg. Es hat nur eines winzigen Auslösers bedurft, um die Bestie, die in ihr schlummerte, zu wecken. In welchem Moment wurde dieser Auslöser betätigt? Adel hat sie nicht danach gefragt. Sihem wusste es vermutlich selber nicht. Eine Ausschreitung mehr im Fernsehen, ein Übergriff auf der Straße, eine aufgeschnappte Beleidigung. Eine Kleinigkeit setzt einen Prozess in Gang, der nicht mehr zu stoppen ist, wenn der Hass sich festgekrallt hat ... Adel redet und redet und raucht wie ein Schlot ... Ich merke plötzlich, dass ich ihm gar nicht mehr zuhöre. Ich will nichts mehr von alldem hören. Die Welt, die er mir schildert, gefällt mir nicht, diese Welt, in welcher der Tod ein Selbstzweck ist. Für einen Arzt ist das das Letzte. Ich habe so viele Patienten aus dem Jenseits geholt, dass ich mich am Ende fast für einen Gott gehalten habe. Und wenn mich einer auf dem OP-Tisch mal im Stich ließ, wurde aus mir wieder der verwundbare und traurige Sterbliche, der ich nie hatte sein wollen. Ich erkenne mich nicht wieder in dem Verlangen, Leben auszulöschen; meine Bestimmung besteht darin, Leben zu retten. Ich bin Chirurg. Und Adel verlangt von mir, gefälligst zu akzeptieren, dass der Tod zum Ziel werden kann, zum Wunschziel, zu etwas Rechtmäßigem. Er verlangt von mir, zur Tat meiner Frau zu stehen, sie gutzuheißen, mit anderen Worten gerade das zu tun, was meine Bestimmung als Arzt mir bis in die hoffnungslosesten Fälle hinein, bis hin zur Euthanasie, untersagt. Darauf bin ich wirklich nicht aus. Ich will nicht stolz darauf sein, dass ich Witwer bin, ich will nicht auf das Glück verzichten, das mich zum Mann und zum Liebhaber gemacht hat, zum Herrn und zum Sklaven, ich will nicht den Traum begraben, der mich leben ließ, wie ich niemals wieder leben werde.

Ich schiebe den Beutel vor meinen Füßen beiseite und stehe auf.

«Komm, lass uns gehen, Adel.»

Er ist ein bisschen brüskiert, dass ich ihn einfach unterbreche, aber er steht ebenfalls auf.

«Du hast recht, *ammou*. Das ist nicht der beste Ort, um von diesen Dingen zu reden.»

«Ich will überhaupt nicht davon reden. Weder hier noch sonst wo.»

Er pflichtet mir bei. «Dein Großonkel Omr weiß, dass du in Dschenin bist. Er möchte dich gern sehen. Wenn du keine Zeit hast, ist das nicht weiter schlimm. Ich werde es ihm erklären.»

«Du brauchst nichts zu erklären, Adel. Ich hab mich niemals von den Meinen losgesagt.»

«Das habe ich doch nicht gemeint.»

«Du hast nur laut gedacht.»

Er weicht meinem Blick aus. «Willst du nicht vorher einen Happen essen oder ein warmes Bad nehmen?»

«Nein. Ich möchte von deinen Freunden nichts annehmen. Ich mag weder ihre Küche noch ihre Hygiene. Auch ihre Kleider will ich nicht», füge ich hinzu und schiebe den Beutel aus dem Weg. «Ich muss in mein Hotel zurück, um meine Sachen zu holen, wenn sie inzwischen nicht schon an die Bedürftigen verteilt wurden.»

Das Licht im Patio sticht mir in die Augen, aber die Sonne tut gut. Die Milizionäre sind verschwunden. Nur ein junger Mann steht lächelnd neben einem verstaubten Wagen.

«Das ist Wissam», sagt Adel. «Der Enkelsohn von Omr.»

Der junge Mann fliegt mir um den Hals und drückt mich kräftig. Als ich einen Schritt zurücktrete, um ihn genauer anzusehen, versteckt er sich hinter einem verlegenen Lächeln, wegen der Tränen, die in seinen Augen stehen. Wissam! Ich hab ihn schon als Schreihals in Windeln gekannt, kaum größer als eine Männerfaust, und

jetzt ist er einen Kopf größer als ich, hat einen ein-
drucksvollen Schnurrbart und steht mit einem Fuß im
Grab, in einem Alter, da alle Verrücktheiten anrührend
sind, nur nicht die, die er sich ausgesucht hat. Der Revolver, der in seinem Koppel steckt, gibt mir einen Stich
ins Herz.

«Du bringst ihn erst in sein Hotel», ordnet Adel an.
«Er muss da noch ein paar Sachen abholen. Wenn der
Empfangschef vergessen haben sollte, wo er sie hingetan
hat, frischst du sein Gedächtnis auf.»

«Kommst du denn nicht mit?», fragt Wissam überrascht.

«Nein.»

«Vorhin wolltest du doch noch.»

«Ich hab's mir anders überlegt.»

«Einverstanden. Du bist der Boss. Dann vielleicht bis
morgen.»

«Wer weiß?»

Ich warte, dass er mich zum Abschied umarmt. Doch
Adel bleibt, wo er ist, mit gesenktem Kopf, die Hände in
die Hüften gestemmt, und schiebt mit der Schuhspitze
einen Kieselstein hin und her.

«Na dann bis bald», sagt Wissam noch einmal.

Adel sieht mich mit schattenumwobenen Augen an.

Dieser Blick!

Derselbe Blick, mit dem Sihem mich angesehen hat, an
jenem Morgen, als ich sie zum Busbahnhof brachte.

«Es tut mir wirklich leid, *ammou*.»

«Und mir erst ...»

Er traut sich nicht, näher zu kommen. Ich wiederum
helfe ihm nicht, gehe nicht auf ihn zu. Ich will nicht, dass
er sich sonst was einbildet. Er soll wissen, dass meine

Verletzung unheilbar ist. Wissam öffnet mir den Schlag, wartet, bis ich Platz genommen habe, und schwingt sich auf den Fahrersitz. Der Wagen beschreibt einen Kreis durch den Innenhof, streift Adel fast, der gedankenverloren dasteht, ohne sich zu rühren, und fährt hinaus auf die Straße. Ich möchte diesen Blick eigentlich noch einmal sehen, ihn abtasten, ihn durchleuchten. Doch ich drehe mich nicht mehr um. Weiter unten verzweigt sich die Straße in eine Vielzahl von Gassen und Gässchen. Die Geräusche der Stadt holen mich ein. Das Gebrodel der Menschenmassen betäubt mich. Ich lasse den Kopf gegen die Rückenlehne fallen und versuche, an gar nichts zu denken.

Im Hotel händigt man mir meine Sachen aus und erlaubt mir, ein Bad zu nehmen. Ich rasiere mich und ziehe mich um, dann bitte ich Wissam, mich ins Land meiner Väter zu bringen. Wir verlassen Dschenin ohne jeden Zwischenfall. Die Gefechte wurden vor einiger Zeit eingestellt, ein großer Teil von Israels Armee ist bereits abgezogen. Mehrere Fernsehteams streifen zwischen den Trümmern umher auf der Suche nach einem Bild des Horrors, das sich verwerten lässt. Unser Weg führt durch endlose Felder, bevor unser Wagen die verlotterte Straße erreicht, die zu den Obstgärten des Patriarchen führt. Ich lasse meinen Blick über die Ebenen schweifen, wie ein Kind, das seinen Träumen nachläuft. Doch der Gedanke an Adels Blick lässt mich nicht los. Dieser von dunklen Schatten umstellte Blick hat mich seltsam berührt, ein Gefühl der Trauer ausgelöst. Ich sehe ihn vor mir, wie er dasteht, in diesem glühend heißen Innenhof. Das ist nicht der Adel, den ich kenne, lustig und großherzig. Das ist ein anderer, eine tragische Gestalt, von dem Verlangen eines Wolfs beseelt, das nicht weiter als bis zur nächsten Mahlzeit reicht, zur nächsten Beute, zum nächsten Massaker. Und dahinter das weiße, jungfräuliche Nichts, wo alles in der Schwebe, alles vage Vermutung bleibt. Er raucht seine Zigarette, als wäre es die letzte, spricht von sich selbst, als wäre er schon fort, und hat in seinem Blick das Halbdunkel der Totenkammern. Eindeutig, Adel ist nicht mehr von dieser Welt. Er hat der Zukunft unwiderruflich den Rücken gekehrt, einer Zukunft, die er nicht erleben will, als fürchte er, sie könne ihn enttäuschen. Er hat die Rolle gewählt, die, wie er wohl meint, am besten zu ihm passt: die Märtyrerrolle. So will er enden, eins mit der Sache, für die er gelebt hat. In die Gedenkstelen ist schon sein Name eingraviert, ins Gedächtnis der Seinen die Erinnerung an seine Heldentaten. Nichts könnte ihn mehr entzücken als Kugelhagel, nichts ihn höher erheben, als einem Scharfschützen in die Schusslinie zu geraten. Wenn er ein reines Gewissen hat, wenn er sich keinerlei Vorwürfe macht, Sihem in den Opfertod getrieben zu haben, wenn für ihn der Krieg die einzige Chance zur Selbstachtung ist, dann, weil er selbst schon ein toter Mann ist und nur auf seine Beerdigung wartet, um in Frieden zu ruhen.

Ich glaube, ich bin am Ziel. Der Weg bis hierher war fürchterlich, und ich habe nicht den Eindruck, irgendetwas erreicht, eine wie auch immer geartete erlösende Antwort gefunden zu haben. Doch gleichzeitig fühle ich mich erleichtert. Ich erkenne, dass ich am Ende meiner Qualen angelangt bin und von nun an gegen alles gewappnet. Diese schmerzhafte Wahrheitssuche war meine Initiationsreise. Werde ich die Dinge, wie sie sind, jetzt mit anderen Augen sehen, sie in Frage stellen, mich selbst anders dazu verhalten? Sicherlich, aber ich werde nicht das Gefühl haben, einen Beitrag zu etwas Größerem zu leisten. Für mich ist die einzige Wahrheit, die zählt, jene, die mir helfen wird, mich eines Tages wieder zu festigen und zu meinen Patienten zurückzukehren. Denn der einzige Kampf, an den ich glaube, der es wirklich wert wäre, dass man für ihn *blutet*, ist der des Chirurgen, der darin besteht, das Skalpell gegen das Zepter des Todes zu führen und das Leben neu zu erfinden.

16.

Omr, das Stammesoberhaupt, unser Nestor, der letzte Atemhauch eines Epos, das vormals unsere abendlichen Runden raunend in den Schlaf gewiegt hat ... Omr, mein Großonkel, eben jener, der das Jahrhundert wie eine Sternschnuppe durchquert hat, so geschwind, dass seine Wünsche ihn nie einholen konnten ... Da ist er, im Hof des Patriarchen, lächelt mich an und ist glücklich, mich wiederzusehen. Sein von strengen Falten zerfurchtes Gesicht bebt vor Freude, derart herzergreifend, dass man meinen könnte, da freut sich ein Kind über die Rückkehr des lange abwesenden Vaters. Er ist mehrfacher Mekkapilger, hat Ruhm und Ehre geerntet, ferne Länder bereist und ist auf legendären Vollblütern durch spektakuläre Landschaften geritten. Er hat für Lawrence von Arabien gekämpft, «diesen weißen Teufel, der aus dem Land des Nebels kam, um Beduinen gegen Ottomanen aufzuhetzen und Zwietracht unter den Mohammedanern zu säen», hat in der Leibgarde von König Ibn Saud gedient, sich dort in eine Odaliske verliebt und ist mit ihr von der Arabischen Halbinsel geflohen. Doch dem unsteten Wanderleben und der wachsenden Armut hat ihre Liebe nicht standgehalten. Nachdem seine gute Seele ihn verlassen hatte, ist er von Fürstentum zu Sultanat vagabundiert, immer auf der Suche nach einer einträglichen Gelegenheit, hat hier und da ein wenig herumgeräubert, sich in Sanaa als Waffenschmuggler, in Alexandria als

Teppichhändler betätigt, bevor er bei der Verteidigung Jerusalems im Jahr 1947 schwer verwundet wurde. Ich kannte ihn anfangs immer nur hinkend, wegen der Kugel im Knie, dann auf einen Stock gestützt wegen eines Herzinfarkts, den er an dem Tag erlitt, als er zusehen musste, wie die israelischen Bulldozer die Obstgärten des Patriarchen verwüsteten, an deren Stelle eine jüdische Siedlung entstand. Heute kommt er mir entsetzlich klein vor, mit seinem leichenblassen Gesicht und dem erloschenen Blick. Wenig mehr als Haut und Knochen, die man auf einem Rollstuhl vergessen hat.

Ich habe ihm die Hand geküsst und mich zu seinen Füßen hingekniet. Seine spitzen Finger strichen mir durchs Haar, während er um Atem rang, um mir mitzuteilen, wie überglücklich ihn meine Rückkehr in den Schoß der Familie macht. Ich habe meinen Kopf an seine Brust gelehnt, wie einst, wenn ich mich bei ihm ausweinen kam, weil dem verwöhnten Kleinen, der ich war, mal wieder ein Sonderwunsch abgeschlagen worden war.

«Mein Doktor», sagt er mit meckernder Greisenstimme, «mein Doktor ...»

Faten, seine Enkelin, inzwischen auch schon fünfunddreißig, steht neben ihm. Auf der Straße hätte ich sie nicht wiedererkannt. Es ist so lange her. Als ich fort bin von zu Hause, war sie ein scheues Mädchen, ständig darauf aus, ihre Cousins zu ärgern, um gleich darauf so behende davonzurennen, als wäre ihr der Teufel auf den Fersen. Die Neuigkeiten, die sporadisch zu mir nach Tel Aviv durchdringen, stellen sie als ausgesprochenen Pechvogel dar. Die Lästerzungen nennen sie die jungfräuliche Witwe. Das Glück ist nicht auf Fatens Seite. Ihr erster

Mann ist während des Hochzeitszugs gestorben, der infolge einer dummen Reifenpanne nicht sehr weit kam. Ihr zweiter Verlobter wurde beim Scharmützel mit einer israelischen Patrouille zwei Tage vor der Hochzeitsnacht getötet. Sofort hatten die Klatschweiber den Verdacht zur Hand, dass ein böser Fluch auf ihr liege, und fortan hat kein Anwärter mehr an ihre Tür geklopft. Sie ist ein robustes, bäuerliches Mädchen, geprägt von der täglichen Fron im Haushalt und der Härte des Daseins im weltabgeschiedenen Dorf. Ihre Umarmung fällt kräftig aus, ihr Kuss geräuschvoll.

Wissam nimmt mir meine Tasche ab und bringt mich, nachdem der Älteste meine Hand freigegeben hat, in mein Zimmer. Ich bin schon eingeschlafen, noch bevor mein Kopf das Kissen berührt. Gegen Abend weckt er mich. Faten und er haben den Tisch unter der Weinlaube gedeckt. Sie haben es an nichts fehlen lassen. Der Nestor sitzt am Kopfende des Tisches eingesunken in seinem Rollstuhl. Seine Augen ruhen auf mir: er ist vollkommen selig. Wir essen zu viert im Freien zu Abend. Wissam unterhält uns mit Anekdoten von der Front bis tief in die Nacht hinein. Omr lacht aus den Augenwinkeln, das Kinn tief gesenkt. Wissam ist ein Scherzbold. Ich kann kaum glauben, dass so ein schüchterner Junge wie er einen derart haarsträubenden Humor entwickeln kann.

Beschwingt von seinen Erzählungen kehre ich in mein Zimmer zurück.

Am nächsten Morgen bin ich schon auf den Beinen, als die Nacht bei der ersten Berührung des Tages verblasst. Ich habe wie ein Kind geschlafen. Träume? Vielleicht hatte ich welche, schöne sogar, aber ich erinnere mich an nichts. Ich fühle mich frisch, wie geläutert. Faten hat den Ältesten schon in den Patio geschoben, ich sehe ihn durchs Fenster, steif und feierlich auf seinem Thron, einem wiedergenesenden Totem ähnlich. Er wartet auf den Sonnenaufgang. Faten hat gerade Fladenbrot gebacken. Sie serviert mir das Frühstück im Wohnzimmer, frisches Obst und gebutterte, in Honig getauchte Schnitten. Ich frühstücke allein, da Wissam noch schläft. Faten kommt von Zeit zu Zeit nachsehen, ob es mir an nichts fehlt. Nach der Mahlzeit gehe ich zu Omr in den Patio hinaus. Er drückt mir die Hand, als ich mich vorbeuge, um ihn auf die Stirn zu küssen. Wenn er so schweigsam ist, dann, um jeden Moment, den ich bei ihm bin, intensiv auszukosten. Faten geht in den Hühnerstall, um die Küken zu füttern. Jedes Mal, wenn sie an mir vorbeikommt, lächelt sie mich auf dieselbe Art an. Trotz der Rauheit des Hoflebens und der Grausamkeit des Schicksals klammert sie sich hier fest. Ihr Blick ist verdorrt, ihre Bewegungen entbehren der Anmut, doch ihr Lächeln hat sich eifersüchtig eine verschämte Zärtlichkeit bewahrt.

«Ich drehe mal eine Runde», sage ich zu Omr. «Wer weiß? Vielleicht finde ich ja den Kupferknopf wieder, den ich hier in der Gegend vor über vierzig Jahren verloren habe.»

Omr wackelt mit dem Kopf und vergisst, meine Hand loszulassen. Seine von Sandstürmen und Unglücksschlägen zerschlissenen Augen leuchten wie matt schimmernde Edelsteine.

Ich nehme die Abkürzung durch den Gemüsegarten und bin schon mittendrin zwischen lauter Baumgerippen, den Überresten des einstigen Obstgartens, auf der

Suche nach meinen Kindheitswegen. Die Pfade von damals sind alle verschwunden, doch die Ziegen haben neue angelegt, vielleicht nicht ganz so gründlich, aber ebenso unbekümmert. Ich erblicke den Hügel, von dem aus ich mich einst aufgemacht habe, die geruhsame Stille zu erobern. Die Hütte, in der mein Vater sein Atelier eingerichtet hatte, ist zusammengebrochen. Eine Mauer sträubt sich noch gegen den Zerfall, doch der Rest ist nur noch Ruine, unter den Regengüssen in sich zusammengesackt. Ich gelange zu einem Mäuerchen, hinter dem wir, ein ganzer Schwarm von Cousins, Pläne für Überfälle auf feindliche Armeen ausgeheckt haben. Ein Mauerteil ist einseitig weggebrochen und sein Inneres von Unkraut überwuchert. An genau diesem Ort hatte meine Mutter meinen totgeborenen Welpen begraben. Ich war so traurig, dass sie mit mir zusammen in Tränen ausbrach. Meine Mutter ... eine barmherzige Seele, die sich in fernen Erinnerungen verflüchtigt; eine Liebe, für alle Zeiten verloren im Raunen der Lebensalter. Ich setze mich auf einen großen Stein und lasse die Erinnerungen kommen. Der Sohn eines Sultans war ich nicht, doch ich sehe einen Prinzen vor mir, der die Arme ausbreitet wie Vogelschwingen und über dem Elend der Welt schwebt, einem Gebet über dem Schlachtfeld gleich, einem Gesang über dem Schweigen derer, die nicht mehr singen können.

Da dringt die Sonne in meine Gedanken ein. Ich erhebe mich und klettere den Hügel empor, den ein paar zerrupfte Bäume bewachen. Jetzt noch eine Böschung hinunter und hinauf auf die Kuppe: hier war mein Aussichtsturm, mein Mirador, zu Zeiten, da die Kriege noch glücklich waren. Früher, wenn ich hier oben stand, trug mein Blick so weit, dass ich mit ein wenig Konzentration das Ende der Welt erahnen konnte. Heute, wer weiß welchen verderblichen Absichten entsprungen, erhebt sich dort eine scheußliche Mauer und verstellt mir den Blick in meinen Kinderhimmel, so anstößig, ja geradezu schamlos, dass die Hunde das Bein zum Pinkeln lieber an den Dornenranken heben.

«Scharon ist dabei, die Torah verkehrt herum zu lesen», sagt da eine Stimme in meinem Rücken.

Ein Greis mit schlohweißer Mähne steht im Faltenwurf seines verblichenen, doch reinlichen Gewands hinter mir. Auf seinen Knotenstock gestützt, mustert er mit betrübter Miene die Mauer, die den Horizont verdeckt. Man könnte meinen, Moses vor dem Goldenen Kalb stünde dort.

«Der Jude irrt beständig umher, weil er keine Mauern erträgt», bemerkt er, ohne auf mich zu achten. «Es ist kein Zufall, wenn er eine Mauer errichtet hat, um darüber in Wehklagen auszubrechen. Scharon ist dabei, die Torah verkehrt herum zu lesen. Er glaubt, er würde Israel vor seinen Feinden schützen, und sperrt doch nur sein Land in ein neues Ghetto ein, weniger schrecklich, gewiss, aber genauso ungerecht …»

Endlich wendet er sich zu mir. «Verzeihen Sie, wenn ich störe. Ich habe Sie den Pfad entlangkommen sehen und geglaubt, einen alten Freund vor mir zu haben, der seit einem Jahrzehnt nicht mehr unter uns weilt und mir sehr fehlt. Sie haben seine Gestalt, seinen Gang und jetzt, wo ich Sie mir aus der Nähe besehe, auch einen Teil seiner Gesichtszüge. Sie sind nicht zufällig Amin, der Sohn von Radwan, dem Maler?»

«So ist es.»

«Ich war mir sicher. Unglaublich, wie ähnlich Sie ihm

252

sind. Im ersten Moment habe ich Sie für seinen Geist gehalten.»

Er reicht mir eine welke Hand. «Mein Name ist Shlomi Hirsh, aber die Araber nennen mich Zeev, den Eremiten. Weil hier in alten Zeiten einmal ein Einsiedler gelebt hat. Meine Hütte liegt dort drüben hinter den Orangenbäumen. Früher habe ich als Händler für euren Patriarchen gearbeitet. Seitdem er seine Ländereien verloren hat, schlage ich mich als Scharlatan durch. Alle wissen, dass ich nicht mehr Macht habe als die Hühner, die ich auf dem Altar verlorener Liebesmüh opfere, doch das scheint niemanden zu stören. Die Leute kommen noch immer und wollen Wunder von mir, die ich beim besten Willen nicht bewirken kann. Ich stelle ihnen für ein paar armselige Schekel bessere Zeiten in Aussicht, und da ich mich damit nicht bereichere, ist keiner mir gram, wenn ich einmal danebentippe.»

Ich drücke ihm die Hand.

«Störe ich?»

«Jetzt nicht mehr», beruhige ich ihn.

«Sehr gut. Hierher verirren sich nur noch wenige. Wegen der Mauer. Sie ist wirklich scheußlich, diese Mauer, nicht wahr? Wie kann man nur etwas derart Grauenhaftes bauen?»

«Das Grauen kommt nicht allein durch die Konstruktion.»

«Das stimmt, aber man hätte sich doch wirklich etwas Besseres einfallen lassen können. Eine Mauer? Was heißt das? Der Jude ist so frei geboren wie der Wind, so uneinnehmbar wie die Wüste Judäas. Wenn er vergessen hat, sein Vaterland abzustecken, so dass man es ihm beinahe weggenommen hätte, dann doch, weil er lange geglaubt hat, das Gelobte Land sei zunächst einmal jenes, wo kein Bollwerk den Blick daran hindert, weiter zu reichen als seine Schreie.»

«Und die Schreie der anderen, was macht er damit?»

Der Greis senkt den Kopf. Er hebt ein Stück Erde auf und zerkrümelt es zwischen den Fingern.

«Was soll mir die Menge eurer Opfer?, spricht der Herr. Ich bin satt der Brandopfer.»

«Jesaja 1, 11», sage ich.

Der Alte zieht anerkennend die Augenbrauen hoch. «Bravo.»

«Wie geht das zu, dass die treue Stadt zur Hure geworden ist? Sie war voll Recht, Gerechtigkeit wohnte darin; nun aber – Mörder.»

«Mein Volk, deine Führer verführen dich und verwirren den Weg, den du gehen sollst.»

«... das Volk wird wie ein Fraß des Feuers; keiner schont den andern. Sie verschlingen zur Rechten und leiden Hunger; sie fressen zur Linken und werden doch nicht satt. Ein jeder frisst das Fleisch seines Nächsten.»

«Wenn aber der Herr all sein Werk ausgerichtet hat auf dem Berge Zion und zu Jerusalem, will ich heimsuchen die Frucht des Hochmuts des Königs von Assyrien und die Pracht seiner hoffärtigen Augen.»

«Und wehe, wenn Scharon sich nicht anständig benimmt, *amen!*»

Wir brechen beide in lautes Gelächter aus.

«Du erstaunst mich», bekennt er. «Woher kennst du denn die Verse des Jesaja?»

«So wie jeder Jude Palästinas ein wenig arabisch ist, kann kein Araber Israels von sich behaupten, nicht ein wenig jüdisch zu sein.»

«Da bin ich ganz deiner Meinung. Aber warum dann so viel Hass bei solcher Blutsverwandtschaft?»

«Weil wir wenig von den Prophezeiungen begriffen haben und nicht mehr von den elementaren Regeln des Zusammenlebens.»

Er nickt betrübt.

«Nun, und was wäre dagegen zu tun?», erkundigt er sich.

«Zunächst einmal dem lieben Gott seine Freiheit zurückzugeben. So lange, wie er schon Geisel unseres Pharisäertums ist ...»

Ein Auto taucht vom Hof her auf, hinter sich eine lange Staubfahne herziehend.

«Das ist bestimmt für dich», klärt der Alte mich auf. «Wer zu mir will, hat immer einen Esel unter dem Hintern.»

Ich reiche ihm die Hand, verabschiede mich und steige den Hang zum Fahrweg hinunter.

Im Haus des Patriarchen herrscht Hochbetrieb. Tante Najet höchstpersönlich ist da. Sie war bei ihrer Tochter in Tubas und ist zurückgekehrt, sobald sie von meiner Heimkehr gehört hat. Trotz ihres Alters hat sie sich kaum verändert. Mit ihren neunzig Jahren ist sie so munter wie eh und je, fest auf beiden Beinen stehend, mit funkelndem Blick und sicheren Bewegungen. Sie ist unser aller Mutter, die jüngste Gattin und einzige Witwe des Patriarchen. Wenn meine Mutter mit mir schimpfen wollte, musste ich nur ihren Namen schreien, und schon wurde ich verschont ... Ihre Tränen benetzen mein Hemd. Andere Cousins, Onkels, Neffen, Nichten und andere weibliche Verwandtschaft warten geduldig, bis sie an der Reihe sind, mich zu umarmen und abzuküssen. Kein Mensch nimmt es mir übel, so weit fortgegangen und so lange geblieben zu sein. Alle sind froh, mich wiederzusehen, mich eine Umarmung lang für sich zu haben; alle vergeben mir, dass ich sie jahrelang ignoriert und die blitzenden Neubauten den staubigen Hügeln vorgezogen habe, die großen Boulevards den Ziegenpfaden und den eitlen Tand der Welt den einfachen Dingen des Lebens. Wie ich sie da so vor mir sehe, die mich alle lieben und denen ich doch nichts als ein Lächeln bieten kann, wird mir zum ersten Mal so richtig klar, was ich alles aufgegeben habe. Als ich dieser geknechteten und geknebelten Gegend damals den Rücken kehrte, dachte ich alle Brücken hinter mir abzubrechen. Ich wollte nicht wie die Meinen werden, ihr Elend erleiden, mich mit ihrer stoischen Ergebenheit über Wasser halten. Ich weiß noch, ich trabte ständig hinter meinem Vater her, der mit Leinwand und Pinsel statt Schild und Speer hartnäckig auf Einhornjagd ging, und das in einem Land, in dem einen die alten Legenden nur traurig stimmen. Jeder Kunsthändler, der ihn abwies, vernichtete mit seinem Kopfschütteln uns beide. Es war ungeheuerlich. Mein Vater ließ niemals die Arme sinken, überzeugt, das Wunder eines Tages doch noch erzwingen zu können. Seine Misserfolge machten mich wütend, seine Beharrlichkeit gab mir Kraft. Und wenn ich auf die Obstgärten meines Großvaters, die Spiele meiner Kindheit, ja sogar auf meine Mutter verzichtet habe, dann einzig und allein, um mich nicht von einem albernen Kopfschütteln abhängig zu machen. Das war, so schien mir, die einzige Art, aus meinem Schicksal ein Epos zu machen, da ich für alles andere überhaupt nicht in Frage kam …

Wissam hat drei Hammel geschlachtet, um uns mit einem Spießbraten zu beglücken, der der größten Feste würdig wäre. Das Wiedersehen mit der Sippe geht mir sehr nah, ich kann mich kaum auf den Beinen halten. Im Galopp kehrt eine ganze verflossene Epoche zurück, so prachtvoll wie orientalische Reiterspiele. Man stellt mir eingeschüchterte Kleinkinder vor, neue Ehepartner, künftige Verwandte. Nachbarn tauchen auf, frühere Bekannte, Freunde meines Vaters und alte Gauner. Es wird ein rauschendes Fest bis in den Morgen hinein.

Am vierten Tag findet das Haus des Patriarchen zu seiner gewohnten Stille zurück und Faten übernimmt wieder die Führung. Tante Najet und der Nestor verbringen ihre Tage im Patio und schauen dem Tanz der Mücken über dem Gemüsegarten zu. Wissam bittet uns um Erlaubnis, nach Dschenin zurückzukehren. Ein Anruf hat ihn zurückbefohlen. Er schnürt sein Bündel, umarmt die beiden Alten und seine Schwester Faten. Bevor er geht, erklärt er mir noch, wie glücklich er ist, mich *rechtzeitig* kennen gelernt zu haben. Ich habe den Sinn dieses *rechtzeitig* nicht erfasst, bin von Unruhe erfüllt, seit ich ihn abfahren sah – etwas in seinem Blick hat mich an Sihem erinnert, wie sie am Bushahnhof stand, und an Adel, so in sich versunken im steinigen Patio in Dschenin.

Ich bereue es nicht, bei meinen Verwandten Zwischenstation gemacht zu haben. Ihre Wärme tröstet mich, ihre Großmut beruhigt mich. Ich verbringe meine Tage bald auf dem Hof, wo ich dem Nestor und Hadscha Najet Gesellschaft leiste, bald auf dem Hügel, wo mich der alte Zeev mit seinen Geschichten über die Leichtgläubigkeit der kleinen Leute erwartet.

Zeev ist eine faszinierende Gestalt, ein bisschen verrückt, aber ein Weiser, eine Art Heiliger ohne feste Funktion, der es vorzieht, die Dinge erst einmal zu nehmen, wie sie sind, unvoreingenommen, etwa so, wie man auf einen fahrenden Zug aufspringt, unter dem Vorwand, dass jede neue Erfahrung bereichern kann, selbst wenn man einem ungnädigen Geschick entgegensieht. Läge es nur an ihm, würde er mit Freuden seinen Mosesstab gegen den Besen einer Hexe tauschen und sich einen Spaß daraus machen, seinen Hokuspokus ebenso therapeutisch einzusetzen wie die Wunder, die er den Verdammten verheißt, die ihn um Erbarmen anflehen, seine Armut zur Abstinenz verklärend und sein Außenseitertum zur Askese. Ich habe von ihm viel über die Menschen und mich selbst gelernt. Sein Humor mildert die Wucht der Schicksalsschläge, sein nüchterner Blick hält die verheerenden Auswirkungen einer Realität auf Distanz, die ihre Versprechen einzulösen vergisst und Hoffnungen nur weckt, um sie zu töten. Ich muss ihn nur reden hören, schon habe ich all meine Sorgen vergessen. Wenn er sich in seinen sprudelnden Theorien über Tobsucht und Torheit des Menschengeschlechts ergeht, kennt er kein Halten und reißt alles mit, mich zuerst. «Ein Menschenleben ist wertvoller als jedes Opfer, und wenn es das höchste Opfer wäre», bekennt er und hält meinem Blick stand. «Denn es gibt kein größeres, kein gerechteres, kein edleres Anliegen auf Erden als das uneingeschränkte Recht auf Leben …» Dieser Mann ist ein Glücksfall. Er besitzt die Gabe, sich von den Ereignissen nicht überrollen zu lassen, und hat den Anstand, vor dem Ansturm des Missgeschicks nicht einzuknicken. Sein Reich? Die Hütte, in der er wohnt. Sein Festessen? Die Mahlzeit, die er mit denen teilt, die er schätzt. Sein

Ruhm? Ein simpler Gedanke in der Erinnerung derer, die ihn überleben werden.

Wir verbringen plaudernd Stunde um Stunde oben auf dem Hügel, auf einem großen Stein sitzend, den Rücken der Mauer und den Blick beharrlich dem zugewandt, was von den Obstgärten auf den Ländereien des Stammes noch übrig ist ...

Eines Abends, nachdem ich mich von ihm verabschiedet habe, holt das Unglück mich dann ein: Frauen in Schwarz bevölkern den Patio. Faten steht abseits, den Kopf in den Händen vergraben. Wimmerndes Stöhnen, unterbrochen von lauten Schluchzern, erfüllt den Hof und verheißt nichts Gutes. Einige Männer unterhalten sich neben dem Hühnerstall, Verwandte und Nachbarn.

Ich suche nach dem Stammesältesten, sehe ihn nirgends.

Sollte er gestorben sein ...?

«Er ist in seinem Zimmer», erklärt mir ein Cousin. «Hadscha ist bei ihm. Er hat die Nachricht sehr schlecht aufgenommen ...»

«Welche Nachricht ...?»

«Wissam ... Er ist heute früh auf dem Feld der Ehre gefallen. Er hat sein Auto mit Sprengstoff gefüllt und ist in einen israelischen Kontrollposten gerast ...»

Im Morgengrauen rücken die Soldaten an. Ihre Gitterfahrzeuge besetzen den Obstgarten, umzingeln das Haus des Patriarchen. Sie haben einen Panzerträger dabei, mit einem Bulldozer auf der Ladefläche. Der Offizier verlangt den Patriarchen zu sehen. Da Omr unpässlich ist, vertrete ich ihn. Der Offizier erklärt mir, dass wir infolge des durch Wissam Jaafari begangenen Selbstmordanschlags auf einen Checkpoint und gemäß den Instruktionen, die er von seinen Vorgesetzten erhalten hat, exakt eine halbe Stunde Zeit haben, um das Anwesen zu räumen und ihm zu erlauben, es zu zerstören.

«Was soll das?», protestiere ich. «Sie wollen das Haus abreißen?»

«Es bleiben Ihnen genau neunundzwanzig Minuten, mein Herr.»

«Kommt nicht in Frage. Wir werden nicht zulassen, dass Sie unser Haus abreißen. Was ist denn das für eine Forderung? Wo sollen die Leute, die hier wohnen, denn hin? Es gibt hier zwei alte Menschen, die fast hundert sind und versuchen, die wenigen Tage, die sie noch haben, so gut es geht über die Runden zu bringen. Sie haben kein Recht, so etwas zu tun … Das hier ist das Haus des Patriarchen, der Mittelpunkt für den ganzen Stamm. Sie werden gefälligst wieder abziehen, und zwar sofort.»

«Achtundzwanzig Minuten, mein Herr.»

«Wir bleiben im Haus. Wir werden uns nicht von hier fortrühren.»

«Das ist nicht mein Problem», erklärt der Offizier. «Mein Bulldozer ist blind. Wenn er einmal loslegt, dann gründlich. Sie sind gewarnt.»

«Komm», sagt Faten und zieht mich am Arm davon. «Diese Leute haben nicht mehr Herz als ihre Panzer. Lass uns retten, was zu retten ist, und dann aufbrechen.»

«Aber sie werden das Haus niederreißen!», rufe ich.

«Was ist schon ein Haus, wenn man ein ganzes Land verloren hat», seufzt sie.

Einige Soldaten laden den Bulldozer vom Panzerträger herunter. Andere halten die Nachbarn auf Abstand, die von allen Seiten angelaufen kommen. Faten hilft dem Stammesältesten in den Rollstuhl und bringt ihn in den Hof, damit er nichts mitbekommt. Najet will nichts mitnehmen. Das sind alles Dinge, die zum Haus gehören, sagt sie. Wie in alten Zeiten, da man die Herrschaften mitsamt ihrem Hab und Gut begrub. Dieses Haus hat es verdient, seine Habseligkeiten bei sich zu behalten. Es ist das Gedächtnis einer Epoche, das da erlischt, mit all seinen Träumen und Erinnerungen.

Die Soldaten vertreiben uns vom Gelände. Wir ziehen uns auf einen schorfigen Erdhügel zurück. Omr sitzt eingefallen in seinem Stuhl – ich glaube, er merkt nicht einmal, was um ihn herum geschieht. Er blickt auf das Treiben ringsum, ohne es wirklich wahrzunehmen. Hadscha Najet steht aufrecht und würdevoll hinter ihm, Faten zu seiner Linken, ich zu seiner Rechten. Der Bulldozer legt los, während seinem Schlot dichter Qualm entweicht. Seine rotierenden Stahlraupenketten reißen schnaubend den Boden auf. Die Nachbarn umrunden den Sicherheitskordon, den die Soldaten errichtet haben, und gesellen sich schweigend zu uns. Der Offizier befiehlt einem Trupp seiner Männer nachzusehen, ob auch wirklich niemand mehr im Innern des Gebäudes ist. Nachdem er sich vergewissert hat, dass das Haus leer steht, gibt er dem Bulldozerfahrer ein Zeichen. In der Sekunde, in der die kleine Umfassungsmauer zusammenbricht, packt mich eine unbändige Wut und lässt mich gegen die Maschine anrennen. Ein Soldat stellt sich mir in den Weg. Ich stoße ihn beiseite und stürze auf das Monster zu, das dabei ist, meine Geschichte zu verwüsten. «Schluss! Aus! Aufhören!», brülle ich. «Halten Sie sich zurück!», bremst mich der Offizier. Ein Soldat geht dazwischen, rammt mir seinen Gewehrkolben ans Kinn, und ich falle zu Boden wie ein Stück Stoff, das man fallen lässt.

Ich habe den ganzen Tag auf dem Hügel zugebracht und auf den Trümmerberg gestarrt, der einst, Lichtjahre entfernt, mein Schloss unterm Sternenhimmel war, als ich selbst noch ein kleiner Prinz auf nackten Füßen war. Mein Urgroßvater hat es mit eigenen Händen erbaut, Stein für Stein. Etliche Generationen sind dort herangereift, mit Augen weiter als der Horizont. Etliche Hoffnungen haben sich vom Nektar seiner Gärten genährt. Und es hat nicht mehr als einen lächerlichen Bulldozer gebraucht, um in wenigen Minuten die ganze Ewigkeit zu Staub zu zermahlen.

Gegen Abend, während die Sonne sich drüben, hinter der Mauer, verbarrikadiert, kommt ein Cousin, um mich zu holen.

«Es bringt nichts, noch länger hier zu bleiben», sagt er, «was geschehen ist, ist geschehen.»

Hadscha Najet ist zu ihrer Tochter nach Tubas zurückgekehrt.

Der Stammesälteste hat bei einem Urenkel Zuflucht gefunden, in einem Weiler in der Nähe der Obstgärten.

Faten hat sich in undurchdringliches Schweigen gehüllt. Sie hat beschlossen, weiterhin beim Ältesten zu bleiben, in der Behausung seines Urenkels. Sie hat sich immer um den Alten gekümmert und weiß, wie anstrengend diese Aufgabe ist. Ohne sie würde Omr nicht mehr lange durchhalten. Die anderen würden ihn anfangs gut versorgen und ihn am Ende sich selbst überlassen. Deshalb hat Faten ja auch nie das Haus des Patriarchen verlassen. Omr war gewissermaßen ihr Baby. Doch als

der Bulldozer abgezogen ist, da hat er Fatens Seele mitgenommen. Zurückgeblieben ist eine beinahe leblose
Frau, stumm und verstört. Ein Schatten, der sich in irgendeinem Winkel vergisst und nur darauf wartet, mit
der Nacht zu verschmelzen. Eines Abends ist sie zu Fuß
zum verwüsteten Obstgarten hinüber, das Haar offen auf
die Schultern fallend – sie, die mit ihrem Schleier so gut
wie verwachsen war –, und ist die ganze Nacht dort geblieben, aufrecht vor den Trümmern stehend, unter denen ihre Existenz begraben lag. Sie weigerte sich, mir zu
folgen, als ich sie holen kam. Nicht eine Träne rann aus
ihren leeren Augen, ihrem glasigen Blick, diesem Blick,
der nicht trügt und den ich zu fürchten gelernt habe. Am
nächsten Morgen keine Spur mehr von Faten. Wir haben
Himmel und Erde in Bewegung gesetzt, um sie wieder-
zufinden; keine Faten, nirgends. Als er merkt, dass ich
mich anschicke, die umliegenden Weiler zu alarmieren,
und befürchten muss, die Situation könne sich zuspitzen,
nimmt der Urenkel mich beiseite und beichtet mir: «Ich
habe sie nach Dschenin gebracht. Sie wollte das unbedingt. Und sowieso lässt sich dagegen kaum etwas tun.
Das war schon immer so.»

«Was meinst du denn damit?»

«Ach, nichts …»

«Was will sie in Dschenin? Und bei wem ist sie?»

Der Urenkel von Omr zuckt die Achseln. «Das sind
Dinge, die Leute wie du nicht begreifen können», sagt er
und lässt mich stehen.

Da begreife ich.

Ich nehme ein Taxi und fahre zurück nach Dschenin,
überrasche Khalil bei sich zu Hause. Er glaubt, ich sei gekommen, ihn zur Rechenschaft zu ziehen. Ich beruhige

ihn. Ich will nur wissen, wo ich Adel finde. Der kommt auf der Stelle herbei. Ich erzähle ihm, dass Faten verschwunden ist, teile ihm meine Vermutungen bezüglich der Gründe ihres Verschwindens mit.

«Nicht eine Frau ist in dieser Woche zu uns gestoßen», versichert er mir.

«Frag doch mal beim Islamischen Dschihad oder bei einer der anderen Phalangen nach.»

«Das bringt's nicht ... Ist schon schwer genug, sich mit denen übers Wesentliche zu einigen. Und außerdem sind wir einander keine Rechenschaft schuldig. Jeder führt den heiligen Krieg nach seiner Art. Wenn Faten da irgendwo steckt, ist es zwecklos zu versuchen, sie herauszuholen. Sie ist volljährig und absolut frei, über ihr Leben zu verfügen, wie es ihr gefällt. Über ihren Tod ebenso. Es gibt nicht zweierlei Maß und zweierlei Gewicht, Doktor. Wenn man bereit ist, zu den Waffen zu greifen, muss man auch dulden, dass die anderen dasselbe tun. Jeder hat Anrecht auf seinen Anteil am Ruhm. Sein Schicksal kann sich keiner aussuchen, wohl aber sein Ende. Und das ist gut so, das ist demokratisch. So hat doch jeder die Chance, dem Verhängnis ins Gesicht zu spucken.»

«Ich bitte dich, mach sie ausfindig.»

Adel schüttelt bedauernd den Kopf. «Du verstehst noch immer nichts, *ammou*. Und ich muss jetzt fort. Scheich Marwan kann jeden Augenblick eintreffen. Er predigt in einer knappen Stunde in der Moschee hier im Viertel. Du solltest ihn dir mal anhören ...»

Das ist es, denke ich: Faten ist wahrscheinlich in Dschenin, um den Segen des Scheichs einzuholen.

Die Moschee ist bis in den letzten Winkel gefüllt. Die Milizen haben mehrere Sicherheitskordons um das Gotteshaus gezogen. Ich suche mir einen Platz an einer Straßenecke, von wo aus ich den Frauenflügel überwachen kann. Die Nachzüglerinnen drängen durch eine Hintertür an der Rückseite der Moschee in den Gebetssaal, die einen in schwarze Gewänder gehüllt, die anderen leuchtend bunt verschleiert. Faten ist nicht zu sehen. Ich laufe um einen Häuserblock herum, um näher an die Hintertür zu gelangen, wo eine dicke Dame Aufsicht führt. Sie ist empört, mich an einer Stelle auftauchen zu sehen, an der selbst die Milizen sich nicht zu zeigen wagen, aus Schamgefühl.

«Die Männer sind auf der anderen Seite!», fährt sie mich an.

«Ich weiß, meine Schwester, aber ich muss dringend mit meiner Nichte, Faten Jaafari, reden. Das duldet keinen Aufschub.»

«Der Scheich ist bereits auf dem Minbar.»

«Es tut mir wirklich leid, meine Schwester. Aber ich muss mit meiner Nichte sprechen.»

«Und wie soll ich es anstellen, sie hier zu finden?», regt sie sich auf. «Da drin sind Hunderte von Frauen, und der Scheich fängt gleich mit seiner Predigt an. Ich kann ihm ja wohl kaum das Mikrophon wegnehmen. Kommen Sie nach dem Gebet wieder.»

«Vielleicht kennen Sie ja meine Nichte? Ist sie da drin, Schwester?»

«Wie bitte? Sie sind sich nicht sicher, ob sie überhaupt hier ist? Und dann nerven Sie uns in einem solchen Moment! Wenn Sie nicht sofort verschwinden, rufe ich die Milizionäre herbei!»

Es bleibt mir nichts übrig, als das Ende der Predigt abzuwarten.

Ich kehre zu meinem Platz an der Straßenecke zurück, um die Moschee und den Frauenflügel nicht aus dem Blick zu verlieren. Die Stimme Imam Marwans klingt beschwörend aus dem Lautsprecher, hoheitsvoll die überirdische Stille durchdringend, die über dem Viertel schwebt. Es ist praktisch die gleiche Ansprache, wie ich sie in dem Schwarztaxi nach Bethlehem gehört habe. Von Zeit zu Zeit begrüßt enthusiastisches Geschrei die lyrischen Aufschwünge des Redners …

Mit quietschenden Bremsen stoppt ein Wagen direkt vor der Moschee. Zwei Milizionäre springen heraus und sprechen aufgeregt in ihre Funkgeräte. Es scheint sich irgendetwas anzubahnen. Einer der beiden zeigt nervös zum Himmel hinauf. Erst beraten sie sich kurz und gesellen sich dann zu dem Mann mit der Jacke, meinem Kerkermeister. Er hält sich einen Feldstecher vor die Augen und sucht minutenlang den Himmel ab. Um die Moschee herum bricht hektische Betriebsamkeit aus. Widerstandskämpfer laufen in alle Richtungen davon, drei direkt auf mich zu, rennen keuchend an mir vorbei … «Wenn kein Helikopter zu sehen ist, wird es eine Drohne sein», sagt einer. Ich blicke ihnen nach, wie sie im Eiltempo die Straße hinauflaufen. Ein weiteres Fahrzeug hält vor der Moschee. Die Insassen rufen dem Mann in der Jacke etwas zu, wenden den Wagen unter furchtbarem Motorenlärm und rasen zurück zum Platz. Die Predigt wird unterbrochen. Jemand bemächtigt sich des Mikrophons und bittet die Gläubigen, Ruhe zu bewahren, es könne sich auch um einen Fehlalarm handeln. Zwei Geländewagen fahren vor. Die Gläubigen beginnen, aus der Moschee zu strömen. Sie nehmen mir die Sicht auf den Frauenflügel. Ich will jetzt nicht noch einmal um den Häuserblock herumlaufen, am Ende könnte ich Faten noch verpassen, falls sie tatsächlich aus dem Hintereingang kommt. Ich beschließe, mich am Vordereingang vorbei durch die Menge zu schieben und den Frauenflügel direkt anzusteuern … «Gebt den Weg frei. Bitte geht zur Seite!», ruft ein Widerstandskämpfer. «Macht Platz für den Scheich …» Die Gläubigen drängeln, stoßen einander in die Rippen, um aus der Nähe einen Blick auf den Scheich zu erhaschen, einen Zipfel seines *kamis* zu berühren. Die gewaltige Woge der Menge hebt mich an, als der Imam plötzlich auf der Schwelle zur Moschee erscheint. Ich versuche erfolglos, mich von den Leibern in Trance, zwischen denen ich eingezwängt bin, zu befreien. Der Scheich verschwindet in seinem Wagen, hebt die Hand zum Gruß hinter der Scheibe aus Panzerglas, während seine beiden Leibwächter neben ihm ihre Plätze einnehmen … Dann sehe ich nichts mehr. Etwas zuckt am Himmel auf und explodiert im nächsten Moment mitten auf der Straße; die Schockwelle trifft mich mit voller Wucht und reißt die frenetische Menge auseinander, die mich gefangen hält. Im Bruchteil einer Sekunde stürzt der Himmel herab, und die Straße, die eben noch vor religiöser Inbrunst brodelte, versinkt im Chaos. Der Körper eines Mannes, oder ist es der eines Jungen, streift mich in meinem Taumel wie ein seltsamer Blitz. Was ist das …? Eine riesige Welle aus Feuer und Staub erfasst mich, schleudert mich zwischen tausend Geschossen hindurch. Ich habe das undeutliche Gefühl zu zerfasern, zu zerschmelzen im glühenden Hauch der Explosion … Einige Meter entfernt geht das Fahrzeug des Scheichs in Flammen auf. Zwei blutüberströmte Phantome versuchen, den Imam dem Inferno zu entreißen. Mit bloßen Händen nehmen sie das glühende Blech auseinander, zertrümmern die Scheiben, arbeiten sich an den Türen ab. Ich schaffe es nicht, aufzustehen ... Das Geheul eines Krankenwagens ... Jemand beugt sich über meinen Körper, tastet oberflächlich meine Wunden ab und entfernt sich, ohne noch einmal zurückzukommen. Ich sehe, wie er vor einem verkohlten Körper niederkniet, ihm den Puls fühlt und dann den Bahrenträgern ein Zeichen gibt. Ein anderer Mann kommt herbei, fasst nach meinem Handgelenk, lässt es wieder fallen ... «Der ist hinüber ...» Im Krankenwagen, der mich abtransportiert, lächelt meine Mutter mir zu. Ich möchte meine Hand ausstrecken, ihrem Gesicht entgegen, doch kein Stück von mir gehorcht mir mehr. Mir ist kalt, mir tut alles weh, ich bin traurig. Der Krankenwagen biegt mit lautem Geheul in den Hof des Krankenhauses. Die Türen werden aufgerissen, die Träger sind wieder da, heben mich hoch und legen mich in einem Gang nieder, direkt auf dem Boden. Krankenschwestern steigen über mich hinweg und laufen hektisch umher. Transportliegen werden in schwindelerregendem Tempo an mir vorbeigerollt, darauf nichts als bloße Wunden, nacktes Grauen. Ich warte geduldig, dass sich jemand um mich kümmert. Ich begreife nicht, warum niemand länger bei mir verweilt; man bleibt stehen, sieht mich an und geht weiter. Das ist nicht normal. Andere Körper sind rechts und links von meinem aufgereiht. Vor manchen haben sich Angehörige versammelt, darunter weinende, kreischende Frauen. Andere sind bis zur Unkenntlichkeit entstellt, nicht zu identifizieren. Nur ein Greis kniet sich vor mir hin. Er ruft den Namen des

Herrn an, legt seine Hand auf mein Gesicht, schließt mir die Lider. Schlagartig verlöschen alle Lichter und Geräusche der Welt. Absolute Angst ergreift mich. Warum drückt er mir die Augen zu …? Erst, als es mir nicht mehr gelingt, sie wieder zu öffnen, begreife ich: Das ist es also. Es ist vorbei. *Ich bin nicht mehr …*

In einem letzten Aufbäumen versuche ich, mich doch noch in den Griff zu bekommen. Nicht eine Faser vibriert mehr in mir. Da ist nur noch dieses kosmische Rauschen, das langsam in mir hochsteigt, mich schon auslöscht … Dann, plötzlich, in der Tiefe des Abgrunds, ein unendlich winziges Licht … Es zittert, kommt langsam näher, nimmt Gestalt an; es ist ein Kind … das läuft; vor seinem einzigartigen Lauf weicht alles Dunkle und Düstere zurück … *Lauf*, ruft ihm die Stimme seines Vaters zu, *lauf* … Ein Polarlicht geht über strahlenden Obstgärten auf; schon treiben Knospen an den Ästen hervor, beginnen zu blühen, bis die Zweige sich unter der Last der Früchte biegen. Das Kind läuft an wild wuchernden Pflanzen vorbei, auf die Mauer zu, die wie eine Pappwand in sich zusammenbricht, den Horizont freigibt und aus den Feldern, die sich über die Ebenen hinziehen, bis der Blick sich verliert, die bösen Geister vertreibt … *Lauf* … Und es läuft, das Kind, und es lacht und jauchzt, die Arme wie Vogelschwingen ausgebreitet. Das Haus des Patriarchen steht wieder aus seinen Ruinen auf; seine Steine schütteln den Staub ab, finden an ihren Platz zurück in einer magischen Choreographie, die Mauern richten sich wieder auf, die Deckenbalken bedecken sich mit Ziegeln; Großvaters Haus steht aufrecht in der Sonne, prächtiger denn je. Das Kind läuft schneller als alles Leid, schneller als das Schicksal, schneller als die Zeit …

Und träume, ruft der Künstler ihm zu, *träume, dass du schön bist, glücklich und unsterblich* ... Und wie von all seinen Ängsten befreit, rennt das Kind auf den Hügelrücken, mit flatternden Armen, strahlendem Kindergesicht, fröhlichen Augen, und schwingt sich in den Himmel auf, getragen von der Stimme seines Vaters: *Alles kann man dir nehmen; dein Hab und Gut, deine schönsten Jahre, deine sämtlichen Freuden, deine gesammelten Verdienste und sogar dein letztes Hemd – doch es bleiben dir noch immer deine Träume, um die Welt, die man dir gestohlen hat, neu zu erfinden.*

Gabriel Chevallier
Heldenangst
Roman. 432 Seiten, gebunden
Aus dem Französischen
von Stefan Glock
ISBN 978-3-312-00441-6

Ein Antikriegsroman von 1930, dessen Neuausgabe in Frankreich unlängst hymnisch gefeiert wurde, vergleichbar mit den Werken von Erich Maria Remarque, Louis-Ferdinand Céline oder Norman Mailer: Nach dem Ersten Weltkrieg, den er als Infanterist an der Front erlebte, beschrieb Gabriel Chevallier die Angst als das alles dominierende Gefühl des Krieges. Bei seinem Ersterscheinen löste der Roman seiner Direktheit wegen einen Skandal aus und wurde angesichts des neuen Krieges 1939 zurückgezogen. Jetzt ist er erstmals auf Deutsch zugänglich.

»Ein Meisterwerk! Gabriel Chevallier erzählt schonungslos realitätsnah und stilistisch brillant in der Tradition von Victor Hugo.« *Libération*

NAGEL & KIMCHE